中国近现代针灸文献研究集成

教材卷

王富春 杨克卫 主编

针灸技法分卷（下）

北京科学技术出版社

针科学讲义（承淡安）

提 要

一、作者小传

承淡安（1899—1957），字启桐，初名澹盦，一名澹庵、淡庵，江苏江阴（古称澄江）人。我国近现代著名的针灸学家、针灸教育家，澄江针灸学派创始人、中国近现代针灸学科奠基人、近现代中国针灸事业的宗师。承淡安出身于中医世家，其祖父承凤岗精于中医儿科，父亲承乃盈擅长针灸、儿科、外科。他自幼受父辈熏陶，立志学医，以解患者病痛，他曾说："既抱定鞠躬尽瘁于中医学术，死亦无恨矣。"承淡安青少年时期即随父学医，尽得真传；又师从同邑名医瞿简庄学习内科。

1925年，承淡安开始独立行医。1929年，"废止中医案"使中医的发展面临困境。承淡安不受环境影响，毅然坚持带徒授业，以实际行动继承和发扬中医针灸学。1931年，承淡安创办了我国近代中医教育史上第一个针灸研究、函授教育机构——中国针灸学研究社，并担任社长。

为了更好地推动针灸的函授教育，承淡安于1933年10月10日创办了中国医学史上最早的针灸专业刊物——《针灸杂志》。1934—1935年，承淡安游学日本，收获颇丰。归国后，他创立了中国针灸学讲习所（1937年2月扩建为中国针灸医学专门学校）以传授针灸技术，同时又创设中国针灸医学图书馆。1937年7月，承淡安因战乱被迫离开自己创办的学校，前往四川地区。1938年，他在成都创建中国针灸讲习所、成都国医学校和针灸函授学校，在德阳创办德阳国医讲习所。1941年，他编著了《伤寒针方浅解》一书；1942年，承淡安任四川医学院针灸科教授，并在四川广安县开办国医内科训练班；1948年，他于苏州创办怀安诊疗院；1951年初，他在苏州司前街复建了中国针灸学研究社，并复刊《针灸杂志》。1954年，他出版《中国针灸学讲义（新编本）》，并于同年10月30日被江苏省人民政府任命为江苏省中医进修学校（今南京中医药大学）的首任校长。

承淡安长期从事针灸理论和临床研究，著作甚丰。著有《中国针灸治疗学》《中国针灸学讲义》《子午流注针法》《伤寒论新注（附针灸治疗法）》等15部著作，编修针灸经络图多册。承淡安一生致力于针灸医术的复兴与普及，为促进针灸学发展和培养针灸人才付出了艰辛努力，在他的努力之下，承门弟子程莘农（中国工程院院士）、邓铁涛（国医大师）、邱茂良、杨甲三、陈应龙等人在海内外孜孜以求，引领针灸学科发展前沿，逐步形成了以融通中西医学为特色的现代针灸学术研究群体——澄江针灸学派。

二、版本说明

江苏江阴承淡安编，中国针灸学研究社铅印本。

三、内容与特色

全书阐述了针术之由来、定义，针之构造、种类、制法，针之长短大小与应用，针尖之形状，针之选择、修理与保存，刺针之练习、方式、方向、目的，直接的刺激与间接的刺激，针刺之感通作用，刺针时之准备、注意要项，刺针时医者与病者之体位，进针时之程序，进针后之手技，晕针之处置，出针困难之处置，折针之处置，出针后之遗感觉之处置，出针后皮肤变色及高肿之处置法，针尖刺达骨节时之处置，针治之禁忌等。

现将该书特色介绍如下。

（一）中西医理论相结合，以西释中

承淡安以中医理论与日本之实验研究共同阐述了针刺作用之原理，认为针刺是通过感觉神经支、运动神经支和交感神经支协同作用，而起到制止、兴奋及诱导3种作用的。

（二）溯源汇总，积极创新

该书讲述了针术的起源与针具的铸造形式及应用、古今针法、针术实施、针后的处置与生理变化，并介绍了新的针具材料（夹金丝）较金银针、钢针、铁针之优势。

在民国时期，中医针灸针具采用新的材料并广泛推广应用，对中医针灸的发展与创新起到了积极的推动作用。

（三）整理归纳，胪列条陈

该书汇集了关于针刺各方面的内容，凭承淡安数年之临床亲察，复参酌日本针灸学讲义，凡关于针学方面之知识、古今之异同、今后应趋之途径，皆胪列条陈，并结合临床实际总结了针刺的基本手法及临床应用等。

鍼科學講義
海仙置

鍼科學講義刊誤表

頁	行	字	誤	正
一	三	三四	歧	岐
	八	二	歧	岐
	二三	一	是	總
三	二五	二八	鐵	鍼
五	八	二一	右	左
五	四	二三	長字下少一「針」字	
	二一	十四	多	少
七	四	十一	拭	試
	二七	十五	證	說
九	三	六	綫	綏
九	十七	二三	爲	逆

頁	行	字	誤	正
一	六	二三	歧	岐
	十	十八	歧	岐
二	二	三	渕	淵
三	二八	十一	鐵	鍼
五	二十	二五	九十	四十五
六	二七	二	入	人
七	十二	二七	發字下少一「生」字	
八	二六	六	必	要
一一	二三	三一	即	可

我们的

一一	二六	一三	虛	實
一二	一四	六	着	者
一三	五	十六	瀉	補
	一三	一一	經	筋
	二九	十九	之字下少一「針」字	
一四	一七	五	合	令
又	二九	二三	左	右
一五	一三	三	身	針
	二六	六	二	三
一六	一二	一八	針字下少一「下」字	
一八	二四	二六	以	反
一九	一三	十	脛	脘
	二八	二	時	是
二十	十九	八	骨字下少一「節」字	
二一	十四	二五	戟	刺
一二	一三	十四	其出	出其
一三	三	四	操	躁
	七	二三	其	甚
	二九	五	之字下少「一種」二字	
一四	一	三二	之一	一之
	二七	八	右字起以下九字重複	
	三十	八	左	右
一五	一六	十四	幽	闕
	五	三	陽陰	陰陽
一六	一五	一一	陰	陽
一八	二五	七	上	下
一九	一八	一六	測	側
	三二	三一	物	精
二十	十九	一二	置處	處置
二一	三十	十	宜，	，宜

針科學講義目錄

鍼科學講義

鍼科學講義

江蘇江陰承澹盦編
中國鍼灸學研究社印

一、鍼術之由來

鍼學一科，夫人而皆知為我中華最古之醫療學術，靈樞首篇九鍼十二原，「黃帝問於歧伯曰，余子萬民，養百姓，而收其租稅，余哀其不給，而屬有疾病，余欲勿使被毒藥，無用砭石，欲以微鍼，通其經脈，調其血氣，營其逆順出入之會，令可傳於後世……先立鍼經」觀乎此，可知針學肇始於軒歧。

漢藝文志曰，黃帝內經一十八卷，後人即為靈樞九卷，素問九卷，夫內經為黃帝與其臣屬歧伯等，相互問難，辨別臟腑陰陽時序攝生療治之法，為中華醫學最早之著作，亦為中華醫學之基礎，但稽乎實際，黃帝時代，文字單純，冶金術尚未大成，故劉向指內經為諸韓公子所著，程子謂出戰國之末；是非無因，黃帝歧伯為著者所假托，可以無疑，然則針術之發明，當在戰國時。

考之山海經有云，高氏之山，有石如玉，可以為鍼，則古代之針，先為石鍼，石針即砭石，素問異法方宜論曰，其治宜砭石，閱上文勿使被毒藥，毋用砭石，則針為砭石之遞變，由石製而改為鐵製，漢服虔云，石砭石也，季世無復佳石，故以鐵針代之，則鐵製之針，至秦漢而運用，上文推想針術之發明，在戰國時期；或許無誤。

鍼科學講義

吾人必欲考據針學發明之時期，當先究靈樞素問之創作時代，漢志載黃帝內經十八篇，無素問之名，後漢張機，傷寒論序，始有撰用素問之語，晉皇甫謐甲乙經序，亦稱鍼經九卷，皆爲內經，與漢志十八篇之數合則素問之名起於漢晉之間，至於靈樞，漢隋唐志，皆無此書名，至宋紹興中錦官史崧，乃云家藏舊本靈樞九卷，是此書至宋中世而始見記載，又杭世駿道古堂，集靈樞經跋謂文義淺短與素問不類，其十二經水篇，乃王冰時之水名，黃帝時尚無此名，總此書乃王冰所輯而託名於古人者，觀乎此，素問靈樞之著，又在戰國時之後，鍼術或發明於戰國時，必先有鍼灸，而後乃記其法則，列爲章節，成最後之內經。

是之，鍼學爲砭石之遺法，由石鍼而改進，可以無疑，鍼學之有文可稽，有法可循，至千萬世而不泯滅者，皆爲內經之功也。

二、鍼術之定義

鍼術者，以一定之法則，用金屬所製之細鍼，於身體一定之部位，如關節之間，郄膕之處而刺入之，施一定之手法，以戟刺其內部之各組織，各神經系統，整其生活機能之變調，以達疾病治愈之目的之一種醫術也。

三、鍼之構造

古人以石之細緻而銳者爲鍼，即高氏之山，有石如玉之石鍼，石砭石也，說文「砭」以石刺病也，素問異法方宜論曰，「東方之民，病皆爲癰瘍，其治宜砭石」是古昔之鍼以石製者，本草綱目中有曰「古昔以石爲鍼季世以鐵代石」是石鍼以後，改爲鐵製，觀楊繼洲鍼灸大成，製鍼法，以馬啣鐵爲之，或用金鍼更佳，則鐵鍼之外，在明時已有金製者，近百年來，科學昌明，百物改良，以馬啣鐵製鍼易於折損，遂利用純鋼化合物製針，銳而滑利，堅韌不折，又勝馬啣鐵製者多矣，然以其易銹，有以金銀爲之者，特無鋼鐵之滑利耳。

四，鍼之種類

古昔之針，分爲九種，名曰九針，九針之意，古人應九數，一曰鑱針，取法於巾針，去末寸半卒銳之，長一寸六分，主熱在頭身也，二曰圓針，取法於絮針，筩其身而卵其鋒，長一寸六分，主治分肉間氣，三曰鍉針，取法於黍粟之銳，長三寸五分，主按脈取氣令邪出，四曰鋒針，取法於絮針，筩其身鋒其末，長一寸六分，主癰熱出血，五曰鈹針，取法於劍鋒，廣二分半，長四寸，主大癰膿，兩熱爭者也，六曰圓利針，取法於氂尾，針微大其末，反小其身，令可深入也，長一寸六分，主取癰痺者也，七曰毫針，取法於毫毛，長一寸六分，主寒熱痛痺在絡者也，八曰長針，取法於綦針，長七寸，主取深邪遠痺者也，九曰大鍼，取法於鋒針，其針微圓，長四寸，主取大氣不出關節者也，此古人九針大小長短法也，在近代除鋒針毫針外，甚少用之者。

靈樞九針十二原篇，首有小針之要，易陳而難入之文，又第三篇爲小針解，是九針之外，又有小針，馬元臺註爲微針，殆即近代所用之毫針也。

附九鍼式

1 鑱針
2 圓針
3 鍉針
4 鋒針
5 鈹針

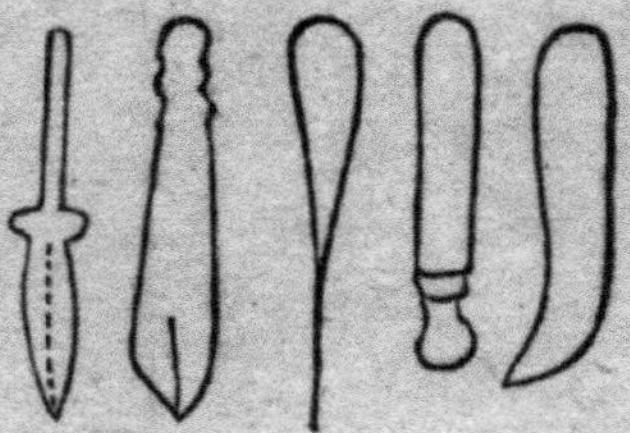

6 圓利針
7 毫針
8 長針
9 大針

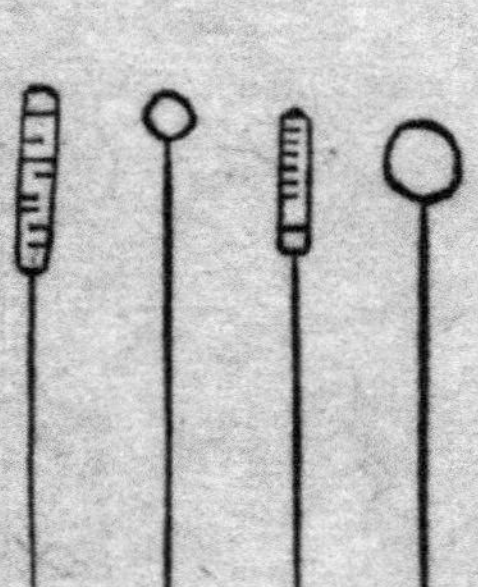

五．鍼之製法

鍼灸大成製針法，以馬啣鐵製，謂其無毒，鍛鐵成絲，分長短斷之，外塗蟾酥再鍛之，云可止痛，然後纏以銅絲以爲柄，磨其一端爲針尖，再入芳香運氣辛温和血之藥品煑之，謂藥可入於針質內，其意爲施針時，藉針內之藥氣，以取運血氣也，實則鐵質堅緻，吸收藥力極微，且煑後復須以瓦屑磨擦之，使之光潔滑利，即能吸收葯力，一經摩擦，亦已消失，古人之用心，亦有似是而非者矣。

近年工藝，突飛猛進，鋼鐵皆有細絲，匀而堅靭，針家以馬啣鐵製針，手續太煩，且脆而易折，故多以鐵絲或鋼絲爲之，惟仍入藥煑過，然後一端磨銳成爲針尖，一端繞以銅絲，成爲鍼柄，繼以細沙，捻摩針尖，使其利而不銳，圓而不鈍，再擦針身，務宜光滑細緻，於是應用於人身，自無痛澀之弊矣。

鋼絲之針，堅靭適中，有彈力而不易折，較之馬啣鐵製者，不可同日語矣，然易起養化作用而生銹，爲一大缺點，金銀絲製者，雖不生銹，而柔軟易曲，美中各有不足，今有一種不起養化作用之夾金絲，彈力亦不弱鋼絲，以之爲針，則甚相宜也。

六、鍼之長短大小與應用

人之肌肉肥瘦，部位有厚薄，下針亦有深淺，刺戟有强弱，爲適應其刺針之深淺，則針之長短，不可不分也，爲適應刺戟之强弱，則針之大小，不可不分也，就歷來經驗以定之，長者須三寸五分，短者爲七分，從七分與三寸五分之間，爲分配一寸，寸五，二寸，二寸五，三寸，共計七類，於臨症應用，深處如髀樞，淺處如指端，四肢腹背，厚薄淺深，無往而非宜矣，惟是針之長者，針絲宜稍大，便於刺也，且刺深者，大都刺激神經幹，針小則力不足而效不充也，短者宜小，利於皮下之輕刺，如以散瘀行氣爲目的，則非大者不宜矣。

鍼科學講義

七，鍼尖之形狀

用針之目的，在刺戟其神經，發揮其行氣行血之機能也，神經機能之活力，固在神經細胞，而傳導之功，乃在神經纖維，纖維細胞之柔嫩，不能受重大損傷，故針刺祇可刺戟神經，不能刺傷神經，針與神經之接觸，厥爲針尖，欲盡戟撥之功，而無刺傷之弊，則針鋒不宜鋭而宜圓，前人謂針頭圓者，血管遇之可以避，蓋亦經驗之談，然針頭太圓者，其面積較大，肌膚之抗力亦强，下針較爲困難，病者感到痛苦亦重，故針鋒尖鋭固不可，太圓亦非宜，當於尖鋭之中，帶有圓形，於圓形之中，須存尖鋭，總之能利而不鋭，圓而不鈍，斯爲上品。

八，針之選擇修理與保存

我國針醫用針，大都爲鋼鉄所製，間有以金銀爲之，鋼鍼富於彈力，製鐵最宜，惟易生銹，因銹而發生斑痕，苟不注意，小之筋纖維纏繞針身，發生刺痛，不易脫出，大則爲之斷折，故針身之有無斑痕，爲選擇上應注意之一，金銀針雖不生銹，無蝕痕之可慮，惟質柔軟「，針鋒易毛，且易成鈎形，「鋼鐵亦時有之」其弊同於鋼針，故針之良否，亦爲選擇上應注意之一，不論金銀鋼鐵針，愈用愈熟，熟則滑利而少痛苦，若一旦臨症應用，病家因體位移動，致針身屈曲，或針鋒成鈎，棄之似甚可惜，再用有所不能，如能善爲修理，屈者直之，鈎者正之，則仍不失爲一枝良針也。

鋼鐵易銹，宜每日拭擦，若貯而不用，則塗以油質，可久藏不變。金銀雖不生銹，用時亦必拭擦，貯藏之器，普通都用針管，但針鋒易受損傷，最宜用針包，使針固定不移，則針鋒針身，可無受損之慮矣。

九，刺針之練習

以如線如髮之針，運於二指之間，欲使之透膚入肌，直搗目的，非有充實之指力不可，指力之成也，則非熟練不成，善用針者，微捻即透入內層，患者似無感覺，其初學者，如切如鑽，令人難忍，每使患者，視爲畏途，裹足不前，不特此也，同一病而同一治，一收宏效，一無進退，何也，亦指力之有無，捻運之純熟否耳，故欲謀斯道之進展，受病者之樂就，指力上捻運之練習，未可忽視也。

練習法，其法亦有二，一用棉線球練習法，以棉花三四兩搓成球形，每晨用棉紗線緊繞十二轉，暇時以三四寸長之毫針，用右手大指食指及中指，時時捻進捻出，日復一日，而線日增一層，經年屢月，線球大而結實，捻針乃施展自如，功力已至，用諸人身，不復感痛苦矣。

又法，以書一冊，懸於壁間，高與肩齊，初取一頁，依次而捻刺之，日加一頁，五六頁後，二日加一頁，增至十頁，二日加一頁，如積至三十餘頁，能不費力而針透之者，可以應用自如矣，次述捻運之練習，捻運之主要技術，在乎提插捻撥，左旋右轉，進退疾徐，各有法度，彼手技爛熟者，與未經訓練者，於病之療治，其功效相去倍蓰，故初學者，應有相當之練習，練習之法，先以針插入棉被中，爲提插捻習運動之練習，繼爲左旋右轉之捻撥，再進爲進退疾徐之修習，能心有欲而手應之，圓轉自如，然後以之臨症，可謂得心應手，庶無往不利矣。

十、刺針之方式

刺針之方式，專言進針時應用之手法，就所知所見者有三法，一爲打入之法，二爲插入法，三爲捻入法，打入法今已不行，插入法兼有行之者，最流行而最普遍者，爲捻入法。

打入法，其針短而粗，針尖浹於左手拇指食指之間，按於穴上，尖着皮膚，二指保持其針尖與針體之角度，然後以右手食指扣打而入，入穴約二三分深，然後以左手之拇食中三指：扶持針柄，而捻運之，此法今已不行，聞陝北尙有行之者，日人亦有打針法，惟不用指打而用槌打，其技不及我國多矣。

插入法，今日有所謂達摩針法者，其針亦粗，類似九針中之圓利針，進針皆用插入法，先以左手拇食二指，固定穴位，右手持針，拇食二指挾持針尖，露出尖端約一二分，針柄則支於虎口，然後以針尖密接於穴上，準定入針角度，二指略行寬鬆，藉虎口掌腕之力，直揷入穴一二分或三四分，針稍停，乃行爪括指循提揷等法。

捻入法，爲普通之針法，亦爲下針法中之簡便法，手技分長短針下法二種，先言短針下法，凡用短針之處，大都屬頭部支末，筋肉淺薄知覺神經末稍分佈最密之部。針捻入之時，先以左手拇指，爪切穴上，右手拇指中指，挾持針柄，無名指傍挾針身，針尖着穴，於是挾持針柄之指，捻轉送下，至應入之目的而止，長針之挾持法，同於短針，針着穴之後，左手拇食二指，即挾持針身，當右手捻動針柄送下之時，右手拇食二指，一方扶持，不使針身偏側：一方助針緩送下，至應深之目的而止，然後行捻運之手術。

又有管針法者，盛行於日本，以圓形或六角形之細針管，較針稍短二分，應用時，以針揷入管內，針尖一端，按於穴上，左手拇食二指挾持之，右手之食指，扣打針柄，針即入穴，然後將針管上提，挾管之二指則移挾針身，保持原有之角度，針管既去，乃以右手捻動針柄而下，此法雖手術較煩，如術者指力不足，與婦女胆怯者用之，亦免痛之一法也。

十一，刺針之方向

刺針之方向者，言刺針入穴時所向對之角度也，約分之可列爲直，橫，斜，三種。

直針者，不論直下或平進，皆保持其九十度之直角，所謂直角，係皮膚面與針尖相接合，其兩方作成各個的直角是也，人體經穴大部分，皆從直角下針。

橫針者，即沿皮下針，不入筋肉，針從銳角刺入之謂也，所謂銳角者，針尖與皮膚面相會，大約爲二十五度角是也，橫針之穴甚少，僅頭部與胸部數處。

斜針亦曰斜刺，針從斜角刺入之謂也，斜角者，針尖與皮膚成九十度以上之角度也，如針風池太谿崐崙諸穴，應用亦甚多。

十二，刺針之目的

內經有曰，欲以微針通其經脈，調其血氣。又曰。虛則實之，滿則泄之，菀陳則除之，邪勝則虛之，此古人用針之目的也，從今日科學目光觀察之，通經脈，調氣血，即爲刺戟其神經與血管，使血行流暢也，虛則實之，滿則泄之，即近代針醫，謂之虛則補之，實則瀉之是也，所謂虛，乃某組織機能之減退也．所謂實，乃某組織機能之亢奮也，菀陳則除之，邪勝則虛之，無非散其鬱血充血而已。

再言之，興奮，制止，誘導，三種之作用與方法。

興奮法者。專應用於生活機能減弱之疾病。如肺萎。肝虛。脾弱。腎衰。筋骨麻木等，所謂虛則補之者。對於此類之疾病，與以輕微之刺戟，興奮其各組織之神經。鼓動其生活之機能。以達療治之法也。

制止法者。與興奮法絶然反對。專應用於生活機能之亢進所發生之疾病。如知覺神經過敏，發生疼痛。運動神經過興奮，發生痙攣。內臟神經太旺盛，發生某種分泌過多。宜與强力之刺戟，以制止之，鎮靜之，緩解之之法也。即內經所謂實則瀉之，邪勝則虛之之法也。

誘導法者，即頭有疾，取之足，於距離患部之處，與以刺戟，使其部血管擴張，導去其患部之充血鬱血，或病之產出物，以達療治之目的，所謂微者隨之之法也。

其他如暴者奪之，菀陳則除之，即今之放血法刺血法也。

十三，直接的刺戟，與間接的刺戟

上節述針治之目的，吾人已知不外施制止，誘導，興奮，三種作用。但刺戟點，須直接刺其患部之深層神經幹，或血管，使之發起作用，以達到其目的，然而在皮膚淺層，知覺神經之末端，利用反射作用，與以淺刺，亦能達到其目的，較之深刺戟，有時反覺爲優，良以末稍之反射，範圍較廣，惟此類之皮膚刺戟，藉其反射力而發揮作用，可名之曰間接刺戟，其直接刺其與患部有關之神經，筋肉或血管，可名之曰直接刺戟。

十四，針刺之感通作用

當針刺入身體之時，恰如電氣之感傳，而發生一種如痲痺樣之刺戟，亦有始終感如痠如痛者，皆名之曰針之感通，針醫名之曰得氣行氣，其感通之範圍不一，有在一部者，有沿其神經，所經過之區域，而發感通者，如針腰部，能感傳至下肢與足趾，如針指部，能波及上膊與肩胛，亦有不循神經之徑路感傳者，如針足部，而感傳至頭，針胸部，而感傳至足，良由神經交綜錯節：無處不通，自某部之刺戟，神經發生興奮，傳與中樞，起反射之興奮作用，使間接之神經細胞，亦起興奮，從而波及其他之知覺神經，發生感通，亦未可知。

從麻痺痠痛之感通，亦能推知其病之輕重，下針即發感通者，其病輕。久而始發者，其病重。感傳遠者其病輕。限於一部者，其病重。

術者指覺之敏銳者，亦能知其感感之有無與輕重，針書有曰，針下得氣，如魚吞鈎餌之狀。邪氣之來也，緊而急。穀氣之至也，和而緩。是皆術者之指覺也。指覺非人人所能，非熟練不可，亦非細心體會不可，斷非筆墨可以形容者也。

十五，刺鍼時之準備

吾入臨床施術之時，宜如何作準備。曰，第一步清潔術者之手掌手指，與其診察上之用具，然後診察病人，審明症狀，以定治療之方針，確定應取之經穴，乃出其耀目之針，檢取適於經穴深淺之長度，即以淨紙勒擦之，如用棉花醮酒精拭之亦佳。針既檢定，乃使被術者整其體位，安其心志，毋移動，胆餒。針穴部位，爲之充分消毒。於是徐徐爲之下鍼，行種種之手技焉。

十六，刺針時之注意要項

臨床施術，不特述如上節之先與消毒而已也，於針身，針鋒之是否無損，應有詳細之審察，苟發現疑點，宜以薄紙拭之，全針刺過，絕無聲息，則針身不損，退出無音，悉無阻碍，則針鋒亦良，以之應用，可以無憂。

針既良矣，而患者面無血色，目瞳少神，仍未可以猝然下針也，必詢其有無受針之經驗，如其未也，宜緩辭之，必欲針治，必先告其暈針之狀，與不可胆餒，然後徐徐下針，微運即退，長時之强刺戟，則絕對禁忌之，當下針捻運之時，必十分注意其面部之顏色，微有變動，立即停針，且也二三穴外，雖不發生暈針，亦宜停止，使其翌日再針，萬不可以其不妨而多針之，惹起極度之腦貧血，則悔已晚矣。

於普通病者，雖不慮暈針之發生，然於下針之時，若發生筋肉痙攣，切不可强力刺下，宜立即停止，切之循之，待其攣急緩解，然後徐徐下針，否則未有不發屈針者也。

皮膚過於緊張者，刺下每感劇烈疼痛，皮膚十分弛緩者，易於移動，且以堅韌而不易刺入，故痛感每較常人爲重凡遇此等患者，如緊張者，必先施强烈之按摩，弛緩者，以左手拇食二指，緊張其肌膚，然後爲之進針，可免若干之痛苦矣，皮膚之不易移動：亦端賴乎此。

其他關於小兒婦女之針刺，尤宜注意其移動，下針宜淺而速，不能久留，否則折針屈針，未有不演出者也。

至若病勢衰弱已極，脈微神散，氣短欲絕，當此之時，萬不能輕易下針，妄思救治。靈樞經亦曰，用針者，觀察病人之態，以知精神魂魄之存在得失之意，五者已傷，針不可以治之也，蓋精氣已衰弱者，根本不存，油乾燈熄，針雖萬能，亦難挽再造之功也。

雖然，急性病症，而形似虛脫，若與以强刺戟之反射，每有因此而慶更生者，是不能恐受誹謗之嫌而袖手旁觀也。

十七，刺針時醫與病者之體位

凡將施術之先，醫者與患者，須有一定之體位，苟患者之體位不正，則取穴不確，且神經筋肉骨骼之位置，微有不同，欲其舒經行氣，不可得矣，即醫者之體位不正，而草率施術，往往亦能發生偏側，難於進針，或屈針之弊，此體位所宜注意也。

考各經穴條下，關於取穴之法，皆有證明，如仰臥，俯伏，拱伸，蹲跪，各有定法，然病有輕重，力有盛衰，未可執而不化，坐臥側伏，宜隨機權變也，茲定二者之體位式如左：

甲，患者之體位

患者之體位，以舒適與筋肉弛張之程度，成自然爲標準，如是在施術之中，不致十分移動，若其姿勢屬於勉强，必中途轉側，發生折針屈針之弊，關於各部施術方面，如採取左之方式，則大致不誤。

在頭部側面施術之時，用坐式，仰臥式，或側臥式，如屬頭之後面，則取坐式，伏臥式，或側臥式。

在顏面部，取正坐式，或仰式，側臥式均可。

頸部及胸部，腹部之前面，則使之仰臥而施之，正坐亦可。

在刺側胸部，側腹部時，取側臥爲善。

後頸部，及肩胛部，背部，則用坐式，或伏臥式。

四肢及臀部，取坐式，或側臥式，患部向上方以施之。

乙，醫者之體位

醫者之體位無定，必隨患者之體位如何，而採取適當之位置，總以易於施術，易於發揮腕力與指力爲原則。

十八，進針時之程序

進針之時，其先决條件爲消毒，於刺針時之準備一節，已言之矣，準備已畢，即爲刺針之實施，其程序有三，一曰爪切，二曰持針，三曰進針，爲分述之。

鍼科學講義

爪切　難經有曰，知爲針者信其左，不知爲針者信其右，當刺之時，必先以左手，壓按其所針滎腧之處，彈而努之，爪而下之，其氣之來，如動脈之狀，順針而刺之云云，此即言進針之時，宜先彈努爪下而後進針也，彈努爪下，即按摩爪切，非維使其皮下知覺之神經痲木，進針減少痛感已也，主要在探尋穴位，切準穴門，下針不致傷筋傷骨也，按摩爪切之法奈何，初於其應刺之部位，以左食指或拇指，微着力按摩，探尋骨隙，穴位既得，以爪切下，成十字紋，或一字紋，然後以針尖，着紋之中央而下，直達應刺之目的，可無阻碍矣，若操切從事，持針即刺，雖依其分寸而不按切，則未有能中的者，故用針者信其左也。

持鍼　持針之道，亦甚重要，內經有曰，持針之道，堅者爲實，正指直刺，無針左右，神在秋毫，屬意病者，審視血脈，刺之無殆，又曰，持針之道，欲端以正，安以靜，明季針家楊繼洲氏曰，持針者，手如握虎，勢若擒龍，心無外慕，若待貴人，此皆言持針必端正而心靜，必聚精會神，屬意於指端針端，直刺橫刺斜刺，保持其角度而後下針，斯克盡持針之法也。

進針　古人於進針之時，先定補瀉之要，後行進針之法，靈樞經水篇曰，凡瀉者，必先吸入針，凡補者，必先呼入針，後之醫者，令咳嗽一聲以代呼，或曰口中收氣以代吸，乘患者呼氣，或吸氣之中而下針，其規則謹嚴，審愼從事，亦成一派。自今日人體生理剖解之學明，知古人之所謂營衛氣血者，一爲血液之流行，一爲神經生理之現象，針之補虛瀉實，不越乎興奮，制止，等之作用，對於補瀉之手技，僅屬於一種刺戟法之強度，進針時對於呼吸上，實無注意之必要，而心之靜，手之穩，徐徐捻撥而下，一方視其面部之表情，爲進針捻撥之緩急，面色不變，口眼不皺引者，進針可速下。反之宜輕微漸進，此乃進針之要決也。

十九．進針後之手技

針既進矣，即爲捻運，就古法言，目的在乎補瀉，以新理論，則不越乎制止，興奮，誘導。三者目的不同，手技遂異，考之內經，徵之近賢，名目繁多，心目爲眩，大都標新立異，不切實際，在作者，不外示其廣博，且閃爍其詞，不肯明言，以顯其神秘，而後之學者，以其玄奧莫測，索解無從，遂視爲畏途矣，針道之不明，實斯輩爲厲階，毋怪有人目針家爲草澤鈴醫之流也，編者不才，於古人手技之神秘處，未敢悉皆附從，如內經針法，尚有可取之處，特錄其要者，爲之註釋，以供同志之參考焉，從科學立場，吾人對於針法，應取之途徑，殿列於后。

甲，內經之針法

「九針十二原」小針之要，易陳而難入，粗守形，上守神，神乎神，客在門，未覩其疾，惡知其原，刺之微在遲速，粗守關，上守機，機之動，不離其空，空中之機，清靜而微，其來不可逢，其往不可追，知機之道者，不可掛以法，不知機者，扣之不發，知其往來，要與之期，粗之闇乎，妙哉工獨有之，往者爲逆，來者爲順，明知爲順，正行無間，迎而奪之，惡得無虛，隨而濟之，惡得無實，迎之隨之，以意和之，針道畢矣。

編者按曰，本節首言小針之不易施，故曰易陳而難入也，繼分粗工上工之所守，一徒守跡象，不諳妙機，一知守神，能觀病原，而知其虛實，故曰粗守形，而上守神也，其得神之妙者，知病之在何經，如客之在門，了然其出入之道也，不觀其疾，不知其原，言施針不可不先審其疾也，次言刺針之眞諦，在乎遲速，守穴中之妙機，以適應病體之虛實，即上守機，機之動，不離其空也，夫空者，關節之空間也，即神經出入之處也，神經因受刺戟，而發生反射，與局部筋肉收縮，是卽機之動也，粗工不知，僅按其關節而刺之，以爲盡針之能事矣，此其所以名下工也，神經之機能微妙，不可思議，因神經細胞之活潑與否，發生反射機能，有强弱之分，如其强也，不能使之更强，如其弱也，不能使其再弱，故曰，其來不可逢，其往不可追也，欲知反射强弱之妙機，乃在指端，非可得聞，而得可見也，惟有熟練之上工乃能之，乘其反射力之如何，而應以適當之手技，所謂知機之道也，粗工不知此妙機，即不知其往來，故曰闇也，所謂往來者，指神經反射，感應之起止也，當其起也謂之來，當其止也爲之去，粗工不知其起止，坐失時機，已止矣，而猶擊之，故曰，往者爲逆，上工能乘其起，而應用其手技，故曰來者爲順，能明往來，即知順逆，所謂應其衰而彰之，因其實而虛之，調正其機能之盛衰，達疾病之驅除，迎而奪之，即實而虛之也，追而濟之，即衰而彰之也，迎，奪，追，濟，能隨已意而和之，所謂得心應手，盡用針之能事矣。

凡用針者，虛則實之，滿則泄之，菀陳則除之，邪勝則虛之，大要曰，徐而疾則實，疾而徐則虛，言實與虛，若有若無，察後與先，若存若亡，爲虛爲實，若得若失。

編者按曰，本節言用針之大綱，經曰，凡欲用針，先必按脈，脈之虛而無力者，氣之弱也，當補之，即虛則實之之謂也，脈之盛者，氣之盛也，當瀉之，即滿則泄之之謂也，見其青絡怒張。乃鬱血也，則刺而放之，即菀陳則除之之謂也，病痛甚而起之暴者，則解散之制止之，即邪勝則虛之之謂也，徐而疾則實，此言手技，徐入其針，而疾出也，謂之實，疾而徐則虛，言疾入其針，而徐出也，謂之虛，謂之瀉是也，所謂實與虛者，一爲使神經興奮，謂之有氣，一爲神經安靜，謂之無氣，此若有若無之釋也，察後與先，若存若亡者，殆初因其氣虛而實之，乃謂若亡若存，初因其氣實而瀉之，乃謂若存若亡也，爲虛爲實，若得若失者，言瀉之而虛，若有所失，補之而實，若有所得也，本節不肯定曰，有無存亡得失，而曰若有若無，若存若亡，若得若失者，愚深佩古人之卓見，而體會入微，何也，蓋本節之補瀉虛實，指氣之虛實言也，古人之所謂氣，固有多端，如本節之所指，乃神經之活力也，神經興奮太盛，而使之安靜，即古人謂實則瀉之，意爲瀉者，瀉其氣也。氣已瀉而不曰氣已無，氣已亡，氣已失，而曰若無，若亡若失，神經因活力衰弱，而使之興奮，即虛則補之之義也，但不曰已有已存已得，而曰若有若存若得此非古人之卓識，曷克臻此。

虛實之要，九針最妙，補瀉之時，以針爲之，瀉曰必持內之，放而出之，排陽得針，邪氣得泄，按而引針，是謂內溫，血不得散，氣不得出也，補曰隨之，隨之意若妄之，若行若按，如蚊虻止，如留而還，去如弦絕，令左屬右，其氣故止，外門已閉，中氣乃實，必無留血，急取誅之。

編者按曰，本節首言，補虛瀉實，以九針爲最妙，繼言補虛瀉實之法，瀉曰必持內之，言必持針以入之也，放而出之，言提針以放邪氣也，排陽得針者，得以針搖大其孔，排散衛陽，使邪氣可得泄也，按而引針，是謂內溫，此言補之法也，按而引針者，亦即引針以按入之，名曰內溫，內溫者，和其內部之氣血也，故曰血不得散，氣不得出也，自補曰隨之以下，專言補之手技，隨者意若妄之，若行若按，如蚊虻止，如留而還，去如弦絕，誠形容補法之絕妙好詞，吾今爲之分解之，一語道破，不如其含意深長，耐人尋味矣，隨之意若妄之者，隨順也，妄無也，言針之捻撥，順手所至，若有意若無意也，若行若按，行動也，按下也，言針似動而似按也，如蚊寅止，如留而還者，以蚊寅之吸血情狀爲譬也，去如弦絕者，言緩緩出針，以弦絕情狀爲譬也，自令左屬而下，乃言出針後之手技，令左屬右者，屬從也，隨也，言令左手從右手，出針之時，按其孔穴，則內之氣止，外門閉，而氣不泄，於是中氣實矣，如有留血，急除去之，是即必無留血，急取誅之之意也。

編者復不嫌詞費，而重申其義，補者，使神經活潑興奮也，瀉者，排除神經障碍，或制止其興奮，使之安靜也。

編者屢言之，使神經興奮之手技，必須用輕微之刺戟，欲制止而使之安靜，必用强之刺戟，學者試一思之，本節言補瀉之技，雖寥寥數字，深合今之新理，已無遺義，誰謂古人之學識，不科學也耶？

刺之而氣不至，無問其數，刺之而氣至，乃去之，勿復鍼。

編者按，本節示人以針貴得氣，氣至即已，不至則捻之運之，不問其數，誠開宗明義，如何明且盡也，不知後人，爲何復演出六陰，九陽，子午，搗臼等，種種眩人名目，殆未觀內經針法之眞義也歟。

徐入徐出，謂之導氣，補瀉無形，謂之同精，是非有餘不足也，亂氣之相逆也。

編者按，本節之針法，不分補瀉手技，但徐入徐出，以鼓動其氣，所謂不虛不實，以經取之之法也，補瀉無形者，不分補瀉之手技，形式，但徐入徐出以和其氣血，故謂之同精，精指榮衛氣血也，榮衛同生於水穀之精氣，故本節簡稱爲之精，淸者爲榮，濁爲衛，淸濁相干，乃生亂氣而爲病，非氣血之有餘或不足也，故以針徐出徐入以導之者。

病之始起也，可刺而已，其盛可待衰而已，因其輕而揚之，因其重而減之，因其衰而彰之。

編者按，本節言刺法之因病制宜也，病之始起也，輕而微，刺入即可出針，故曰即刺而已，病之盛者，宜久留其針，以待其病勢衰而後出針也，故曰，其盛可待衰而已，因其輕而揚之三句，乃言因病施技之法也，病之輕者，所謂徐出徐入，揚其氣而已，蓋輕刺法也，病之重而屬虛者，所謂用實則瀉之之法，而減之也，即重刺載法也，因其衰而彰之者，補法也，亦即輕刺法也。

刺虛者，須其實，刺實者，須其虛，經氣已至，愼守弗失，深淺在志，遠近若一，如臨深淵，手如握虎，神無營於衆物。

編者按，本節言刺虛刺實之必要條件，刺虛者，須實而後已，所謂必待其陽氣隆至，針下覺熱，而後去針也，刺實者，所謂陰氣隆至，針下覺寒，而後去針也，經氣已至以下，言運針之宜專心一意，始終不懈，即如臨深淵，手如握虎，神無營於衆物也，深淺在志，遠近若一者，乃言運針淺深，氣行遠近，一如其志也。

瀉必用方，方者，以氣方盛也，以月方滿也，以日方溫也，以身方定也，以息方吸而納針，乃復其方吸而轉針，乃復候其方呼而徐引針，故曰瀉必用方，其氣而至焉，補必用員，員者行也，行者移也，刺必中其榮，復以吸排針也，故員與方非針也。

編者按，本節言補瀉之貴乎適中其度也，瀉必用方，方者適當也，以氣方盛者，所謂適當其氣盛而瀉之，以月方滿，以日方溫者，古人用針，每擇日擇時擇人之精神充滿之時也，以身方定者，擇其氣血和平之時也，以息方吸而納針以下，至其氣而行焉，則言針之出入，必當其吸或呼之時而爲之，於是其邪氣出，而正氣行也，補必用員，員者行也，行者移也，其意頗費解，吾推其大意，補者補虛也，古人之所謂虛，每指氣虛言，氣虛者，氣不行也，今之所謂神經不活潑，而無力以動也，補之使其氣行，使其移動，故曰員者行也，行者移也，則補必用員者，即補必須使氣圓轉活動而流行也，刺必中其榮者，針必達於內也，張隱庵曰，必中榮者，刺血脈則出血，出血之針屬瀉針，補而其出血，理不可通，古人以衛主乎外，榮主乎內，此刺必中榮者，殆刺必達於榮之部分也，復以吸排針者，隨其吸氣而出針也，故員與方非針也，乃取其意也。

吸則納針，無令氣忤，靜以久留，無令邪布，吸則轉針，以得氣爲故，候呼引針，呼盡乃去，大氣皆出，故名曰瀉。

編者按，本節專言瀉針之手技，下針必乘其吸氣之時，不與其氣逆，下針之後，仍乘其吸而轉針，靜留若干時，待其氣至，於是乘其呼而出針，邪氣皆出，故名曰瀉，夫所謂靜以久留者，有二解，孰是孰非，不能起古人而問之，但求理之可通，驗之有徵耳，所謂二解者，一針入穴中，留置不動，以壓制其神經之興奮，可收止痛止痙之效果，一爲靜其心意，針留穴中，而捻撥運之，對於因充血鬱血而發之疼痛，痙攣，有絕大之效果，張馬二家，依其字義而解，僅知其一耳。

必先捫而循之，切而散之，推而按之，彈而怒之，抓而下之，通而取之，外引其門，以閉其神，呼盡內針，靜以久留，以氣至爲故，如待所貴，不知日暮，其氣自至，適而自護，候吸引針，氣不得出，各在其處，推闔其門，令神氣存，大氣留止，故命曰補。

編者按，本節專言補針之手技，馬玄臺之註疏，隨文解釋頗明，摘錄如左。

此言補虛之法也，言未用針之時，必先捫而循之，謂以指捫循其穴，使氣之舒緩也，切而散之，謂以指切按其穴，使氣之布散也，推而按之，謂以指推其穴，，即排蹙其穴也，彈而怒之，謂以指屢屢彈之，使病者覺有經脈怒張之意，使之脈氣塡滿也，抓而下之，謂以左手之爪甲，掐其正穴，而右手方下針也，斯時也，針始入矣，必通而取之，以取其氣，候氣已至，外引其針，以至於門，門者穴也，即推合以閉其神，此乃始終用針之法，而其間尤有節要，不可不知也，方以爪而下之之時，使病人呼以出氣，而吾納其針，必靜以久留，候正氣已至，爲復其舊，無慢心如待所貴，無操心不知日暮，其氣已至，又必調提而護守之，又候病人，吸入其氣，而吾方引針，正氣不得與針皆出，正氣在內而針在外，各在其處，遂推闔穴門，令神氣內存，正氣之大者，爲之留止，故名曰瀉。

編者再按，本節之靜以久留，與瀉之靜以久留，有不同焉，以編者之推測，上節靜以久留，可爲二解，一爲留針法，一爲刺戟法，就其收效言，其合瀉之本義，今移之於補之手技中，則似有不合，以其效用言，不合補之本義也，故本節之靜以久留，當另有一種手技，所謂法於往古，驗於來今，從補字之義推之。必屬徐徐捻運之一種輕微刺戟，是耶非耶，尚待考徵，

乙，科學觀點之鍼法

單刺術

單刺術者，針之目的，刺達經層間，立即以針拔去之法，屬於極輕微之刺戟，此法應用於小兒，或婦女之無受針經驗者，或身體衰弱極度之症候。

旋撚術

旋撚術者，針在身體刺入中，或刺入後，或拔針之際，右手之拇指食指，以針左右撚旋之一種稍强刺戟之手技，適用於制止，以興奮爲目的之針法。

雀啄術

雀啄術者，針尖到達其一定目的後，鍼體恰如雀之啄食，頻頻急速上下運動之，專用於以刺戟爲目的之一種手技，然而其緩急强弱，不僅爲制止作用，亦能應用於以興奮爲目的之一種針法。

屋漏術

屋漏術者，與雀啄術之行用，少有些微不同，即針體之三分之一，刺入後行雀啄術，再行三分之一，仍行雀啄術，更以所剩之三分之一進之，仍行雀啄術，在退針之際，亦如刺入時，每回行雀啄術而出針，此爲專用於一種强刺戟爲目的之手技，適用於制止誘導二種目的。

置針術

置針術者，爲以一針乃至數針，刺入身體各穴，靜留不動，放置五分鐘，乃至十分鐘、然後拔針之手技，適用於制止，或鎭靜爲目的之法。

間歇術

間歇術者，爲針刺入一定度數之後，於此中間，任意引拔放置，更數回反復，行同之一手術，應用於血管擴張，或筋肉弛緩時，爲興奮目的之針法。

振顫術

振顫術者，針刺之後，行一種輕微上下振顫手技，或於針柄上以爪搔數回，或以食指伏於針柄之上端，頻頻輕打之，搖撼之，專應用於血管筋肉神經之弛緩不振者，即所謂之興奮法補法者是也。

亂針術

亂針術者，針刺一定之度，立即拔至皮部，再行刺入，或快或遲，或向前向後，向左向右而運用之，此亂針法，專應用於强刺戟，適用於誘導，解放充血鬱血之針法。

上述八法，爲手技中之簡單明瞭，而易於實施之手法，無內經針法之繁複而有功效，凡百病症，悉可以此八法應付之。

丙，近代諸賢補瀉之針法

四明陳會之針法，隨咳進針，至適度後，微停少止，由右手大指，食指持針，細細動搖，進退搓捻，其針如手顫之狀，謂之催氣，約行五六次，覺針下氣緊，乃行補瀉之法，如針左邊而用瀉法，以右手大指食指持針，以大指向前，食指向後，以針頭輕提往右轉，食指連搓三下，略退出半分許，謂之三飛一退，行五六次，如覺針下沉緊，是氣至極矣，再輕提左轉一二次，合人咳嗽一聲，隨聲出針，如針瀉右邊，則以左手持針捻運，大指向前，食指向後，針頭轉向右邊，依前法行之，若爲補法，隨病人吸氣轉針，其手技却與瀉法相反，針左邊之補法，以左手大指食指持針，食指向前，大指向後，捻針頭轉向右邊，針穿入一二分，停少時，以指輕彈三下，連行三次，於是以大指連搓三下，針頭轉向左，深進一二分，謂之一進三飛，連行五六次，覺針下沉緊，或針下氣熱，是氣已至足，令病人吸氣一口，隨吸出針，急以手按其穴，如針右邊，，則以手捻撥，食指向前，大指向後，依前法行之，如背上中行，在男子則左轉爲補，右轉爲瀉，腹上中行，則右轉爲補，左轉爲瀉，女人反之，背中行右轉爲補，左轉爲瀉，腹中行左轉爲補，右轉爲瀉。

南豐李梴之補瀉法．針男病者，左手陽經，以醫者，右手大指進前，呼之爲隨，退後吸之爲迎．左手陰經，大指退後，吸之爲隨，進前呼之爲迎，右手陽經，以大指退後，吸之爲隨，進前呼之爲迎，右手陽經，以大指退後，吸之爲隨，進前呼之爲迎，右手陰經，以大指進前，呼之爲隨，退後吸之爲迎，病者左足陽經，以醫者右手大指進前，呼之爲隨．退後吸之爲迎，右足陰經，以大指退後，吸之爲隨，進前呼之爲迎，左足陽經，以大指退後吸之爲隨，進前呼之爲迎，左足陰經，以大指進前，呼之爲隨，退後吸之爲迎，男子午前皆然，午後反之，女人與男子又反之。

三衢楊繼洲氏．行鍼八法

1. 曰揣，　揣而循之，凡點穴以手揣摩其處，在陽部筋骨之間側，陷者爲眞，在陰部郄膕之間，動脈相應，其肉厚薄，或伸或屈，或平或直，以法取之，按而正之，以大指爪切陷其穴，於中庶得進退，難經曰，刺榮毋傷衞，刺衞毋傷榮，又曰，刺榮毋傷衞者，乃陷按其穴，令氣散，以針直刺，是不傷其衞氣也，刺衞毋傷榮者，乃撮取其穴，以針臥而刺之，是不傷其榮血也，此乃陰陽補瀉之法也。

2. 曰爪，　爪而下之，此則針賦曰，左手重而切按，欲令氣血得以宣散，是不傷於榮衞也　右手輕而徐入，欲不痛之因，此乃下針之秘法也。

3. 曰搓，　搓而轉者，如搓線之貌，勿轉太緊，轉者左補右瀉，以大指次指相合，大指往上進爲之左，大指往下退爲之右，此則隨迎之法也，故經曰，迎奪右而瀉涼，隨濟左而補暖，此則補瀉之大法也。

4. 曰彈，　彈而努之，此則先彈針頭，待氣至却進一豆許，先淺而後深，自外推內，補身之法也。

5. 曰搖，　搖而伸之，此乃先搖動針頭，待氣至却退一豆許，乃先深而後淺，自內引外，瀉針之法也。

6. 曰捫，　捫而閉之，經曰，凡補必捫而出之，故補欲出針時，就捫閉其穴，不令氣出，使氣血不泄，乃爲眞補。

7.曰循， 循而通之，經曰，凡瀉針必用手指，於穴上四旁循之，令氣血宣散，方可下針，故出針時不閉其穴，乃有眞瀉，此提按補瀉之法，男女補瀉，左右反向。

8.曰撚， 撚者，治上大指向外撚，治下大指向內撚，外撚者，令氣向上而治病。內撚者，令氣向下而治病，如出針，內撚者，令氣行至病所，外撚者，令邪氣至針下而出也，此下手八法口訣也。

燒山火

治久患癱瘓，頑痳冷痺，遍身走痛，及瘓風寒瘧，一切冷症，用針之時，撚運入五分之中，行九陽之數，其一寸者，即先淺後深也，若得氣，便行針之道，運者男左女右，漸漸運入一寸之內，「二進一退」，三出三入，慢提緊按，若感針頭沉緊，其針插之時，熱氣復生，冷氣自除，未效依前再施。

透天涼

治風痰壅盛，中風喉風，癲狂瘧疾瘴熱，一切熱症，凡用針時，進一寸內，行六陰之數，其五分者，即先深後淺也，若得氣，便退而伸之，退至五分之中，三入三出，緊提慢按，若覺針頭沉緊，徐徐舉之，則涼氣自生，熱病自除，如不效，依前法再施。

陽中隱陰

治瘧疾先寒後熱，一切上盛下虛等症，用針之時，先運入五分。行九陽之數之半，「四九三六數」如覺微熱，便運入一寸之內，卻行六陰之數之半，「三六一十八數」以得氣，此乃先淺後深，先補後瀉之法也。

陰中陽隱

治先熱後寒，一切半虛半實等症，凡用針之時，先運一寸，乃行六陰之數，如覺微涼，即退至五分之中，卻行九陽之數以得氣，此乃先深後淺，先瀉後補之法也。

留氣法

治痃癖癥瘕氣塊，用針之時，先運入七分之中，行純陽之數，若得氣，便深刺一寸中，微伸提之，卻退至原處。若未得氣，依前法再行。

運氣法

治疼痛之病，用針之時，先行純陰之數，若覺針氣滿，便倒其針，令患者吸氣五口，使針力至病所，此乃運氣之法，可治疼痛之病。

提氣法

治冷痲症，用針之時，先從陰數微撚似覺氣至，微撚輕提其針，使針下經絡氣聚，可治冷痲之症。

中氣法

治積，用針之時，先行運氣之法，或陽或陰，便臥其針向外，至疼痛處，立起其針，不與內氣同也，若關節阻澀，氣不通者，以龍虎交戰之法，通經接氣，驅而行之，仍以循攝切摩，無不應矣，又按捫循摩導引之法而行。

蒼龍擺尾手法

下針之時，飛氣至關節去處，便使回撥者，兩指扳倒針頭，將針慢慢扶之，如船之柁，左右隨其氣而撥之，其氣自然交感，左右慢慢撥動，九數，或三九二十七數，其氣遍體交流矣。

赤鳳搖頭法

凡下針得氣，如要使之上，須關其下，要下須關其上，連連進針，從辰至巳，退針從巳至午，撥左而左點，撥右而右點，其實只在左右動，似手搖鈴，退方進圓，兼之左右搖而振之。

附白虎搖頭法

以兩指扶起針尾，以肉內鍼頭輕轉，如下水船中之櫓，振搖六數，或三六一十八數，如欲氣前行　按之在後，欲氣後行，按之在前。

龍虎交戰手法

用針時，先行左龍則左撚，凡得九數，陽奇零也，却行右虎則右撚，凡得六數，陰偶對也，乃先龍後虎而戰之，以得氣補之，三部俱一補一瀉，故陽中隱陰，陰中隱陽，左捻九而右捻六，是亦住痛之法，乃得陰陽反復之道，號曰龍虎交戰。

龍虎升降手法

用針之法，先以右手大指向前撚之，入穴後，以左手大指向前撚，經絡得氣行，轉其針，向左向右，引起陽氣，按而提之，其氣自行，如氣未滿，更以前法再施。

五臟交經

下針之時，氣行至溢，須要候氣血宣散，乃使蒼龍左右撥之，氣血自然縱橫。

通關交經

先用蒼龍擺尾，後用赤鳳搖頭，運入關節之中後，以補則用補中手法，瀉則用瀉中手法，使氣於其經便交。

膈角交經

凡用針之時，欲得氣，相生相尅者，或先補後瀉，或先瀉後補，隨其疾之虛實，病之寒熱，其邪氣自瀉除，眞氣自補生。

關節交經

凡下針之時，走氣至關節處，立起針，與施中氣法納之。

子午搗臼

治水蠱膈氣，下針之時，調氣得均，以針行上下，九入六出，左右轉之不已，必按陰陽之道，其症即愈。

編者按，本節諸法，錄自針灸大成，爲明代諸針家之運針手技，其源固不脫於內經，惟惑於陰陽男女之說，附會於針法之中，於是淺顯易明者，轉而爲神祕玄奧矣，處現代革新之秋，神奇玄說，本宜删節，惟研究斯學者，莫不知有此法，故錄出以供參考。

二十，暈針之處置

神經質之患者，或身體衰弱者，下針之後，往往神經因受刺戟，起劇烈反射，發生急性腦貧血症，「名曰暈針」危險殊甚，故下針前後，應有深切之注意，於十六節刺針時之注意要項中，已述之，如不慎而發生暈針，則宜急速與之救治，萬不可驚惶失措，忽於處置也。於言處置法前，略述暈針之病理與情狀，即可知處置挽救之途徑矣。

先言病理，神經衰弱者，與貧血者，下針捻撥，神經猝受刺戟，直射腦部，全身微血管猝縮，尤以頭部爲甚，血壓急速下降，腦部遂形成急性貧血，於是腦之機能猝退，甚至全失心臟機能，亦急速減退，或竟停止博動矣。

言其暈針之情狀，輕者頭暈眼花，噁心欲嘔，心悸亢進，重者面色陡白，四肢厥冷，汗出淋漓，甚至脉伏心停，知覺全失，呈驚人之危狀。

以言救治，則不外重複刺激其知覺神經，喚醒腦神經，而復其機能，總樞一開，百機皆動矣，其法維何，即發覺患者已呈暈針狀態，立即停針退出，如坐者，將其臥倒，一方掐其中衝，或人中不釋，使其感受劇痛，一手按其脉博，如脉博尚有者，但掐中衝，並飲以熱水，或葡萄酒，若脉博已伏，心臟欲停者，則以針刺人中中衝，並行人工呼吸法，至脉出而止，靜臥片時，頻飲熱湯，不久即可恢復常態矣。

二十一，出針困難之處置

施術中，時有發生出針困難之事，其理由不外三點，一爲體位移動，致針絲屈曲，二爲針身有傷痕，筋纖維纏繞不脫，三爲內部運動神經，俄然興奮，起筋肉攣急，吸住針身，吾人欲解決出針困難，必先識別其屬何種原因而致，於是與以適宜之處置，苟不問其因，而欲强力拔出，徒使病者，感受劇痛，非惟仍不能出，且有折針之慮。

識別及處置之法如何，曰針難捻動，深進不能，退出亦不能，屬第一之針身屈曲，急矯正其體位，再探求其曲度與方向，如針柄角度未變，乃爲小屈，以左手拇食二指，重按針下肌肉，右手持針柄，輕微用力提出之，若針柄偏側者，則屈度較甚，左手二指，不可重按，右手起針，須順其偏側之方向，輕提輕按，一起一伏，兩手相互呼應，則針可得而出矣，用力强拔，是乃大忌。

針身可以捻轉，而提起或深下覺痛者，屬第二點之針有傷痕，宜以其方向而捻動之，於捻轉之中，上提上插，反復行之，覺針下疏鬆，即可出針，若較前僅可多退，猶不能全部提出者，再依前法施之，如引出時，痛感較前大減者，可如第一點法，微用力提出之。

如覺針下沉緊，捻動困難，按其肌肉結硬者，屬第三點之筋肉痙攣所致，當將針再深入二三分，行强雀啄術，如仍攣急不散者，則另以一針或數針，於其附近下之，行中等度之刺戟，則出針之困難，可立即解決矣，如病者不願從旁再下針者，則以爪切其四圍，或揉撚之，使異常興奮之運動神經鎭靜，緩解其强直之筋肉，其針自易出矣。

二十二、折針之處置

折針之事不常有，以其針絲堅韌，不易折也，偶或有之，必針絲已有傷痕，醫者疏忽未檢出，病者復不守醫戒，而移動體位，或醫者用強刺戟時，病者之筋肉，突起痙攣強直，遂至針折於中，此際醫者之態度宜鎮靜，並告病家不必心慌，堅守其體位不稍移，醫者左手，重壓針孔之周圍，使折針外透，如見折針於皮膚面發現時，以鑷或爪摘出之，如在皮下，可按得而不外露者，以指按準針端，以刀消毒，微剖開其皮，檢視針端，以鑷攝出之，若折在深層者，則任其自消，不必攝取，雖有在一二日中發生疼痛，大約經過三四日即平安無事矣，就日人之實地研究，謂針在筋肉中，經過相當時日，自然消滅，或行移別部，其消滅與移行之說如左。

.1酸化說，　由體溫之關係，針起酸化，而自行消滅。

.2移動說，　折針由筋肉之運動而避走，其比較運動稍鈍之部，則久久停留，而後消滅。

又三浦博士，與大久保醫學士，曾以動物試驗之，得結果如左。

三浦博士，在洋鼠之腹脛內，以六號針刺三分深，而切斷之，另以一枝刺入臀筋，而切斷之，經三週間，其部呈紫色，雖炎症之徵象顯著，細胞浸潤，但無化膿之傾向，於飲食運動，交尾不見障碍，八閱月之後，解剖檢視，刺針部之針不得，從各臟器及筋肉，以精密之檢查，亦始終不得發見，此由腸之蠕動而脫出體之外耶，抑由酸化而消耶·不能下確切之評定。

大久保醫學士，以七個月之雌兎，在左測胸末之橫突起，與第一腰椎之橫突起之中間，用大號針刺入八分左右，折斷之，其第一日運動仍活潑，奔走跳躍如前，第二日漸覺舉動靜肅，刺處若觸動之則跳躍，第三日觸其刺處，如無事然，重壓之，稍呈驚惕之狀，第四日亦然，第五日後，雖重壓之，似無異感，後仍壯健，交尾，且受胎分娩，初生小兎，亦健全，此後經六個月解剖之，在針入之處，針皮裏面，及皮下結締組織，呈長三分濶三厘之青藍色素，其下層之筋鞘亦然，在鞘內之筋質，及腹腔壁面之漿液膜處，不見刺點之踪跡，在筋層間，亦不見折針通過之踪跡，因此在內臟，各各精密檢查，又折斷筋肉檢之，亦不見折針之踪跡。

又別在雌兎之左側，第二腰椎，與第三腰椎之橫突起間，以六分餘長之針折入之，經八個月後之剖驗，亦不見折針之踪跡，因此假想針端銳利，在運動之際，因筋肉之移轉而脫出，於時以鈍之鍼絲，在雄兎之右側，在第一腰椎，與第二腰椎之橫突起間，刺入而切斷之，經十四月後剖驗之，在刺入局部，不見異狀，折針轉入至肝臟之左葉，從後方轉入前方，平而潛在，而其周圍亦無見存之炎症，其折針現存之狀，如新刺入之狀相同，而針體巳呈酸化爲黑色矣，針之重量，初爲○、○三五瓦，已減輕○、○二瓦，因思所減之量，不外爲酸化溶解，更且，恐爲針體之容易移轉，因此以針爲二屈曲，在皮下結締組織，與筋靱之間，平刺入而切斷之，至第八日檢剖之，針之周圍微呈炎症狀，即毛細管怒張，靜脈鬱血，漿液發生滲漏，由第一屈曲，至第二屈曲之中間，與結締組織緊密纏絡，不易拔出。

由上試驗結果，針尖之銳鈍，與運動之緊閑，似有異趣，針尖銳利，刺入局部運動之劇烈部位，則移轉迅速，不留踪跡，其針尖鈍，而所刺之部位，在運動遲緩之處，則經年之久，因酸化而溶解消滅，又不移動，不消滅者，則新生結締組織以包裹之，而無損於身體之健全與運動。

雖然，折針固無害於健全，但在有理智及多疑之人身，患者終不能釋然於懷，每因疑慮而發生精神病症，學者毋因無碍而忽視可也。

二十三．出針後之遺感覺之處置

通常針刺之中，發生痠痛感應，即十四節，刺針之感通作用，出針後立即消失，然有時依舊痠痛，持續一二日始失者，此謂之針之遺感覺，此由於醫者手術拙劣，與以極強之刺戟，或以施術中患者發生動搖，知覺神經纖維，受過度之刺戟，該部神經發生異狀之興奮所致，其遺感往往經一二日後，得消失，於斯場合，於施術後，在局部或附近，與以按摩輕擦，或於其相距尺許處針之，其遺感即消。

二十四．出針後，皮膚變色及高腫之處置法

出針之後，時有小紅赤點，在針孔部位發現，或皮膚呈青色而高腫，患者感覺沉重不舒，此乃針傷血管之所致，在十數小時後，自然平復，但吾人欲促其速愈時，可與輕擦按揉，在數小時後，可消散無形。

二十五，鍼尖刺達骨時之置處

在刺針時，覺針尖刺達骨節時，宜急速提起數分，或提至皮下處，轉其方向而入之，否則針尖踡曲，不能出針，且傷骨膜，有發生骨膜炎之慮，施針時，不可不細心注意也。

二十六，針治之禁忌

古針家，於針治上有時日之禁忌，甲不治頭，乙不治喉，子踝丑腰，一臍，二心等時日之禁忌，謂有人神相值，犯之不利云，編者以其涉於迷信，未與研究，故略而不述，經穴之禁忌，頗有合於現代解剖觀點上之重要部位，故附錄於后。

腦戶　顖會　神庭　玉枕　絡却　承靈　顱息
角孫　承泣　神道　靈台　膻中　水分　神闕
會陰　橫骨　氣衝　箕門　承筋　手五里　三陽絡
青靈諸穴禁止針刺　其他　雲門　鳩尾　客主人　肩井
血海等穴不能過深　合谷　三陰交　石門　姙婦婦人亦宜避忌

就臨床之經驗而言，今日針家所用之針，細幾如髮，古人之所謂禁針穴，每有行之，反得良好之效果者，亦有不發生惡影響者，故日本有若干醫家，謂今日之針絲細，不論如何之部位，皆可刺云，雖然，古人之認爲禁穴，悉從經驗而來，決非向壁虛造，吾人苟手技不精，經驗未宏，終宜慎重，以避免爲是，其他關於身體之重要器官部分，如延髓部，顱門，眼珠，心臟，肺臟，睪丸，陰核，乳頭等部，雖手術嫻熟者，亦宜禁針，深刺，毋冒險以蹈危機也可。

結論

本編講義，編者憑數年之臨床觀察，復參酌日人針學講義而着手。所得共二十六節，凡關於針學方面之學識，古今之異同，今而後應趨之途徑，己臚列條陳。讀者能因此而銳求精進，使針道前途，日趨光明，則編者所望爲不虛矣，今得日針師，板本貢氏，針刺之關於健體病體之作用一文，述針刺與神經之影響，特譯出作針刺之學理研究，爲本編之結論。

針者，爲一種之器械刺戟，行種種手術，發生制止，興奮，誘導三種作用，即神經細胞，由一定之刺戟起興奮，或以强刺戟之太過而減衰其機能，且引起神經因受刺戟，而發生傳導於中樞，或由中樞傳導於末稍之作用，故健體與病體，由針戟神經之種類，與刺戟之强弱，而呈不同之作用，茲分別述之。

一，健體之刺戟影響

1.感覺神經枝　在刺針時，發生如通電之感覺，針枝拔除，其感覺立即消失，若與短時間，輕刺之刺戟，從求心性傳之中樞，從此中樞之細胞，起興奮活潑，因其興奮向遠心性末稍傳佈，於此謂之起反射運動。使其部之筋肉，起收縮或弛緩，而血管，則初爲收縮，繼仍擴張，俾血液循環之旺盛，然而若以長時間之刺戟，神經之興奮性反形減衰，甚至完全消滅，遂至傳導機能亦消矣。

2.運動神經枝　於此刺針之時，其部之筋，發生痙攣，若即去針，痙攣立止，此種現象，與知覺神經之發現，著明之作用相同，與以短時間之輕刺，起興奮作用，長時間之强刺，則興奮性完全消失，反陷於筋肉，起麻痺狀態。

3.交感神經枝　刺針之時，其部神經所分佈之臟器，起索引樣之感覺，去針後，臟器之機能，有若干時之旺盛，故雖爲健體，常行此種針刺，於體內益能使抵抗力增加，以達養生之目的。

二，病體之刺戟影響

1.知覺神經枝　知覺神經枝，起有異狀之興奮，其結果處爲神經痛，或知覺過敏，如斯變態，欲使其調節時宜，以針爲持續之强刺戟以制止之，如對於機能減弱之疾患，與以輕而且短之刺戟，使其興奮，可回復其固有之機能。

2.運動神經枝　運動神經枝，有異狀興奮之時，其神經所分佈之領域內之筋肉，致發生痙攣或强直，若與强烈之刺戟，可發揮鎮靜緩解之作用，如運動神經，因機能減弱，而發生之麻痺性疾病，若與以輕之刺戟可引起其興奮，而回復常態。

3.交感神經枝　此神經枝之異常亢進，則引起心運動之急速，呼吸促迫，胃腸蠕動增進，各臟器分泌機能亢進等，對於此類以强刺戟之制止，可使之復歸常道，反之在交感神經，機能減弱之疾病，則以輕刺之興奮作用，可調整其生理的機能。

鍼科學講義終

編著及出版者 江陰 承澹盦

灸科学讲义（承淡安）

提 要

一、作者小传

承淡安，见《针科学讲义》（承淡安）提要。

二、版本说明

承淡安编，中国针灸学研究社铅印本。

三、内容与特色

全书阐述了灸法之起源、灸术之定义、施灸之原料、艾之制法、艾绒之保存法、艾灸之特殊作用、艾炷之大小、艾炷之壮数、灸刺激之强弱与温度、灸法之种类、灸术之现象、灸术之应用、灸术之医治工作、灸术之健体作用、施灸之目的、各种灸法、施灸之方法、施灸之前后、施灸上之注意、灸痕化脓之理由、灸后处置法、灸痕化脓之防止法、灸疮之洗涤法、于灸痕上续行施灸之方法、灸与摄生、施灸之禁忌、灸之科学的研究，以及逸智、樫田、原田等博士之灸之研究等。该书重视灸法的运用，综合中西医学理论与研究成果，认为灸法可以增强脏腑功能，促进新陈代谢，调整人体各系统之功能，不仅可以治病，亦可防病保健、延年益寿。为便于准确把握灸治量，该书制定了强、中、弱刺激的临床灸治操作标准。此外，该书还对施灸部位的选择和灸治现象进行了总结与分析。

现将该书特色介绍如下。

（一）收录了先进的理论知识

该书阐述了艾灸的起源、艾叶的作用和成分，从中国和日本对艾灸的研究两个方面阐述了艾灸的原理和作用。在民国时期，该书提到的神经方面和血液方面的理论知识是很先进的。

（二）总结了艾灸的临床经验

该书规范了施灸的流程，阐述了艾炷的大小，量化了艾灸的刺激量，提出了临床艾灸的参考原则和标准，对施灸前后的注意事项等也给出了详尽的说明。

（三）阐述了艾灸的科学机制

该书除用中医理论阐述艾灸原理外，还用西医理论对艾灸原理进行阐述，如在血液方面，指出艾灸能使血液中的白细胞和补体量增加、调理素（类似激素）作用增强等。

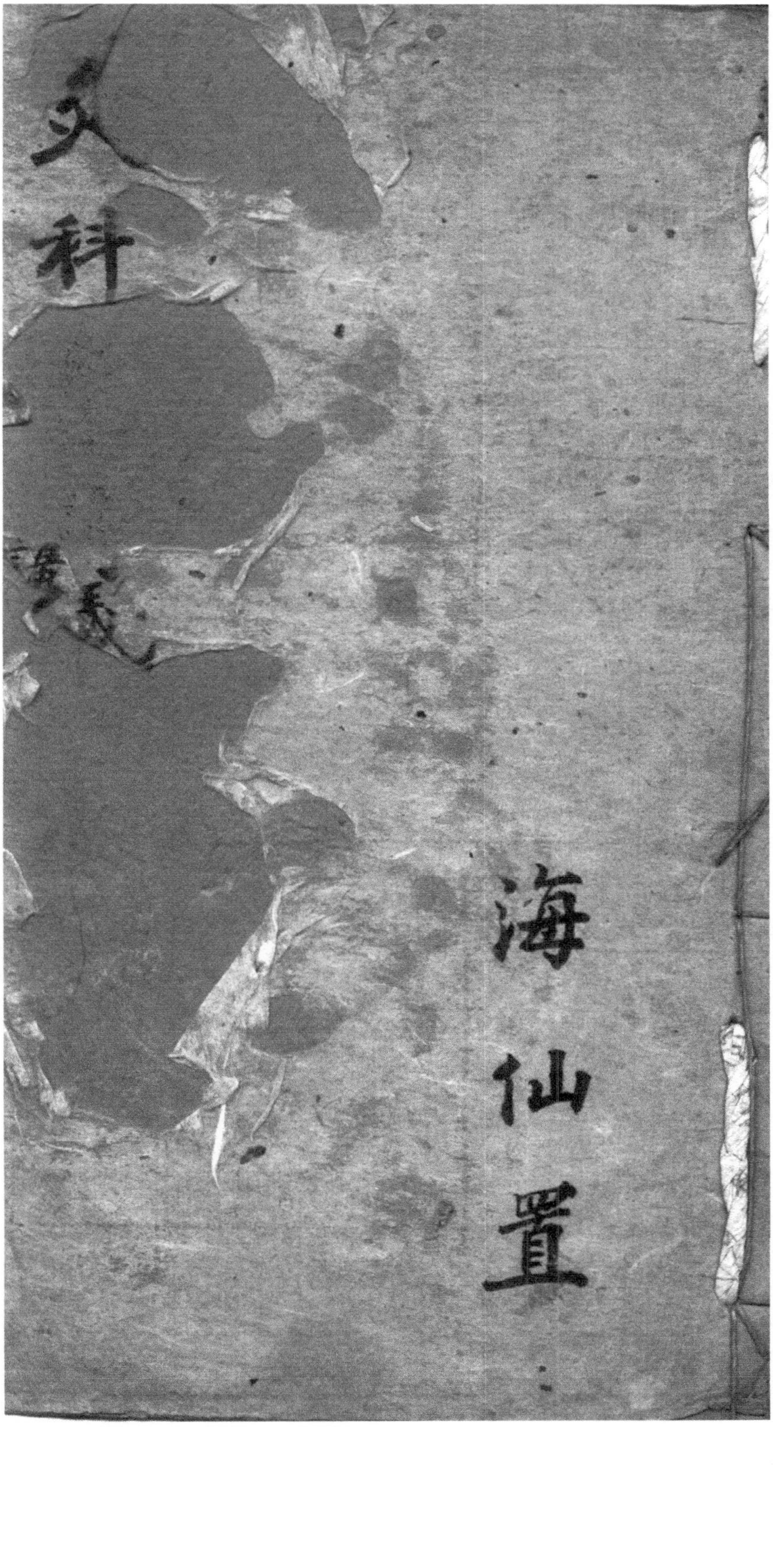
灸科
海仙置

灸科學講義刊誤表

頁	行	字	誤	正
一	三	二四	方字下少一「宜」字	
一	四	三三	艾炳	灸焫
二	四	七	五字下少一「月」字	
三	十四	二八	準標	標準
	二三	七	署	暑
四	四	二二	傳	傳
五	十三	十六	線	腺
	二三	六	二	三
八	十	二一	母	毋
一	四	十四	洌凜	凜洌
一	二四	三四	線	腺
二	一二	一六	月	時
三	一	六—六 一七六 八—八	準標	標準
四	三	一一	鼓	豉
四	一五	九	減	滅
五	二一	七	體健	健體
六	七	十四	稿	橋
八	十四	四	紀世	世紀

八	二九	二二	涇		九	一一	十五	賓	實
十	一	二八	南字下少一向字		十	六	一	瘢	瘢
十	二三	二八	痓	瘂		二九	一五	晴	睛
	二九	一八	膠	膠	十一	三	十	門	門
十一	三	十四	尺	戶		十八	二	他未	他・未
	二十	四	檻	樫	十二	七	八	博	搏
十二	十六	七	多字下少一「少」字		十二	三一	三	線	腺
十三	六	四	盲	肓	十三	六	三十	・灸	灸・
十四	三	五	氐	氏	十四	三	十五	尿	水
	五	三	灸瘢	瘢灸		五	二七	盲	肓
	二六	十九	二	二	十五	二	二九	閒	間
十五	十七	七	目	自	一	二八	三	席	度
	二九	三	灸・	・灸					

灸科學講義目錄

灸科學講

灸科學講義 目錄

灸科學講義

江蘇江陰承澹盦編
中國鍼灸學研究社印

一，灸法之起源

灸法之起源，渺不可攷，在文字上之可稽者，厥爲內經。異法方論曰，「北方者，天地所閉藏之域也，其地高陵居，風寒冽凜，其民樂野處而乳食，藏寒生滿病？其治宜艾炳」，艾炷，即灸法，按內經之文，灸法之發源，當在北方，究其發明之時期，則不可得矣。以推想之目光測之，當在鍼灸之前，發明取火後，與砭石之應用，或在同時，何以言之，石器時代，民皆穴居野處，病多創傷，風雨薦侵，病多筋攣痺痛，治宜灸焫，蓋得溫則舒，得熱則和也。當其發明砭石鍼焫之法，殆皆出於自然，人爲最靈動之物，有天然自衛自治本能，如身體痠麻疼痛，自然以手按壓，或取石片以杵擊，或就火熱以薰灼，或置燃燒物於皮膚，爲種種之嘗試，求病痛之免除，或在無意識之中，獲得療治之發見，其中有不少天才者，積甚多之經驗，知何種病苦，宜砭石杵擊，且知何部爲良，何種疾患宜用火熱薰灼，施何處爲愈，流傳而下，於是成爲砭石之法，灸焫之方，及有文字，乃記之爲文，載之於簡，傳之數千百年而至今，成爲重要之科學。

二，灸術之定義

何爲灸術，曰，以特製之艾，在身體表皮一定之部位，所謂一定之經穴點上，燃燒之，發生艾特有之氣味，與温熱之刺戟，調整生活機能之變調，且增進身體之抵抗，而與病之治療，及預防之一種醫術也。

三，施灸之原料

灸必用術，以其性温而降，能通經絡，治百病也，然則古人早知艾之功用，始以之作艾炷耶，曰，是又不然，艾蒿遍地皆有，可爲燃料，引火最易，且氣味芬芳，聞之可淸心醒腦，古人取火不易，當必以之爲火種，因其芬芳易燃，於是用作灸炷，試之久而驗之效，乃爲灸治之要品，後之學者，乃就其功效，而推測其性狀如上也。

就學者之推測與研究，艾屬菊科植物，爲多年生草，我國全部皆產生，春日生苗，高二三尺，葉形似菊，表面深綠色，背面爲灰白色，有絨毛，葉與莖中有數個之細胞，具有油線，發特有之香氣，夏秋之候，於梢上開淡褐色花，爲筒狀花冠，作小頭狀，花序排列，微有氣息，但不入藥用，入藥或作灸炷者，乃爲艾葉，每於舊歷五月中採之，

關於艾之性能，唐甄權藥性本草，謂止崩血痔血，止腹痛安胎，明繆希雍本草經疏，謂味苦微温，熟則大熱，可升可降，其氣芳烈，純陽之草也，故無毒，入足太陰，厥陰，少陰三經，燒則熱氣內炷，通經入骨，灸百病，和漢藥攷曰，熟艾，灸之能透諸經，治百病云，今之分別，內服則爲温中逐冷，安胎止血，外用則通經絡而治百病，其效用較內服多矣，故

本草別錄稱爲醫草，日人稱爲神草，亦以能灸百病，而獲此名也。

四，艾之製法

艾雖遍地皆有，而以蘄縣產者更良，以其得土之宜，葉厚而絨毛多，性質濃厚，功力最大，稱爲蘄艾，於五中採其葉而晒之，充分乾燥，於石臼中反復篩搗，去其粗雜塵屑，存其灰白色之纖維，如棉花者用之，稱爲艾絨，亦稱熟絨，爲灸之無上妙品。

艾絨愈陳愈佳，孟子曰，七年之病，必求三年之艾，識者謂艾愈陳久，其氣味愈厚，灸病亦愈見效，則似是而非矣，艾葉中含有一種帶黃綠色之揮發性油，新製艾絨，其油質尚存，灸之其火力强而經燃，病者之痛苦較多，苟久經日晒，油質揮發已淨，質更柔輭，灸之則火力柔和，痛苦較少，反覺快感，精神爲之一振，病魔自退避三舍矣。

五，艾絨之保存法

艾絨易吸收空中之濕氣，灸時不易着火而痛增，故取得艾絨之後，置於乾燥箱中而密蓋之，於風和日麗之天，取出晒之，約二三月，晒過復密蓋之，日常施用者，取出一部份，置於緊密之小匣中，用罄再取，則大部份不致有受潮濕之慮矣。

六，艾灸之特殊作用

日本東京鍼灸學院，院長板本貢氏曰，在人體與以溫熱之刺激，其最適宜之燃料，莫如艾葉，因其有種種特長也，茲就施灸言之，艾葉燒燃將終，在瞬息間，艾之温熱直入深部，感覺上似有一種物質直刺之狀，且發生暢快之感覺，若試以燃熱之火箸，或烟草，祇覺表面熱痛而無此等感覺，且灸點在同一點上，不論何壯，皆有快感，其灸跡與以極强按壓，或水浸，或熱蒸，皆不變若何異狀，如斯妙處，實爲。灸時特有之作用，發明用艾灸治，誠古人之卓見也云，按氏之說，與中國本草，所謂性温而下降之說相合，編者以爲灸艾之特殊作用，不在熱而在其特具之芳香氣味，中國對於芳香性之藥，每謂其行氣散氣，夫行氣散氣，乃神經之一種興奮，傳達現象，與神經細胞之活潑現象，艾灸後之得覺快感，即艾之芳香氣味，由皮下淋巴液之吸收，而滲透皮下諸組織，於是神經因熱與芳香之兩種刺戟，起特殊興奮，活力爲之增加之所致，因而發揮其固有之作用而病邪解决。

七・艾炷之大小

艾炷大小，稽之書册，各從灸之部位而定，頭部支末宜小，胸部腹背部宜大，小者如雀糞，如麥粒，大者如筋頭，如棗核，明堂下經云，凡灸欲炷下廣三分，若不三分則火氣不達，病不能愈，是灸之欲其大也，其上經則曰，艾炷以小筋頭作，其病脈粗細，狀如細線，但令當脈灸之，雀糞大者，亦能愈矣，是炷之小者也，皆古灸法也。

有清末葉，艾灸法不講久矣，幾乎失傳，甲戌之秋，攷查扶桑鍼灸，彼灸炷之大小，大者如米，小者如粞，如飯粒大者，甚少見矣。大如棗核者，間亦有之，但須病家許可，而後行之。

予以為灸炷大小，不但以其部位而有不同，大人小兒，壯體羸軀，當各有別，大者壯者，炷如菉豆，小則如鼠糞，幼或弱者，如麥粒，如雀糞足矣，灸炷過大，不免焦骨傷筋，效益雖有，而害亦隨之，古法灸之不能盛傳於今，雖因火灼苦痛人所畏避，更以炷大，則利害兼有，不為人信，亦主因也。

八．艾炷之壯數

燃燒艾炷一枚，謂之一壯，凡灸，少則三壯，多則至數百壯，如千金有灸至三百壯者，扁鵲灸法有三五百壯至千壯者，未免用火太過，吾人施灸，固宜遵循古人遺規，然氣候有變遷，人體有偏勝，體格有大小强弱，疾病有輕重久新，既有不同，壯數宜殊。若泥一說而不與變通，則有太過或不及矣，不及不足以去病，太過則體有所不勝也。

九，灸刺戟之强弱與溫度

灸術原屬温熱性刺戟療法，病有輕重，體有强弱，則治療時所與之刺戟，當分別刺戟之强弱，以適應其症狀，此炷之所以分大小，與數之多寡也，從大體之準標，可分强中弱三種之刺戟。

强刺戟之準標，其艾炷如蠶豆大，捻爲硬丸，自十五壯至十二壯。

中刺戟之準標，炷如鼠糞大，捻成中等硬，自七壯至十壯。

弱刺戟之準標，炷如麥粒大，宜鬆軟而不宜緊結。

因艾炷之大小與軟硬，其燃燒之熱度，亦有高低。日人樫田，原田，在東京帝國大學醫學部，就動物屍體及患者，行學理之試驗，以各種大小之艾炷，測計其温度量，結果得下列之報告，

在空氣中，以寒暑表之水銀柱，裹以鳩卵大乃至鷄卵大之艾絨，從周圍燃燒之，發生「攝氏」上六百四十度之高熱，且送以風，助之燃燒，則達至六百七十度，又以電温計測算之，巨大艾「棗核大」之熱度，在三百五十度上下，大切艾「蠶豆大」爲百三十度，中切艾「大米粒大」爲百度，小切艾「麥粒大」爲六十度，嘗於家兎之腹壁上，以寒暖計測之，巨大艾平均爲一百度　大切艾爲九十三度半，中切艾爲八十二度半，中小切艾爲六十二度半，小切艾爲六十一度。

於生體之灸，其温度較低，以血液不絕流行，奪去其熱也。

十，灸法之種類

以艾灼肉，爲達療病或防病之目的，是謂灸法，後人以其灼膚傷肌，痛苦難堪，改變其法，下襯薑蒜，附子鹽泥，以冀減少痛楚，名曰隔姜灸法，或隔蒜灸法，在中國有五六種之多，如隔薑灸，隔蒜灸，附子灸，鼓餅灸，鹽灸，黃土灸等，日本灸法尤多，有二十餘種之多，爲我國古昔所流入，但在我國如上述數種外，已失傳矣。

又有名雷火鍼，及太乙神鍼者，以艾絨與其他藥料捲成紙卷，着火隔布按於肌肉以取病，爲灸法中之特致者，通經舒絡效果頗佳。

近年日人後藤道雄，發明溫灸，灸不着肉，隔器溫蒸，以無灸痕爲標榜，但費時費藥，既不經濟，而效力極微，較之雷火鍼，太乙神鍼，相去不可以道里計矣。

十一、灸術之現象

不論何種之灸術，於皮膚上必現火傷狀態，是謂灸術現象，但火傷狀態，因灸法輕重之不同，其發現之狀態，亦有不同，關於輕度之施灸，其局部發現赤暈，且感熱痛，停灸後其赤暈漸消失，經數小時後，留一黃色之瘢痕，如稍強之灸，則表皮浮起，成一水泡，經數日結痂而愈，其最強度之灸，皮下肌肉成壞死狀態，表皮起大水泡，即陷於化膿潰爛，周圍擴大，經若干之時日，新肌生長，表面結成痂皮而愈，但留一黑色之斑痕，經一二年後，黑色漸退，惟灸痕永不消滅。

十二、灸術之應用

不論何種灸法，當應用於臨床之時，然病者必先有一番考察，男女年齡體質，疾病輕重，及受灸之有無經驗等，然後定灸炷之大小軟硬壯數，與以適度之刺戟，不使太過，不致不及，若太過失度，不特效果不奏，疾病亦成惡化，茲爲便於初學計，定其適度之標準如下。

一，小兒與衰弱者　炷如雀糞，十歲前後之小兒，以五壯至十壯爲度，大人灸炷如米，以五壯至十壯爲度，灸穴以五穴或七穴爲適當，多則灸多，反令發生疲勞。

二，男女之分別　男子灸炷無壯數，可以稍多，普通男子勝任力較女子爲大也。

三，肥瘦之不同　肥人脂肪較多，肌厚膚膩，傳熱不易，感艾氣不足，壯炷宜較瘦者爲多，炷大如米粒足矣。

四，敏感性者與遲鈍性者　對於感受性之敏感者，當灸炷燃至中途時，即移去之，重更一枚。待燃近皮膚，即去之，反覆更換，至着膚爲止。灸小兒亦須如此，遲鈍性者，炷宜稍大，

五，施灸經驗之有無　關於未經施灸，初起亦宜小炷，壯數亦宜少，以後逐日增加。

六，病症之狀況　凡病屬亢進性疾患，如疼痛痙攣搐搦等，炷宜稍大，壯數宜多，虛弱症候，機能減退，麻痺不仁，痿弛無力，宜小炷而壯多。

七．筋肉勞動者　筋肉勞動者．比精神勞動者，其炷宜大．壯數亦多。

八，營養不良者　壯炷宜小而數適中，大炷則絕對禁忌之。

上列八條，係參攷日人所定者，不能云爲詳盡，灸炷大小，施灸壯數，還須視病之種類，與病者之環境，及精神而變通之。

十三．灸術之醫治工作

靈樞經曰．陷下則灸之．是灸可以起陽之陷也，醫學入門，虛者灸之．使火氣以助陽也，實者灸之，使實邪隨火氣而發散也．寒者灸之，使其氣之復溫也．熱者灸之．引鬱熱之氣外發也，此皆言灸之醫治作用也，寥寥數語，雖簡略不詳，已括盡灸法，在醫治上之功能矣。但吾人欲明其如何能助元陽，復溫氣，散實邪，發鬱熱，則須研究灸之作用安在，然以醫學上之儀器不備，亦無從入手作研究，惟借助他山，引日人之研究，作參攷焉。

日本樫田原田兩學士之研究，謂施灸後，白血球顯著增加，幾達平時二倍，時枝博士研究白血球之增加，至第九日達最高度。以後能持續一個月，原博士之研究，謂施灸之初期。工才彡乂嗜好性白血球增加，後淋巴線白血球亦增加，同時赤血球赤血素亦增加，旺盛最良之營養，宮入氏之研究。謂與紫外線有共通作用。

從諸氏研究之結論，施灸後有害物，及細菌之殯食作用與免疫體血液之新陳代謝一致旺盛，因此關於生活機能之諸種症變，如疼痛痙攣，能使之鎮靜緩解，關於生活機能之衰弱不振，能使之鼓舞興奮，關於充血鬱血，能使之解散與調節，其他榮養增加，能抵抗一切病變，而恢復健康。

復綜合日人研究，證明灸有消炎，鎮痛，鼓舞榮養諸作用，深合古人之散熱解鬱，起陷復溫之理，誠古人之卓識，後之人不能昌明而光大之，實有愧焉。

十四，灸術之體健作用

語云，若要安三里常不乾，是言常灸足三里，可免除一切疾病也，千金方云，宦游吳蜀，體上常須二兩處灸之，勿令瘡暫瘥 則瘴癘瘟瘧毒不能着，是灸之能預防毒癘也，預防疾病，亦是健康作用，觀乎上節灸能增加血球，活潑機能，旺盛榮養，則其有健體作用，可毋待研究，深佩古人之卓見，用艾灸治之外，又能利用防病，今人誠不如古人多矣，讀日本帝國文庫，名家漫筆載，灸足三里，壽長二百四十餘歲，則艾灸又能益壽延年矣，記中有灸足三里之法則，可供吾人之參攷，因錄其全文如下。

三河之百姓名滿平者，慶長「壬寅」七年生，至寬政「丙辰」八年，年百九十四歲，享保年間，因某某之慶賀，徵往江府，令其獻白髮，賜御米若千石，「一說賜月俸」，今茲丙辰，又復逢如享保之故事，惟前後之日期則已忘，吏人問滿平，汝家有何術，得如此長生，曰無他技，惟從先祖經傳之足三里灸，其灸法，每月由朔日，至八日不輟，年中月別，從不間斷，其數不同如左。

男　朔日九壯　二日十壯　三日十一壯　四日十一壯　五日十壯　六日九壯　七日九壯　八日八壯

女　朔日八壯　二日九壯　三日十一壯　四日十一壯　五日九壯　六日九壯　七日八壯　八日八壯

寬政八年，滿平百九十四歲，妻佚名百七十三歲，子名佚百五十三歲，孫名佚百五歲，曾孫以下，不滿百歲者甚多云。

又元保十五年九月十一日，永代橋梁改築。工竣，滿平之一門三夫婦，行初渡式，其時彼等之年齡已可驚，每人之高齡錄於後，

滿平二百四十二歲，「慶長七年生」

妻夕夕二百二十一歲，「元和九年生」

子滿吉百九十六歲，「慶安二年生」

妻于几百九十三歲，「承慶元年生」

孫萬藏百五十一歲，「元祿八年生」

妻七人百二十八歲，「寶永四年生」

以上之虛實，雖不能證，然世之尊重長壽，爲無可疑之事，而每月不間斷爲三里之灸，定有相當之成效，蓋既能防病，則病不生而壽必長也。

十五、施灸之目的

灸術應用於臨床時，關於所取之部位，必從疾病之狀態而定治療法之目的，內經有病在上取之下，病在下取之上，病在中傍取之，深合今日所謂誘導法，反射法，醫學入門，謂吳人多行灸法，當病痛之處取穴，名曰阿是穴而灸之，即得快，此所謂直接灸法是也，茲將直接灸，誘導灸，反射灸，其學理如何，分述於後，

一、直接灸　直接灸者，於病苦之局部，直接施灸，以刺戟其內部之知覺神經，使其傳達中樞，更於中樞移動於運動神經，使之興奮，使其部之血管擴張，血流暢行，促進產物滲出物之吸收，以達浮腫痙攣疼痛，知覺異常之治愈，

二、誘導灸　誘導灸者，關於患部充血或鬱血，而起之炎症，疼痛等疾患，從其有關係之遠隔部位施灸，刺激其部之血管神經，而誘導其血液流散，以調整其神經之變調，達治療之目的，之一種方法也，

三、反射灸　其病變屬於臟內諸器官在深層時，非直接刺激，所能達其目的者，於是擇神經幹，或神經枝之相當要穴，利用生理反射機能，為間接之刺戟，以達治療之目的，是曰反射灸法，

十六、各種灸法

隔薑灸法　以薑切片，約三分厚，鍼刺數孔，置於應灸之穴上，上置艾丸，如豆大燃之，覺甚灼痛，則以薑片微稍提起，待稍和仍放置之，或持薑片往復移之，視其膚上汗濕紅潤，按之灼熱，即可止灸，如不知火熱之輕重，任其灸燃，亦能發生水泡，處置水泡之方法，以微鍼在水泡邊，刺入貫透之，壓去其水液，以脫脂綿拭乾，外以生肌紅玉膏，敷於紗布蓋之，外襯棉花，爲之包紮，每日更換，至愈而已，

隔蒜灸法　與薑灸相同，惟覺灼痛時，不與移動爲異，薑灸通用於經絡凝寒，血滯氣阻之疾，蒜灸則適用癰瘍初起之症，醫學入門，謂隔蒜灸法，治癰疽腫大痛，或不痛，痲木，先以濕紙覆其上，候先乾處爲瘡，以獨頭大蒜，切片三分厚，按瘡頭上，艾炷灸之，每五炷換蒜片，如瘡大有十餘頭，作一處生者，以蒜搗爛，攤患處，舖艾灸之，若痛灸至不痛，不痛灸至痛，若瘡色白不起發，不作膿，不問日期，最宜多灸云，

豉餅灸法　治疽瘡不起，以豆豉和椒，薑，鹽，葱，搗爛作成餅，厚三分，置瘡上灸之，覺太熱，稍起復置於上，灸至內部覺熱，外肌紅活爲止，如膿已成者，不可灸，

附子灸法　治諸瘡瘻，以附子研粉，微加白芨粉，以口唾和之成餅，約厚三分，覆瘻孔上以艾灸之，使熱氣入內，附餅乾，復易一餅，至內部覺熱爲止，

鍼科學講義

雷火鍼灸法　以沉香，木香，乳香　茵陳，羌活，乾薑，穿山甲，各三錢，麝香少許，蘄艾二兩，以棉紙二方，一薄一厚，重覆几上，先舖艾茵於其上，然後以藥末摻勻，乃捲之如爆竹，外以鷄子清塗之，　糊一層薄紙，防其散開，應用時，一端着火燃紅，另以紅布一尺，摺成六層或八層，墊於穴上，燃紅之艾鍼，即按於布上隨離隨按，如鍼端火息，即另換一枚繼之，當按時熱氣藥氣，俱從布孔中直透肌膚，每穴按數十次，內部覺熱而後止，另按他穴，治筋骨瘋痛，經絡不舒，沉寒積冷，厥功甚偉。

太乙神鍼法　是爲雷火鍼藥方，加味所製者，製法用法俱相同，效亦無甚上下，其藥方如后。

艾絨三兩　硫黃二錢　麝香一錢　乳香一錢　沒藥一錢　丁香一錢　檀香一錢　桂枝一錢　雄黃一錢

白芷一錢　杜仲一錢　枳殼一錢　皂角刺一錢　獨活一錢　細辛一錢　穿山甲一錢

按此方，與原方已更動，原方有人參，千年健，鑽地風，山羊血等，立方者，取參與血，無非爲補氣補血，千年健，鑽地風，不識爲何藥，顧名思義，無非取其健筋骨，通筋絡之意，安知血參二藥，力在質地，宜乎內服，斷非薰其氣味，能得功效者，因去之，餘二藥，此間藥舖不備，亦爲删去。

温鍼灸法　鍼留穴內，外以艾絨，繞於鍼柄上燃之，爲今日蘇省之最盛行者，俗稱熱鍼，以艾火之熱，從鍼絲之媒介，傳達於內，亦有大效。

温灸法　以金屬所製之圓筒，下置木製之圈，圓筒中另有小圓筒內裝藥物與艾絨燒之，筒外置一木柄，手持之而按於穴上，艾之燃燒熱，即傳於皮膚，發生療治之功能。

艾灶灸法　以艾作灶，直接燃灼皮膚，一灶為一壯，為中國最古之灸法，亦為灸術之正統，本編所講之灸，即本灸法立論，上述數種灸法，僅錄供參攷，惟雷火鍼，太乙神鍼灸，的有偉大之價值，較之今日流行之溫灸，相去不可以道里計矣。

十七，施灸之方法

灸法與鍼法，手術不同，灸必先以墨點穴，然後行灸，坐點則坐灸，立點則立灸，取穴既正，萬不能移動姿式，明堂云，坐則毋令俯仰，立則毋令傾側，千金方云，若傾側穴不正，徒破好肉耳，余謂好肉雖傷，於體亦有小益，惟與灸之目的，不能直接達到耳，灸與鍼，雖方法不同，手術互異，而目的則殊途同歸也。

十八，施灸之前後

十九紀世之前，顯微鏡未發明，細菌未發見，不甚注意消毒，近年醫學進步甚速，凡百病症，幾無不有病原菌所感染而成，消毒之學，清潔之法，乃爲世所注意，鍼灸之術，可謂屬於創傷治療，苟不嚴密消毒，難免細菌不乘機進攻，故當施灸之前，應有二種之預備，

甲，施灸用具之預備，坐則須椅，臥則須床，點穴之筆，燃燒之艾，引火之香，皆不能有所缺一。

乙，消毒之預備，從簡單之方面言，棉花，石炭酸水，爲必具之品，預備既竟，術者手指，應先自消毒，然後爲之點穴施灸，灸畢之後，以棉花拭去其灰燼，復以棉花蘸石炭酸水於灸點上，及其周圍拭之，可防止細菌，從創傷之處侵入也。

十九，施灸上之注意

施灸之際，患者之姿式既正，而醫者爲施術上之便利，亦須採取適當之位置，且施灸直接著於肉體，不若鍼之尙可隔衣施術，故醫者之態度，亦宜謹嚴沉着，乃爲最要，施灸之時，初灸二三壯，艾炷宜小，當火將着肉時，按壓其周圍，以減少其灼熱痛感，後數壯，以右手中指，輕撫其周圍即可。

施灸室之選擇上，亦有注意者二，一爲光線充足，窗明几淨，與室外有障隔，避免外人之窺視，非有所秘密，不可宣洩也，我國重視禮貌，以袒裼裸裎爲可羞，爲病者設想計，不能不如是也，二爲室內之溫度，夏秋之間，氣候溫暖，裸体受灸，原無感受風寒之弊，若在

春冬，氣候寒冷，解衣不愼，卽患感冒，若爲長時間之裸背袒胸，則一病未去，一病又起矣，故宜有火爐，以調節室內之溫度，決不可草率爲之也。

二十、灸痕化膿之理由

直接施灸，不論壯數之多寡，必起一水泡，不論水泡之大小，苟以其痒感而抓破之，化膿菌因而潛入，遂起化膿作用，此爲化膿理由之一，如灸後水泡之大者，雖不抓破，亦必化膿，乃以其內部組織，爲灸火所傷，惹起炎症，產許多之分泌物，貯留於泡皮之下，一時不易乾燥，吾人以行動上之關係，易使其破壞，引起化膿之症狀也，此爲化膿理由之二，水泡之小者，似乎不皆化膿，蓋以其範圍小，而炎性產出物甚少，容易乾燥而結痂，肉芽之形成，可以迅速也，

二十一、灸後處置法

因灸而起之水泡，如爲米粒大，或蔴實大者，苟注意不與擦破，則不易化膿，自然乾燥而愈，若水泡飯粒大，或指頭大者當以微鍼沿肌貫透之，使水液外流，然後以硼酸軟膏，敷於紗布上蓋之，若水泡之大者，內部起糜腐之狀當剪去其泡皮，而後蓋藥，每日更換二次見其炎性已退，水液之分泌已無，乃以鋅養粉軟膏蓋之，至愈爲止，

如因火傷過度，發生化膿潰爛時，先去其泡皮，以黃碘軟膏蓋之，待膿腐已盡，呈露粉紅色之肉芽時，換以鋅養粉軟膏，以竟其功，

二十二，灸痕化膿之防止法

灸痕之所以化膿，於二十節已言之，吾人既知其原因，爲抓擦破後所感染化膿菌之關係，與火傷範圍過大，易於擦破之關係，苟就其原因而加以防範，則化膿潰爛之事，使之不發生，亦甚易易，

一，避免大炷，凡宜以强刺戟爲目的者，則不妨加多其壯數，注意灸痕之不使擴大，則火傷之範圍小而水泡亦小，炎症性分泌之液汁亦少，痂皮易於乾燥，而成硬蓋，

二，於灸後，注意消毒，發生癢感時，絕對不與抓擦，偶因不愼而擦破時，即重行嚴密消毒裹紮，如是决無化膿潰爛之事發生矣。

二十三，灸瘡之洗滌法

直接施灸，不論灸炷大小，皆有灸痕，如灸炷大者，則灸痕大而皮之組織傷，往往發生潰爛疼痛，不易收功，善後之法，古人有藥湯淋洗法，略述於后。

大炷灸後，以赤皮葱薄荷等分煎湯，淋洗瘡之周圍，約一時之久，謂可使風邪從瘡口出

，更令經脉往來不澀，自然疾愈，若灶瘡愈後，新肌黑色不退，可以取東南之桃枝嫩皮煎湯，温洗之。若灸瘡黑色而爛，用桃枝，柳枝，胡荽等分煎湯洗之，如灸瘡發生疼痛者，再加黃連煎湯洗之，立可止痛，此皆古之法也，惟施治嫌不便利，簡單而有效之法，宜從二十一節之灸後處置法，惟於天熱之時，灸瘡之分泌液較多，宜常以淨紙，或棉花紗布拭乾之，不宜用涼水洗滌，天寒時，肉芽不易生長，宜常以葱湯淋洗其周圍，以助藥膏之不及，如是瘡痕之收效甚速矣。

二十四、於灸痕上續行施灸之方法

灸，大都屬於慢性病症，宜連續施灸，方收功效，施灸之後，必有灸痕水泡，續行施灸之時，宜以微鍼貫透之，去其水後痂皮塗以墨汁，然後置灸，如灸痕之痂皮，已不慎擦去，亦可以墨汁塗上而後灸之，不但不再化膿，且結痂甚速，雖然，此指灸灶小者而言，若大灶而已成如龍眼大之灸痕，則不宜再灸矣。

二十五、灸與攝生

古人對施灸，異常慎重，于施灸之前三日，止房事避勞役，節飲食，戒憂愁忿怒，灸後戒立刻飲茶進食，宜入靜室，臥片刻，遠人事，忌色慾，平心靜氣，凡百寬解，尤忌大怒大勞，大飢大飽，受熱冐寒，飲食務宜清淡，而禁厚味生冷，蓋所以養氣和胃也，實則飲食無制，房事不節，爲致病之總因，固不必因灸而宜如是也，今之人每不能如古人之所戒，惟節飲食，愼房事，則不可再忽也。

二十六、施灸之禁忌

古法施灸，關於月日，每多禁忌，千金方言之最詳，不能以科學解釋，似未可以置信，故略而不述，其他關於風雨雷電，大霧大雪，祈寒尙暑，亦在禁忌之例，此由於氣候暴變，氣壓猝起變化，不適於病體，而禁施灸，理有可通，吾人可以參酌採擇之，而對於病症上應否禁忌，○甚少涉及，今採日人之硏究，以補古人之未及，今舉其大要如后，

腸窒扶斯「傷寒之一種」赤痢，痧疹，鼠疫，天花，白喉，腦脊髓膜炎「驚風剛痓之類」猩紅熱「喉痧」丹毒，惡性腫瘍「疔疽癌腫之類」急性盲腸炎「縮脚小腸癰」心藏瓣膜病「心悸怔忡」急性纖維素性肺炎「肺風痰喘」急性腹膜炎「臍腹絞痛拒按」傳染性皮膚症「疥瘡之類」肺結核之末期「癆瘵」，血壓高度症，高度貧血症「失血症」，

上述各症，俱不適用灸治，吾人遇此類病症，當愼重警戒，未可昧然嘗試，關於病症之禁忌者如彼，而於部位上亦有不適合施灸者，古法有禁灸之穴如下，

啞門，風府，天柱，承光，臨泣，頭維，攢竹，晴明，素膠，禾髎，迎香，顴髎，下關

人迎，天牖，天府，周榮，淵腋，乳中，鳩尾，腹哀，肩貞，陽池，中衝，少商，魚際經渠，陽關，脊中，隱白，漏谷，條口，犢鼻，陰市，伏兎，髀關，中脉，委中，殷門心俞，承泣，承扶，瘈脈，耳門，石門，腦尺，絲竹空，地五會，白環俞，

以上諸穴，雖未說明灸之必發生何種危害，然經古人之經驗，未可忽視，吾人當從生理解剖之學上推測之，確有可信之處，不能與以全非，即捨去禁灸穴而言，凡顏面有關美觀，絕對禁止大炷，而眼球與近眼之部，亦在禁止施灸之列，其他如心臟部，睪丸，婦人局部，姙娠後之腹部，血管神經之淺在部，亦應列入禁止施灸之例，而酒醉之後，身心極度衰疲之時，皆絕對禁忌者也，學者三注意焉。

二十七、灸之科學的研究

灸法發明於我國周秦之前，迄今五千餘年，關於灸之應用於疾病，如明堂灸經，千金方，扁鵲新書等，可謂詳盡矣，於學理方面，僅從其治療之成績，而推測之，謂能助元陽，通經絡，温中逐冷，補虛瀉實，發鬱散邪，歷數千百年傳統一貫未嘗有進一步之新理發見，斯道乃不爲今世所重視，幾將湮沒而無聞，距今三十餘年前，日本明治三十五年，醫學博士三浦謹之助氏，并醫學士大久保適者氏等，出而爲鍼灸醫學術之科學化的原理之研究，其成績發表之後，世界醫者，爲之震動，日醫界之起而繼續研究者甚多，屢有新發見發表！於是一

般人士，咸大覺悟，不再以學識陳腐而輕視之，灸術之在今日，彼歐美醫者一致推崇，日人以科學的研究，實開其端，回顧我國醫家，幾不知有灸法，人則視爲珍寶，我則敝屣棄之，無他未識其眞理，不知其學之可貴也，今摘錄日人之研究，以爲借鑑，若謂日人已洞明灸之眞理，則猶未也，吾人當更努力，爲進一步之研究乃可。

二十八、樫田，原田，兩博士之灸之研究

樫田，原田，兩博士，關於灸治研究之題，如艾炷之大小，艾之重量，艾之燃燒溫度，各種艾炷之皮下深達作用，灸關於血液之影響，疲勞曲線之影響，及組織學的關係等，爲斯法研究之先驅問題，今舉兩氏研究之成績概要如后。

一、灸之皮下深達作用　由施灸之温熱，達至皮下之深度，以普通切艾〇四釐，在屍體上灸之，於皮下僅將寒暖計上一度以下之上昇爲止，及以蠶豆大之巨大艾，在家兎身上灸之，以寒暖計，在其皮下〇四釐測之，有二八，七度之上昇，以電温計測定法，在皮下二，三釐，見五度以下上昇，而在二，七釐相近處，可認出有若干熱量之深造。

二、灸之關於血液之影響　施灸後，雖多立即增加赤血球，有時反而減少，然而白血球之在施灸後，多至二倍以上，雖在至少之時，亦有百分之三四增加。

三、灸之關於血管之影響　在身體上之一部份施灸時，當初爲反射的，使動脈管縮小，後則擴大，尤其在施灸部之近旁，有顯著之影響。

四、施灸關於血壓之影響　兩氏欲確知灸之關於血壓之影響，先以五頭之家兎實驗，不拘施灸之部位，在施灸後，其感溫痛時，血壓急速上昇，刺戟之感去後，即漸次下降，而恢復常態。

且於以上之實驗中，上昇最高時，爲一〇釐，最低爲一一釐之水銀壓，在血壓上昇中，呼吸深而心之博動緩。

其次欲確知灸之在人之血壓，從十二名之患者，應用ㄨクㄖ川川氏血壓計檢查，每見多少之上昇，其最高爲三二粍，最低爲五粍。

五、灸之關於腸蠕動之影響　剃去家兎腹部之毛，可見其部之蠕動狀態，在腹部中央置一點之灸，而注意之，大都多一個之引續蠕動，其蠕動小時，同時可見其腹部昇高，呼吸數增加，而施灸後之蠕動，間隔一二回，概須長時間，其後平均每十分鐘，間歇十八回半「施灸前」之蠕動，在施灸後，減少至十五回半。

又攝取食餌後，明知蠕動增加，若施灸之，與同樣施灸後，多一回之蠕動，而施灸後一二回之間隔，須經長時間，其後亦蠕動減少，故灸在家兎食後之蠕動，須通常爲增高，亦能見多之減少，不但如此，其已比通常高之蠕動，當然能一定可以減少，然而在後藤博士之研究，則反對之，其發表爲前者減少，後者增加云。

六，施灸之關於疲勞曲線之影響　其試驗在蛙之皮下，注射ダラーレ或機械固定之，於一面脚之ドヒリス腱之皮膚，切開一部，用感傳電氣刺戟其筋肉，使其疲勞，於是以小小切艾施灸時，其疲勞迅速回復。

右兩者之報告，與原博士之實地研究，結果相同

七，灸之於皮膚組織學之影響　施灸之局部皮膚初呈赤色，後乾燥成爲黑色，且少隆起，於是成爲痂皮，且數日之後，痂皮剝離，形成肉芽，營成治愈之瘢痕，然而有時起成水泡，此係由溫度之關係，今以其火熱之度，及皮膚變化之狀況，示之如左

1.火熱四十五度時，不過致一時性之充血。

2.火熱在五十度，…起水泡。

3.火熱五十五度，皮膚陷於壞死。

4.火熱六十度時，壞死及於深部。

以上之瘢痕，初期呈赤褐色，從時日之經過，漸次成爲灰白色，或變爲白瘢，而其部之皮膚，切取成片，以鏡驗之，表皮完全失其固有之構造，單成平滑之表面，被覆之乳頭毛囊，及汗線排泄管等，已破壞消失，厚度減少，又施灸局部之知覺神經末稍，一時完全消失，知覺麻鈍，或知覺稍失，雖然，從時日之經過，神經纖維再新生而恢復知覺，且比較纖維

（指新生的）宮於新生之血管。

二十九．逸智博士之灸之研究

日本大正七年，逸智眞逸氏者「京大」發表其關於灸治之於腎臟機能，利尿之影響一題．其大要如左。

以古來稱爲與腎臟有關係之經穴，即胃俞，三焦俞，腎俞，氣海俞，關元俞，小腸俞，膀胱俞，盲門，志室等之一點，各施十壯於家兎之身，試察其實驗，有瘢痕，灸於利尿作用無變化，惟有蛋白尿之發見，其結論，於腎臟疾患之施灸，不但無效，且爲有害，然而據原博士之實驗如左表所列，其結果正得相反，即腎臟疾患施灸時，亢進腎臟之利尿作用甚顯明，有良好之結果，決無不效與有害之理由

	第一例小白家兎重一二〇〇瓦			第二例中黑白家兎重一五七五瓦			第三例中茶色家兎重一三三五瓦			第四例中白家兎重一五〇〇瓦		
實驗日	尿量	尿之性質	摘要	尿量	尿之性質	摘要	尿量	尿之性質	摘要	尿量	尿之性質	摘要
第一日	三〇〇CC	正常		二八〇CC	正常		一三〇CC	正常		一二〇CC	正常	
第二日	三〇〇	正常		二八〇CC	正常	↑灸	一三〇CC	正常	↑灸	一二〇CC	．正常	胸背反後肢外側灸十壯
第三日	二七〇	正常	正午灸十壯	二五〇	正常		二〇〇	正常		二六〇	正常	
第四日	二〇〇	不變		二〇〇	蛋白微量	↑灸	二一〇	蛋白微量	↑灸	二五五	正常	

第五日	二九〇	正常	↑灸	二七〇	蛋白微量		二五〇	蛋白微量	一七〇	正常	胸背及後肢外側灸十壯
第六日	二七〇	正常		二九〇	蛋白微量		二八〇	蛋白微量	一八〇	正常	
第七日	二五〇	蛋白微量	↑灸	三二〇	蛋白消失	↑灸	三六〇	蛋白微量	三一〇	正常	胸背及後肢外側灸十壯
第八日	二五〇	蛋白微量	元氣增加	三三〇	正常		三二〇	正常	二〇〇	正常	
第九日	二〇〇	蛋白微量	元氣增加	三三〇	正常		三二〇	正常	二二〇	正常	
第十日	三四〇	蛋白消化	↑灸	三〇〇	正常		二八〇	正常	二三〇	蛋白微量	
第十一日	三二〇	正常		三〇〇			二八〇		二三〇		
第十二日	三二〇	正常		三〇〇			二八〇		二三〇		
第十三日	三二〇	正常		三〇〇			二八〇		二三〇		

本表爲原博士之灸與利尿之實驗例第三，四，有顯著之利尿作用與逸智氏之研究成績大違

要確知兩氏之研究成績，板本氏曾有實驗，對於三十八名之腎臟患者之施灸成績，與原博士之實驗，確有利尿作用之說甚符合，惟對於急性慢性之腎臟患者，其灸法與取穴，微有不同，板本氏對於急性腎臟患者，「閉尿病」取下焦之三陰交，水泉，及腰部之腎俞，大腸俞，及下腹之關元等，施機械的放射温灸，認利尿作用有著效，其對於慢性腎臟炎「水腫」用有瘢灸痕，在胃俞，三焦俞，腎俞，氣海俞，大腸俞，關元俞，小腸俞，膀胱俞，肓門，志室，三陰交，等施灸之，大收其效果焉，從以上之實驗觀之，彼逸智氏研究謂僅有蛋白尿出現，其時間或猶未熟。

三十五、博士之灸之研究總括

五博士爲　櫻田，原田，青地，時枝，原博士。

第一，灸之關於赤血球，及血色素之影響。

1.櫻田，原田，兩博士之研究，已述如前，赤血球之增減，爲不能必定之報告，

2.青地博士之研究，謂施灸後，從十五分至三日間，調驗其赤血球與赤血素，斷定皆無大影響。

3.時枝博士之研究，與青地之說，大致相同。

4.原由博士之研究，其發表之結果，與青地時枝兩氏之結論適反對，即原氏以赤血球，

與白血球共同研究，爲六週間之長期施灸，行每日檢查，在施灸中，赤血球，赤血素，雖不起著明之變化，而施灸中止後，從第二週中漸漸增加，平均至第八週而達頂點，是後有持續至十週間之效果，以後乃復舊狀，原博士之由實驗七名「男子四名女子三名」之人體中，其結果，平均血色素，凡百分之十六內外，赤血球在一立方粍中，有五十萬個，乃至百萬個之增加云。

第二，灸之關於白血球之影響

1. 樫田，原田，兩博士之研究報告，在家兎之施灸，於二分鐘內，採其血而驗之，白血球常見增多，最多時，約爲平常時之二倍，少時，亦有百分之三十四之增加。

2. 青地博士，更以兩氏之說，爲詳細之觀察，從時間上計算之，在家兎之實驗，從施灸後十五分鐘，漸漸著明，在一二時間，達平常之二倍，至四五時間，略感稍稍減少，至八時間乃至十二時間，重復增加，其多時達二，五倍以上，其持續之時間，短者三日，長者一週間平均爲四五日，對於人體，亦行同樣之實驗，所得成績，與家兎之試驗相同，施灸後，白血球立即增加，在一二時間，已達平常之二倍，在二十四，五時間後，尚可認出其在增多中云，

3. 時枝博士之實驗，白血球之增多，在施灸後，二至四時間爲最多，平常約達二倍乃至三倍，其後即漸次減少，在二十四時復舊狀云。

4.原博士之報告，與以上四氏之報告，有若干異趣之點，即博士在施灸後，要確知白血球之增加，或減，對於家兎，一回施行十點七壯之灸，灸後立即在一定時間採血，繼續一週間，檢索其數之消長，由施灸之後，多少增加，在八時間前後，達至最高，滿二十四時間，持續其高值，雖在第三日，認有多少減少，但數日間，又繼續增加，更在同點，同壯數，每日反復，在四日外各七壯，在六週間連續施灸之動物，施灸中止後，約十三週間，持續的白血球增多，而在人體，大略亦爲同一之成績，於茲要注意者，在連續施灸之場合，有多少之相差，施術後，假性エオジン嗜好白血球之增加，雖比一回施灸時，其程度低，而淋巴細胞則著明增加，爲白血球增數之主因，而大單核細胞及移行型，施灸後一時減少，於一定時間後，復舊，而鹽基性嗜好細胞則不定。

以上由施灸，關於白血球之增加，三者之意見，大略一致，在時間的關係，亦大致相同，惟關於白血球之種類，時枝，青地，兩博士，斷定其增多之主因，爲中性多核白血球之增加，原博士則述爲中性多核，白血球增多，後爲淋巴細胞之增多云。

第二、灸之關於喰盡作用

白血球之作用，爲喰盡作用，所謂喰盡作用者，存在血漿中之血球，與調理素共同協力吸食，從體外侵入之細菌，或異物而殺滅之，或移運至無害之塲所之現象也，故喰盡作用，乃爲人體之自然抵抗力，甚爲重要，據青地博士之實驗，喰盡作用，在施灸後十五分開始亢進，二至三時間，平常增達至二倍，乃至三倍，而其持續之時間，約爲一週間，以上試驗，專從家兎之胸腹背腰等部，隨意選定左右各二個，合計四點，各點三回，乃至四回施灸之，後在種種之時間「三十分乃至六日」

採血，分離其血清，而後測知之，又博士在人體爲同樣之實驗，其結果與前者之塲合略同，平常增進一，五倍，乃至二倍，在最近受灸之人體，亦認爲有亢進效果。

第四、灸之關於補體影響

所謂補體者，存在血漿中之殺菌性物質，有溶菌性補體與溶血性補體之二種。

青地博士關於溶血性補血體，欲檢索灸之影響，爲多數實驗之結果，報告認爲補體量之增加爲適確。

時枝博士，亦爲與青地同樣之實驗補體量，在施灸後第二天，開始增加，至第一日至達最高席，以後漸次減少，約至一個月後，恢復舊狀云，

第五灸、之關於免疫體發生之影響

免疫體者，從其他之免疫處置，而血清中新產生之抗體是也，時枝博士研究，灸之關於免疫產生，有良好之呈現，以傷寒桿菌，免疫家兎第一回注射後，爲四，〇〇倍，以對照之普通家兎爲一，二〇〇倍，表示四分之一之凝集價，於此可知免疫家兎，從施灸之影響，所產生之凝集素，比普通家兎有顯明增加。

第六，施灸之關於血液凝固時間

就時枝博士之實驗，施灸之家兎，於三十分鐘後，認爲有顯明之血液，凝固時間遲緩，至六時間候，尚不能復其常態，二十四時間後，漸復常態，但有一例，尚認爲有多少短縮，要之依灸之作用，已明瞭血之凝固時間遲緩，且其經過，與血糖量之變化平衡。

第七，施灸關於血糖之影響

時枝博士，更以研究灸之關於血糖量之影響，發表其成績，謂以家兎施灸後，血糖量立即增加，在多數之場合，於二十分鐘間，達至高度，其量約二倍，或至二倍半，從此漸成減少之傾向，至翌日較施灸前減少，或反形增加，而至翌日而復舊，亦有不復舊者，共得三種之結果，要之家兎之血糖量，由施灸而得確實著明之增量，可以無疑。

第八，灸法之本態

原博士欲研究灸之本態，觀察施灸後之皮膚組織，灸痕之狀態，不但爲一種熱刺戟之反應或許爲何種物質，溶入血液中，爲第二次之時間，發揮其作用，於是轉眼從內科諸學者之研究，被闡明爲火傷之關係，從古來諸說紛紛之火傷死之眞原因，察知其局部所發生加熱，蛋白體之異常分解，產物「火傷毒素」之毒素，爲其起因，原博士研究，灸作用之本態以後，檢索火傷，及火傷毒素，關於血球之應響，即以火傷家兎，及施灸之家兎，血色數量，關於赤白血球之影響，不單純爲熱刺戟之結果，且得推斷爲血淸中，火傷毒素，特別刺戟造血器之作用爲起因，更從灸之分量察之，過度施灸之動物，徐徐憔悴，食慾減少，體重減輕而不活潑，其狀態，恰與誤用蛋白體之分量時之副作用，現蛋白體憔悴相似，若即終止施灸，或減少回數與壯數，即漸漸恢復其元氣，於此點察知灸法之本態，得歸到爲一種之蛋白體之作用。

結論

本編自第一節灸法之起源，至二十六節施灸之禁忌止，凡關於灸法之應用設施，雖未敢云爲詳盡，然已括其大概，苟皆印入心腦，以之應付臨床，或不致有所僨事矣，二十七節以下，介紹日人之以科學方法，研究所得之學理，亦皆舉其概要，以其於灸之普通一般之學說，不適合於臨床研究，吾人知其梗概，蓋亦足矣，灸科學理之眞面目，僅窺見豹之一斑耳，如百會之脫肛，肘尖之治腸癰，彼日人均認爲有特殊效果，然未能以前者之研究，可得而解釋之也，灸之於疾病，有成效者，何止數百種，治脫肛腸癰，僅其一端，如能以一一釋其眞理之安在，庶可云已識得廬山之眞相矣，然而千百年流傳之學術，欲一旦而盡抉其蘊，夫豈易言，一人之學識有限，即兀兀窮年以赴之，恐亦未必能盡，是希望有志者之共襄進行，引爲已任，庶眞理明，而道長存矣

灸科學講義終

二十七年復版於成都

灸科學講義　七

編著兼出版者　承澹盦

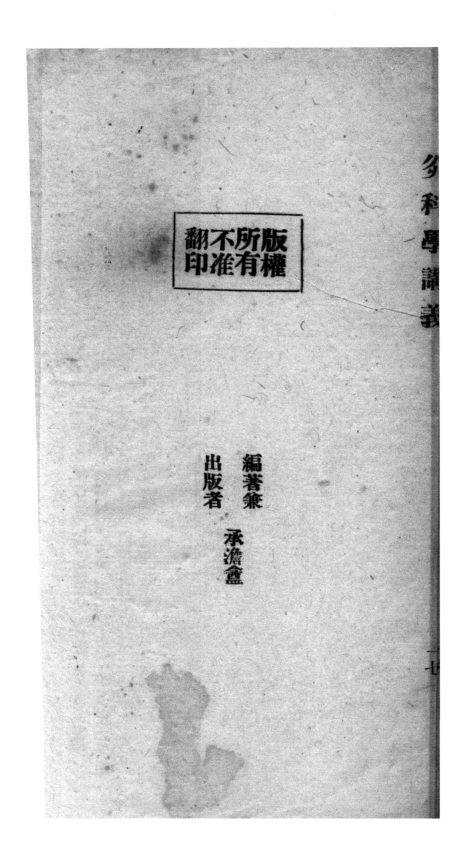

高等针灸学讲义·针治学、灸治学

提　要

一、作者小传

日本神户延命山针灸专门学院编，缪召予译。

二、版本说明

《中国中医古籍总目》所载的《高等针灸学讲义》（日本神户延命山针灸专门学院编，缪召予、张世镳等编译）有2个版本，分别为：①1931年、1932年、1933年、1936年宁波东方针灸书局铅印本；②1937年、1941年上海东方医学书局铅印本。

据版权页，该书所录底本为1941年再版，由上海东方医学书局出版并发行之本。

三、内容与特色

该书分两部分，即针治学和灸治学。

“针治学”分2章：第一章为针治学导论，简要介绍针治学之意义、针治与灸治、针灸医术之历史；第二章为针治学各论，各论又分为针治学22节（针术之定义、针之种类、刺针方式之类别、针科之派别与针之构造、针之选择与保存法、刺针法、刺针之押手、刺针之方向、针术之手技、针之生理的作用、针之深部治疗、刺针之禁忌点、刺针之练习、刺针刺激之强弱、刺针上之注意、从解剖生理学上之见解对于身体之刺针、刺针之健体及病体作用、针术之适应证、针术之不适应证及禁忌证、刺针中身体内之折针、拔针困难时之处置、补泻迎随说）、针术之手技9节（皮肤锐钝之鉴别、常规刺入法、针之响、拔针法、刺针上之注意、押手、弹入之法、基本手技、百法针术）、顺气之法9节（诊察之心得，针之效果，针之利害，针之刺激，响之强弱，针之深浅，补泻迎随，补泻迎随补遗，左右、前后、缪刺、巨刺）。另附小儿针、结核性淋巴腺炎之灸治、打针之开祖与数种之施术法（介绍御园意斋所创的用圆形小槌打针头而进针的方法）、风疾打扑症之鉴别、小儿针之施术方法等内容。

“灸治学”分14节：灸术之定义、灸术之种类（有瘢痕灸、无瘢痕灸、特殊灸）、艾叶谈、灸之生理作用（灸对血液的影响、灸对血管的影响、灸对血压的作用、灸对肠蠕动的影响、灸对吸收作用的促进、灸对神经系统的作用、灸对精神的作用、灸与蛋白质疗法）、灸之刺激作用（诱导刺激法、直接刺激法、反射刺激法）、灸之健体及病体作用、灸炷所发之温度、灸之皮下深部温度实验报告、施灸部位之组织变化、灸之适应证、灸之不适应证及其身体之禁忌证、艾炷之大小及其壮数之决定、施灸点之决定及取穴法、灸治之忌日。

该书概述了针灸的生理作用和医治之效用，如针灸能解除横纹肌及平滑肌之紧张、扩张血管、促进血液循环，灸刺激能兴奋中枢及末梢神经，针刺激能镇静异常兴奋之神经、兴奋麻痹之神经，针灸具有镇痛消炎的作用等。该书将针灸与现代医学相结合，可更好地指导针灸在临床上的运用。

高等鍼灸學講義
鍼治學 灸治學
東方醫學書局

高等鍼灸學講義

針治學　灸治學

繆召予譯述

上海

東方醫學書局藏版

1941

針治學灸治學合編序

針治學灸治學合編。爲治針灸學者之南針。亦卽治針灸學者入門之階梯也。我國古針灸書。艱晦難讀。其病在於多空言而無應用方法。是故治針灸學者往往興望洋之歎焉。日本針灸、源出我國。觀其歷史。在昔未嘗不發皇興盛。自荷醫輸入。其道遂衰。近二十年來。以西法治病。重迹象而不重理論。徵諸實際。轉不如漢醫治病之有卓效。於是羣起以求其原理。則知漢醫本五千年來之經驗。其術未嘗不可取也、近數年來。漢醫書籍。出版益夥。大抵以科學原理。闡古醫絕學。朝野上下。翕然從之。夫針灸術者。漢醫學之一也、西人目爲東方物理醫法。美人海賓篤氏。最近發明海氏神經過敏帶。其治療點無在不與我漢經穴不謀而合。上下數千年。縱橫數萬里。古今中外。俗尚不同。而其治病之術。乃竟後先輝映。若出一轍。則古針灸術之價值。可以概見焉。俊義垂老嗜學。篤信漢醫鍼灸。有提倡之必要。爰搜集中日鍼灸書數十種。擬絡續譯印問世。針灸學講義。其嚆矢耳。本書優點。不遑枚舉、當於凡例略述之。要之根據科學。闡明眞理。爲我國針灸學空前未有之紀錄。可自信也。

當代博學之士。試取是書而讀之。或恍然吾言之非夸焉。是爲序。
中華民國二十年九月四明張世鑣俊義序

凡例

一　本書譯自日本延命山鍼灸學院講義錄。延命山氏爲日本舊針灸家之領袖。其門徒遍各行省。是書卽爲其授徒秘本。雖學說少拘古書。而於我國針灸界之現狀。尚稱適合。用爲過渡。可稱善本。

二　本書凡二章。第一章針灸學誘導編。分三節。讀者僅知其大意已足。不必深求。第二章針灸學各論甲針治學分二十二節。讀者宜勤加玩讀。庶幾於刺針之技術及應用。得其精髓。用以治病。自有得心應手之樂。

三　我國向用燃針。讀者於實地治療時。宜先用燃針。而後再及其他。

四　刺針十法。爲針灸醫師必需之新知識。我國針灸師僅知單刺旋撚間歇迴旋等術。讀者撚針熟練後。其他針術可並加練習。俾資深造。

五　針之生理的作用。暨刺針之強弱與治療上絕有關係。亦宜勤加熟覽。

六　刺針之禁忌點。係根據解剖部位而作。讀者不可玩忽。誤犯之有關生命。又刺針之注意四條。針術之不適應症及禁忌症四條。折針時之處置。拔針困難時之處置等。亦宜熟覽。不可忽視。

七　補瀉迎隨。其說不經。爲科學醫所不取。本書譯自原本。不便删節。他日當取各家之辯論。刊諸雜誌。以餉讀者。

八　皮膚鈍銳之鑑別。常則刺入法。針之響。拔針法。刺針上之注意等說。極爲名貴。押手十六法。暨百法針術。行有餘力。不妨習練。

九　順氣法。新舊彙錄。頗多可採之作。去滓抉髓。是在讀者。

十、小兒針以下。爲本書附錄。無關宏恉。當之座談。讀者瀏覽一過。自能知其梗概。不必深求。

高等針灸學講義目次

第一章 針治學 誘導編

第二章 針治學各論

針治學目次終

高等鍼灸學講義

日本神戶延命山鍼灸學院編纂
中國東方鍼灸學社撰譯員繆召予譯述
中國東方鍼灸學社社長張俊義校訂

第一章 針灸學 誘導編

第一節 針灸學之意義

鍼灸學者。對於鍼治及灸治。詳述治療各種疾病上必要之學說。及實地研究之學科也。從廣義言之。除鍼灸學之理論外。而解剖學生理學等之基礎醫學、病理學、診斷學、內科學、小兒科學、婦人科學、外科學等、以及針灸之施術。凡屬各疾病治療與應用各分科均包含之。蓋術者對於針灸學之理論。達何種程度。而其技術亦達至如何程度。解剖學生理學之基礎醫學。爲示內臟之位置。固勿論矣。即如骨、筋、脈管、神經之形狀配置。亦無不明示。而於各種器具作用。亦能確實定其施鍼點及施灸點、而病理學、診斷學等。又能知各種疾病之如何。以定正確之見解。

若從狹義言之。則鍼灸學者。卽研究針術灸術之理論與實地技術之事也。本篇所談。以狹義的鍼灸學爲範圍。更分鍼灸學總論與鍼灸學各論二篇。

針灸學總論。爲論究針治灸治必要之器具材料及施術之方法。其各論則就鍼術灸術之適應症。施以鍼治及灸治之治療方法。例如何種疾病。應鍼何處、與何種施鍼技術。施灸技術。一一研究之學科也。

第二節　鍼治與灸治

鍼治者。用金、銀、白金、鐵等之金屬。成大小長短種種之細鍼。刺入身體組織中。刺戟身體內各種神經系統。以治療疾病之方法也。

灸治者。就身體之一小局部。與以溫熱的刺戟。以治療各種疾病之方法也。灸治有無瘢痕灸治。與有瘢痕灸治二種之區別。其詳當就灸治論述之。約而言之。無瘢痕灸治者。用種種器具或器械。就皮膚上與以間接溫熱的刺戟之方法也。有瘢痕灸治。爲自昔本有之灸治法，在身體一定之局部。置以少許之艾。附火灸治。惹起皮膚上一種火傷痕蹟(所謂灸點記者)、以刺戟神經治療各種疾病之方法也。

第三節　針灸醫術之歷史

針灸術起於何時。就歷史家之研究。遠在神代之季年。用砭針（石之銳尖者、刺入皮膚、以拂邪氣、）瀉血等。中國古醫書『黃帝素問』異法宜論云。

黃帝問曰。醫之治病也。一病而治各不同。皆愈。何也。岐伯對曰。地勢使然也。故東方之域。天地之所始生也。魚鹽之地。海濱傍水。其民食魚嗜鹹。皆安其處。美其食。魚者使人熱中。鹽者勝血云云。其病皆為癰瘍。其治宜砭石。故砭石者。亦從東方來。

其東方之域。天地始生之所。（指日本而言）。黃帝素問。輒合古書。第針灸大成等書與黃帝素問。為後人偽造。約當中國秦漢之世。（當日本紀元後五百年前後。西歷紀元前百五十年前後）而砭石之術。已行於日本神代時代。早知中國所傳。惟砭石之形。與其使用之法。古書無詳細之記述。（但砭石針有保存於雲出大社、）考之『山海經』『扁鵲傳』『本草綱目』等古書之記錄。則以石造針。所以取血。（瀉血）其言從朝鮮或中國傳至日本者。誤也。惟砭石針之所謂針術之成。則有疑問灸，黃帝素問載針術從唐土輸入。以針刺透皮肉而治病。蓋卽微針之事矣。

針術灸術從中國傳至日本。日本人皇三十代欽明天皇十三年（紀元二百十二年）秋八月。（距今約千四百年前）有知聰者。攜『藥書』『黃帝明堂灸圖』等百六十卷往朝。實爲日本針灸科書籍輸入之始。此時佛教經朝鮮渡入日本。日本經三韓之介紹。頻與我漢土往來。其後從欽明而至推古天皇陸續輸往針灸科書籍甚多。而有志於針灸科者。亦遊學漢土。有紀河邊幾男麿者。渡往新羅（今朝鮮之一部）研究針術。於弘極天皇元年歸國。任針博士。其後四年四月。有鞍作得志者。渡往高麗。常於友人處發明虎針。日本書中有『病無不治』之記載。蓋當時針術已大盛矣。人皇四十三代文武天皇之大寶二年（紀元一三六二年）發布歷史上有名之大寶令。都律六卷令十一卷。此令十一卷中有『醫疾令』。規定關於醫藥之事。此律令規定醫學校由宮內省管轄。其校舍設宮內省之典藥寮。此典藥寮之長官稱典藥頭。其下稱助允大屬小屬。分擔典藥寮之事務。

此典藥寮學校之入學規定。限於世代醫者藥師之子弟。有三世醫術之繼承者所謂名家之子弟。爲限。平民不許入學。入學年齡自十三歲至十六歲。

學校設左之分科。此表係醫學博士田中香涯氏之考案。

醫科	體療（內科）	七年	二四人
	創腫（外科）	五年	六人
	少小（小兒科）	五年	四人
	耳目口齒	四年	四人
女醫科（產科）		七年	不定
針術科		七年	二〇人
按摩科		三年	一〇人
咒禁科		三年	一六人

各科職員

醫科	醫博士	一人	醫師	一〇人
女醫科	女醫博士	一人		
針術科	針博士	一人	針師	五人
按摩科	按摩博士	一人	按摩師	二人
咒禁科	咒禁博士	一人	咒禁師	二人

以上典藥寮醫學校分醫科女醫科針術科。按摩科。咒禁科五科。其中醫科更分體療、（內科）創腫、

（外科）少小、（小兒科）耳、目、口、齒、（耳鼻咽喉眼科齒科）等專門科、醫科生徒限入學之年間。習普通醫學講讀『甲乙經』『脈經』『新修本草』等。其外兼習『小品方』『集驗法』等修了之後。始可入專門科。

各科職員中之針博士。從針師六人中。特與選拔專司教育針生。而針師則除教授針生外。兼從事於診療疾病。針博士之學位爲一等官名「文德實錄」載，『博士掌執經授業之職。』恰與今之大學教授相當。針師雖同爲官名。而以診療疾病。則爲技術官之職矣。

以上所述　均省去灸術。實則灸術已含在針術中也。由此大寶令。針科遂與醫科對立。獨立稱爲一科。

當時宮內省典藥寮學校入學針生須受教育。

當時之針科學生。與式部省管轄之大學生。（當時律令醫科由宮內省管轄。普通學校由式部省管轄。）受同等之處置。入學之始。對師須行束修之禮。先受素讀。後聽講義。其使用之教科書爲『素問』『黃帝針經』『明堂』『脈訣』『流注』『偃側』『赤烏針經』等經書及圖。先讀『脈訣』『明堂』。

脈訣告終。行互相診斷法。卽甲生診斷乙生。乙生診斷甲生。以會得脈膊四時之浮沉遲數等。『明堂』終了時。卽行記圖。以知孔穴之所在。其次講習『素問』『黃帝針經』等。修業年限共七年。其間不絕試驗。每月由針博士試驗一次。每年終由宮內省查驗一次。如學業劣等。卽令中途退學。以新生補充。（有在學九年尚未成業者亦退學。）若在學七年卒業試驗成業及第者。卽申告其行狀與學科成績於大政官。更由式部省舉行試驗。如合格者。卽任爲針師官。甲等授『從八位』職。乙等授『大初上位』職。嗣後具有功績。得更升級。

自大寶令發布後。針灸術於以勃興。後經奈良朝而至平安朝之中頃。針科均處醫道之重要地位。人皇五十二代嵯峨天皇之弘仁十一年（紀元千四百八十六年。）詔針生五名。修讀『新修本草』『明堂經』等。此時代出菅原尾成下道門繼丹波忠明等針博士。

其後針博士丹波康賴著『醫心法』。（紀元千六百四十二年。）其第二卷中。舉針灸諸方。大唱針灸醫道。一時稱盛。平安中頃以後。針灸醫術漸次衰落。至鐮倉寶町時代。則更衰微矣。推其衰微之主要原因。實係和氣丹波（平安朝時代之桓武天皇初期有和氣清磨之長子和氣廣世。著書有名於世。）其後圓融天皇時產丹波康賴二氏之子孫。世襲宮內省典藥寮之典藥頭。與針博士兩職。膺榮位而不務其實。加以奈良時代佛教盛行。罹病者多不加針灸醫療。專乞憐於僧侶與陰陽師之祈禱咒禁。成爲風氣。於是醫師針師自然受病者之嫌忌矣。

保元平治之亂。王政衰微。政權握於武士之手以來。學問由於僧侶。醫術亦一時落於僧侶之手。經應仁大亂。而學問絕滅。當時之典藥寮學校。不過僅有其名。故當時對於針灸法。無著書可見者。足利時代之末葉。入於戰國時代。大文年代有曲直瀨道三者出。著『啓迪集』『針灸集要』『指南針灸集』等。時正戰國羣雄割據時代。有豐臣秀吉出而漸就一統。世事敉平。針灸醫術亦漸次復古。入江瀨明吉田意休等。針灸名人。亦應時產生。

曲直瀨道三。名正盛。又名正慶。字一援。號雎知苦齋。又號盍靜翁。其父名堀部左門親眞。永正四年九月十八日生於日本京都柳原。生後翌日父卽棄養。母亦早亡。賴伯母與姊撫育。十歲。入江州天光寺。十三歲。移相國寺。爲斷養。以等皓呼之。在寺中專心向學。能暗誦三國詩東坡山谷等詩。二十二歲時遊學下野國足利之足利學校。師事正文伯。專攻經書等。當時有田代三喜者。稱導道練師。輸入李朱醫法於關東。常往來武藏下毛間。從事醫療。一時聲名稱盛，曲道瀨於亨保四年十一月初在榊津與之會見。從之學醫。十有餘年。盡知其祕。遂辭師歸京都，脫僧籍。專以醫行世。天文十四年。以將軍足利義輝而受寵於幕府諸將。著書呈覽因得榮位。復設『啓迪院』，集生徒授以經書醫學。從者千餘名。晚年改稱亨德院。文祿三年正月八日以病歿。享年八十八歲。墓於京都十念寺。贈法卯曲直瀨一援道三十字，勒石誌之。

入江賴明。日本京都人。初爲豐臣大公醫官。學園田道保針術、從軍朝鮮。時受吳達林（我國明時人）針術，得其祕。當時稱針科大家，名噪一時。其子良明繼之，山瀨涿又繼良明而成爲『入江派』。

吉田意休。爲雲出大社之神官。游學中國（明時）七年。就明人周杏琢習針術。歸國後。著『刺針家鑑』其子意安繼之。因成『吉田派』之始祖。

御園意齊以創始打針術名。能知金銀之性質溫柔。適於刺入人體。其始業斯道者本用鐵針。至此遂成針治療上之一大革新。又造圓偏平之小槌。用爲打針。當時稱『意齊派』之打針。（

御園家傳略記御園之姓與打針法。以御園叔父多田二郎爲貞爲開祖。又日本醫譜云。江其(又稱奥州)禪僧之母腹痛。試以種種治療。均不見效。自就多賀法師學針術。以根治母病。其後行脚諸國。以救病者。御園意齊學其針術而發揮之。以上二說。均不足憑信）意齊氏生於京都。以打針擊針術成名。其叔父多田二郎爲貞。係大膳亮爲綱之子。管領攝津國三分之一。飲土搆宅。上杉氏稱之爲當時針術大家。遠近聞名乞治者踵相接。時花園天皇所愛玩之牡丹。將枯死。百方召集多數庭園家治療。迄無效果。最後召二郎爲貞入宮。命施針術。俾復其命。爲貞謹敬奉命。入御園診此枯死之牡丹。用旋針術刺蠹蟲。經日枯株倍旺。天皇大喜。賞御賜御園之姓。與牡丹獅子之御紋章。其後意齊氏更大練其技。成斯界之祖。意齊名常心。通稱源吉。大孫王經基之三男。從四位武藏守滿季之後裔。正親町天皇御陽成天皇之兩朝入官。爲針博士。門下多數爲針術大家。其中著名者若藤木元成。中塚東齊。朝山更齊。森吉成。奥田九郎右衛門諸士。藤木元成爲加藤之神官。即『駿河派』之開祖。朝山東齊。即『朝山派』之開祖。其技術極精妙。又禪僧。澤庵。江月。細川三齊等。亦入意齊之門。從事學針術者。慶長年間。德川家康公於駿河病時。聞意齊氏打針術之奇效。召往施術。意齊力疾應召。後德川二代將軍秀忠公病臥江戶。意齊應召赴江戶施術。病輙全愈。大受激賞。賜銀若干云。意齊著『醫家珍寶』二卷『針灸祕穴』一卷『針灸全論』一卷『神華秘傳』六卷。元和二年冬二月以病沒。葬於比叡山之南大杉。

上述織田豐臣二氏時代。出入江瀨明。吉田意休。御薗齊諸名家。成針灸中興之局。德川之世。綱吉將軍就職。謀針術之發達。命當時名大家杉山和一氏。開設針灸術講習所。教授多數之學生。杉山氏之門人三島安一氏。擴張講習所於千柱。板橋。新宿。品川及其他諸州。共四十五所。成材甚衆。當時業針業者。殆無不出此講習所之門。所謂杉山派針術壓倒天下者是也。

杉山和一氏。伊勢人。父重政、慶長十五年生。生而盲目。家政讓與義弟重政氏。自往江戶入山瀨琢門。學針術。資性愚魯。與他生共學。獨無進步。其師琢一因下逐客之令。氏憤然曰。『吾旣盲目已成廢人。然人生究爲何事。吾可反天命乎』。遂決意詣相州江之島辨財天祠之巖洞中。端然斷食二十一日。夜將明。夢辨財天授給一物。卽針管也。(此係傳說之詞。)其後杉山和一氏。性質一變。凡「內經」「難經」無不暗誦。且無一字之誤。後赴京都。入入江豐明氏之門。(入江賴明之孫。良明之子。山瀨琢郎豐明氏之門人。)精研其奧義。聲名遂大振。登門求針者若市。貞享二年正月。將軍常憲病。召和一氏針療。大奏功效。遂賜白銀五十枚。其後賜俸八百萱。元祿五年五月九日。舉為關東總綠檢校。同年五月十八日歿。享年八十歲。葬於本所彌勒寺。近由吉田弘道。金源直太郎(今尚生存)等之斡旋。設杉山神社以祠之。杉山氏曾著『療治大概集』『選針三要集』『節要集』『杉山三部書』等。絕為名貴。

管針創始者。實與針科以一大革命。其功績甚偉。德川中世。八代將軍吉宗。英邁過人。政治之外。更用力於學術。於是著名學者。相踵而出。如伊藤仁齊荻生粗來伊藤東厓昭部南郭山縣周南知學派之加茂眞淵。泰西學派之青木混陽等。均與日本醫學界以極大之影響。而名古屋玄醫之門人吉村恂益等。復盛唱醫法復古之說。後藤良山出。痛擊漢法醫學之空論。高唱日本古醫法。自成為一家之言。以前針灸術。大抵用於傷瘍等之外科的方面。而良山針灸術。對於內科的疾病。甚見效果。因從實證立論。以唱導天下。曾著『能膽番椒灸說』及其他諸書。良山之子後藤椿庵著『艾逋說』詳述灸術。良山門下。又四方唱導之。如香川修庵著『一本行餘醫書』『一本堂藥選』等。其中論述灸法極詳。當時古醫法勃興。針科復古之說亦甚盛。菅沼周圭氏著「針灸通則」「針灸摘要」「針灸治驗」等書。即此說之代表也。氏云。針必要之穴。僅七十穴。不問經絡。不分太陰太陽經絡。不問禁針禁灸穴。不定深淺。只應病症之輕重虛實而定取捨。排虛妄據實驗。其論正正堂堂頗廓一世。德川季世名針灸科沍板宗哲出（甲府人。後任侍醫法眼）學說以「內經」爲主。而採荷蘭之醫學。氏云。以孔穴附以十二經等。於兒戲。經絡說尙可不講。曾著「骨經」「內景備覽」等。詳論人身之解剖。又著「針灸說約」「針灸知要」等。說明刺針方法。其針治刺法分五種。

一　半刺　淺刺早拔。取皮氣。

二　豹文刺　刺針於左右前後。以取經絡之血。

三　關刺　刺於筋上左右。以取筋痺。

四　合谷刺　刺於左右鷄足分肉。以取麻痺。

五　輸刺　直深刺入至骨。直拔以取骨痺。

此說當時頗爲人重視，風靡一時。其次則推加賀人板井清作氏之横刺針法。曾著(針術秘要)。大唱導其學術。

爾時適當明治維新時代。施政方針。一掃舊來陋習。力求世界知識。以振皇基。於是西洋文物爭先輸入。國內固有學術。極爲輕視。而針灸術皇漢醫術。遂不復爲人所齒矣。然物極必反。迨明治二十七八年。有醫師太久保適齊氏者。著「針灸新書」「針治灸治新書治療篇」「針治新書手術篇」等書。與斯界以一大刺戟。而繼起研究者。遂大有其人。明治三十五年東京開第二次聯合醫學會。醫學博士三浦欣之助氏。就針灸術發表科學的研究。同年帝大教授後藤道雄博士就針術發表學說。既而醫學士岡本愛雄氏著「針灸初步」。醫學士富水勇氏著「灸療與長生法」。大正元年。醫學博士原田重雄氏發表「關於灸治之研究」。大正二年。醫學博士樫田十治郎發表「灸治研究」。大正五年。開日本醫學大會。千葉醫專校長醫學博士井上善治氏發表「電氣應用於針術之研究」。其他如京都府立醫科大學教授醫學博士越知眞逸氏發表「腎臟機能與針灸術」之論文。京都帝大之石川醫學博士及川上學士。發表之「就內臟之知覺研究針灸術」等研究者。一時風起雲湧。而又痛感取締規則之不便。遂於明治四十四年。由內務省發布。確立試驗檢定制度。

第二章　針灸學各論

甲　針治學

第一節　針術之定義

針術者。用金屬性細針。以刺入身體各部。加以一種機械的刺戟。以治療疾病之技術的方法也。太古之世。僅有石針、竹針。以石或竹製之。迨後人智日啓。始用鐵針。較之以前。進步多矣。但尚有因酸化作用而生鏽。刺入時易於碎折之缺點。故現今專於斯業者。進而用金銀所製之針。（織田豐臣時代。京都鍼灸大家入江瀨明御園意齊等所創。其詳俟金銀鍼誘導編言之。）除金銀質外。尚有鉛及其他雜多之混合金屬。較之鐵針。又更緻密而富彈力。且不生鏽。刺入時甚少折碎之弊。

第二節　針之種類

鍼博士丹波康頼著「醫心法」（紀元一六四二年之選書）其第二卷中。記針灸諸法云。針有九種。茲述其名稱並附圖如左。

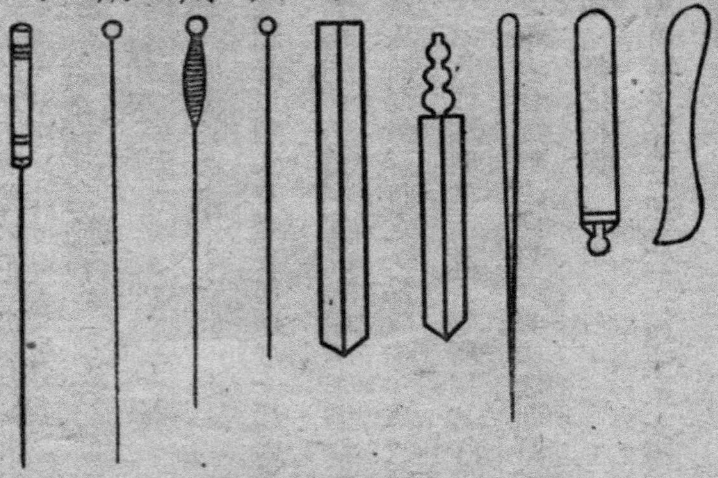

鍼名	長度	用途
鑱鍼	長一寸六分	刺於熱頭身者
圓鍼	長一寸六分	刺於分間之氣
鍉鍼	長三寸五分	按脈氣以刺取邪氣
鋒鍼	長一寸六分	癰疽之熱刺之以出血
鈹鍼	長四寸 廣二寸半	刺於癰腫以取大膿
員利鍼	長一寸六分	取癰痺或取暴氣
毫鍼	長一寸六分	刺寒熱之痛痺
長鍼	長七寸	刺深病痛痺
大鍼	長四寸	關節不出水氣者刺之

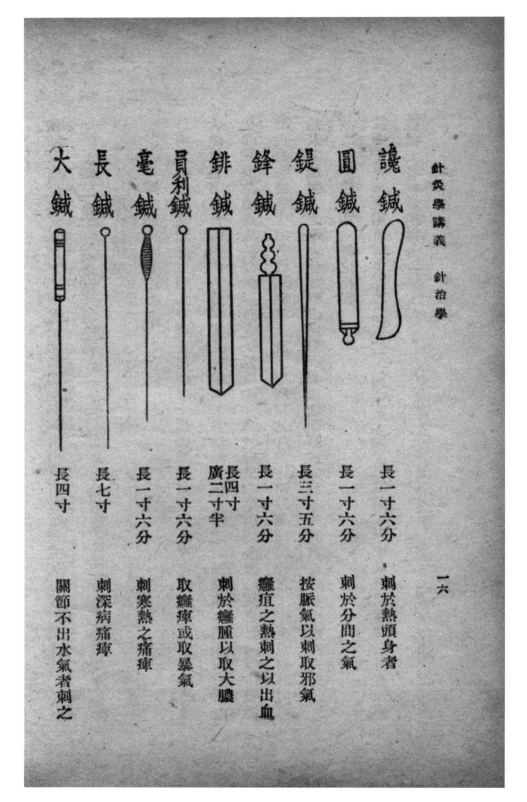

以上九種針。不用於內科的疾病。專用於攻破癰瘍等外科的手術。然今日外科醫術進步。亦少應用矣。故今日針術。專用毫針以治療適應之病。毫針者。以金銀鐵及白金四種混合而成。無前述鐵針之缺點。亦無專用白金過於柔軟不適實用之弊。

毫針區別針柄、(龍頭)針體、針尖(穗先)爲三部。鍼之長普通自一寸乃至四寸。——用四寸以上之長針。就身體解剖學上言實不適實用。故使用者甚少。——吾人常用者以一寸六分(俗稱寸六。)而至二寸針爲便。——從一號細毛鍼順次而大至十號大鍼。(實際使用。尚以三號至五號針爲便。)——依醫學博士三浦謹之助氏之測定。一號鍼至三號鍼爲〇・一五密利米突。(一米之千分之一。稱密利米突。)四號至五號鍼爲〇・二三密利米突。六號至七號爲〇・二五密利米突。九號爲〇・四密利米突。十號爲〇・四五密利米突。

第三節 刺針方式之類別

古來刺鍼方法有三種。曰撚針。曰管針。曰打針。

撚針。不用針管以針刺入身體。係吾中國所傳去。日本丹涉康賴。入江賴明。匹地世庵諸氏。皆撚針大家也。打針則以小搥叩針之針柄。使針尖刺入身體。織田豐臣時代。京都針灸大家御園意齋所創始。管針用針管。以針刺入身體。此係德川時代杉山和一氏之創案。故打針管針爲日本人之創案。撚針則吾中國所固有也。

第四節 針科之派別與針之構造

針術之施術方法與手技。有種種派別。其他用針之材料。及製作上之構造。亦甚多岐異。今舉其派名及其使用針之構造如左。

派名	金屬之種類	針尖之種別
吉田派	鐵針	斯利亞落希
杉山派	金針 銀針	松葉
粕谷派	同	同
西村派	同	同
蘆原派	同	同

村井派	同	同
大須賀派	同	同
大明派	同	同
平塚派	同	斯利亞落希
上田派	同	松　葉
藤倉派	同	同
杉山眞傳派	同	同
小山派	同	同
石坂派	同	同
阿斯能夜派	同	同
赤松派	同	同
大久保派	同	同

右舉各派。針柄針尖均異。其針柄軸名因羌無實用。茲姑從略。

針尖形狀說明如左

㈠斯利亞落希　針體約分五部。接近針柄處最大。中央部位次之。順次至針尖而成銳尖形。

㈡松葉　似松之葉。針體約分三部。從上部漸次研磨而至銳尖。

㈢諸蓋　從針柄接近之部而至針尖上四五分位處。同一大小。以順次至針尖而爲銳尖形。

㈣卵子　從針柄接近之部而至針尖上二分位處同一大小。以下成急率尖銳形。

第五節　針之選擇及保存法

針常在身體緻密之組織中刺入。故不得不加選擇。(第一)針尖之銳利。(第二)屈曲或損傷否(第三)彈力。針尖不銳利。則穿皮時覺疼痛。針無彈力與屈曲損傷等。則刺入時恐有折針碎折等之虞。——欲防針之屈曲損傷。則使用金銀針爲爲最安全。

近年針科發達。針具之考案製作亦頗多。因之有治療診察室備用針具與應診攜帶用針具二種。

治療室備用之針。常置於玻璃瓶類之製器中央。或金屬木材之板上下置棉花。上掩絹布。應診用之針。每置於函製之雜具或手提鞄中。瓶內亦滿張布片。以防針尖之損傷。今日所製之金銀針。多以不純粹之金屬混合而成。瓶內之空氣。常恐因酸化而生鏽。故宜時加淨拭。或以棉花絹布等包裝針器。曝之空氣中。以免生鏽。又宜於刺入時隨時注意針尖之損傷。

上述針之保存應有左列二點之注意。

㈠不可生鏽。

㈡針尖及針體不可毀傷。

第六節　刺針法

刺針方法。大別爲前述撚針、打針、管針三大方法。此三方法不得不有各自充分之練習。現今所行者以管針法撚針法爲多。依打針法施刺者甚鮮。今將刺針法說明如左。

(一)燃針法

燃針術自中國傳於日本。今尚盛行。此法先以右手取毫針。左手探患者刺針之所。以拇指與食指固定刺針部位。(稱押手。)右手持毫針針柄。與針體之上端。適當拇指與食指之間。輕輕觸皮膚。然

撚針法

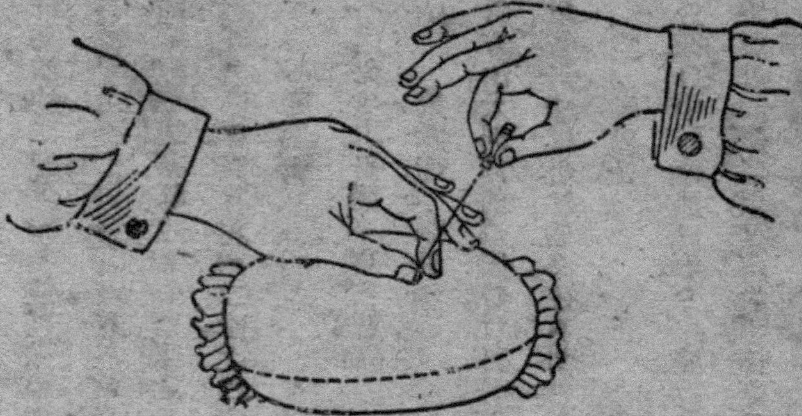

後右手之針。用拇指與食指撚針體使下。穿通皮膚。此針尖穿通皮膚名曰「穿皮」。此時有無疼痛。全在技術之熟練如何。（穿皮不感何種疼痛。方合程度。此種練習最爲重要）

穿皮既終。乃稍稍加強。徐徐將針體撚下。迫針尖之目的。達於組織中之個所。再行種種手技。拔針時不宜急劇。應徐徐拔出。然後用左手之中指揉之。使閉針口。

撚針法尚有一法。用左手拇指與食指。摘刺針所之皮膚。恰如醫師試行皮下注射法。右手持針。使針尖觸皮膚。輕輕撚下穿皮。穿皮既終。再稍強撚下。以達目的部位。此法練習既久。施術時能不感何種疼痛。

（二）打針術

打針術。係慶長元年時代。松同意齊（後花園帝賜姓御薗。

改稱御園意齊）所創始。現今行此法者甚稀。此法先以左手之中指與食指並列於刺針部位。其間挾針。右手以小槌叩打針柄。使針入於身體組織中。此法古書無之。不宜深針。僅刺入二三分而止。且僅行於腹部。腹部以外不用之。

（三）管針法

管針術。係德川五代綱吉公時代。即延寶貞亨時代杉山和一氏所創始。所謂古杉山派是也。現今此術應用最廣。此法用針管。針從針管插入。有使用雙手或兩手二種。使用兩手者。稱雙手插管法使用隻手者。稱隻手插管法。

（甲）雙手插管法　以右手持針管。左手持針。從右手之針管中插入。

（乙）隻手插管法　此方法爲最理想的插入法。先用右手之拇指與食指持針柄。針尖向上方。置針管於右手掌

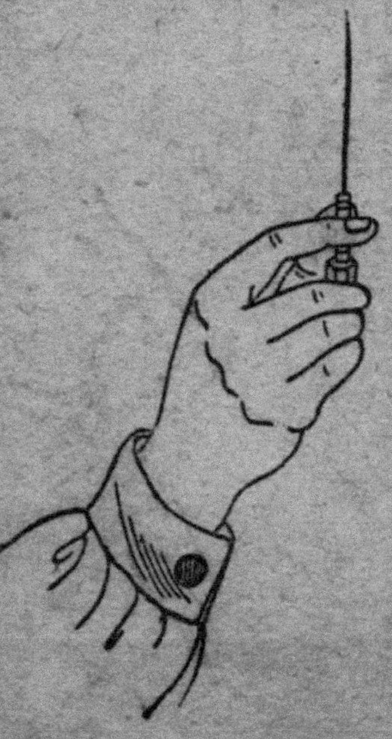

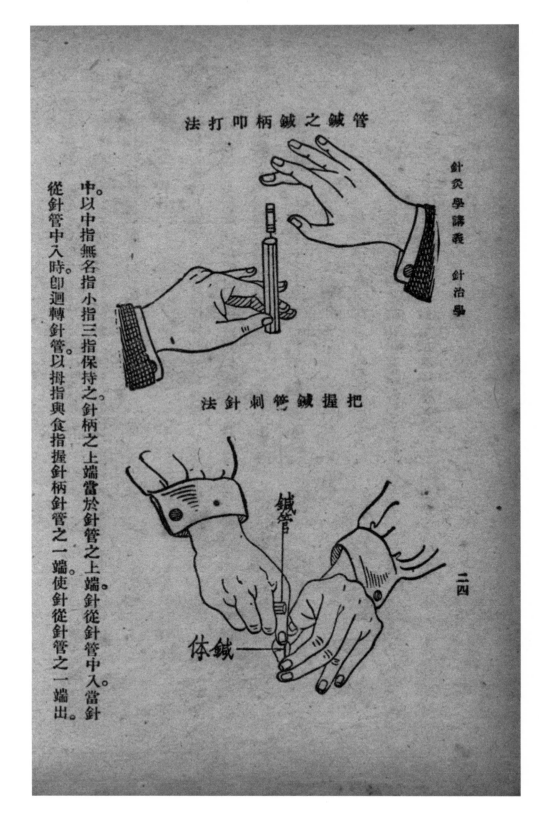

管鍼之鍼柄叩打法

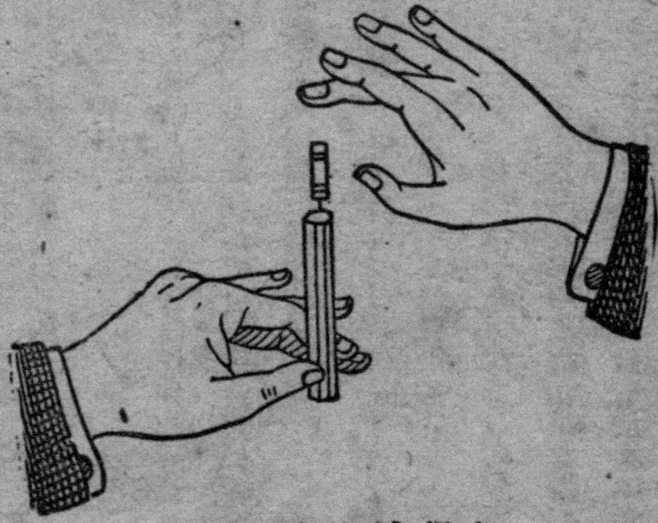

把握鍼管刺針法

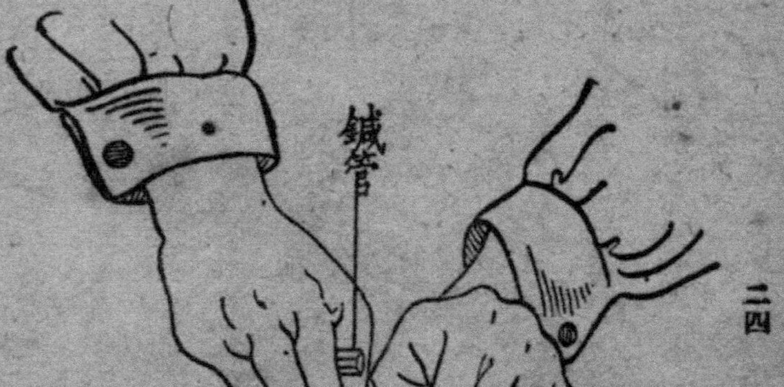

中。以中指無名指小指三指保持之。針柄之上端當於針管之上端。針從針管中入。當針從針管中入時。卽迴轉針管。以拇指與食指握針柄針管之一端。使針從針管之一端出。

當刺鍼部之皮膚。此時左手之拇指與食指。固定鍼管之一端。右手脫離。然後鍼柄在鍼管之上端。現一分位。始用右手中指。輕輕叩打二三度。續行稍強度一二次叩打。以穿皮。鍼尖若穿皮。右手之拇指食指。卽拔去鍼管。把握於中指無名指小指三指之掌中。此時左手之拇指與食指。摘針尖部。不使動搖。用中等之力。如壓刺入部之皮膚。防其滑動。然後以右手之拇指與食指刺下。迨達目的部位。拔針時押手之拇指與食指稍稍加力。以右手之拇指與食指就針柄徐徐拔針。

第二第三針在何度刺入。右手可不離針管。連續的以左手用針插入針管。又其施術部不可放開。在針插入針管間。其施針部已依次探定。須固定其部位。

第七節　刺針之押手

押手爲刺針上最重要之事。不問管針法。燃針法。先以左手中指或食指輕輕按撫刺針部位。豫使慣於刺戟。次就拇指與食指之腹側。置刺針部位。在其兩指間備置針或針管。此拇指與中指。除固定刺針部位外。更加以適度之壓迫。卽押手是也。押手的任務。具體的說明如左。

㈠保持針或針管之固定。

㈡若刺針部之皮膚滑動。必覺疼痛。故押手所以防皮膚之移動。

㈢施針中患者身體每有動搖之事、此所以制御動搖、

㈣用押手則針之組織刺戟容易。

押手宜視其刺入部位及其病理而異其押手壓力之輕重。例如皮膚易於移動之處。或刺針強刺戟時。不得不加相當之強壓。皮膚知覺銳敏。不堪強壓之處。或炎症等覺疼痛之時。則押手不得不輕輕施術。輕押手手指只觸皮膚。強壓則術者不得不用全身之力。此點應各自實地研究而知。

第八節　刺針之方向

針於刺入組織中之方向有三種。即直針、斜針、水平針是也。直針眞直刺入。斜針向斜方向刺入。水平針最初斜入。入皮膚後。與皮膚並行。直針應用於腰部等深部之刺針。斜針因內部貴要內臟。不能深深刺入。或應用於淺層部之手術。水平針應用於皮膚刺針。

通常刺入之方向。於押手手指間時決之、

第九節　針術之手技

針術之手技卽刺入時針之動作。適當與否。以發揮刺戟之技也。針治上以病症之見效。定適當之刺戟。爲治療經過上重大之關係。其手術甚多。杉山眞傳派。有九十六手技。依日本延命山針灸學院之研究。從學理上立脚。定爲延命山派如左。

㈠單刺法　針尖之達於目的部位時。卽行拔去。此法主與輕微的刺戟時用之。

㈡旋撚法　針之刺入中。或針達於目的部時。或拔出之際。行左右旋撚之手技。此法較單刺法與以稍強的刺戟時用之。

㈢雀啄術　此法恰如雀之啄餌。先使針達於目的部後。於組織中將針上下動搖。加以強的刺戟。此手技於強弱之制止。或達興奮之目的時。應用最多。

㈣皮針術　在極淺之皮膚行刺針方法。此專應於小兒。

㈤置針術　於刺針部位。一針乃至數針刺入達目的部位時。行二分乃至數分或十分乃至十五分之長時間放置。而後拔出。此專應用於制止興奮神經。或達鎭靜目的。

㈥亂刺術　針之刺入達目的部位點。卽行拔出。再就原處刺入。如此頻頻反覆。

㈦間歇術　針刺入後。或在中途間卽行拔出。逾相當時間。又復刺入。此方法於血管擴張。筋肉弛緩之目的應用之。

㈧迴旋術　針刺入時。向左右迴旋刺進。拔出時。向反對方迴旋拔出。此法在稍稍與以緩刺戟時應用之。

㈨細振術　刺針中。將針行極微之振動。此法在收縮血管筋肉時應用之。

㈩歇啄術　針體刺入達三分之一時。行雀啄術。更刺入三分之一時。行第二次雀啄術。更於末後三分之一時。行第三次雀啄術。而後拔出。此法在深部疾患。須強刺戟時應用之。

以上十手技。視患者之年齡、體質、病症如何而適宜定之。猶之醫師細心決定其藥物之量。不可稍稍疏忽也。

第十節　針之生理的作用

針以治愈疾病。其作用有三。第一興奮作用。第二制止作用。（鎮靜或鎮痛作用。）第三誘導作用。

（一）興奮作用　對於身體各機關之作用衰弱或麻痹者。與以興奮。例如知覺或運動神經麻痹。或知覺異狀之正調。又如對於內臟機能營養機能衰弱者。與以支配內臟機關。刺戟交感神經。以回復其機能。其他對於因神經機能之異狀。而起月經閉止。便祕等之正調。即一種神經衝動法。與電氣刺戟同一作用。惟針刺手術能適宜於一局部。電氣療法則不能。

（二）制止作用　筋肉、神經、腺（分泌機）等之興奮或血管擴張。血液之組織灌漑旺盛（例如起炎症等時）等。與以鎮靜緩解收縮作用。例如基於知覺官能旺盛。而過敏疼痛。運動神經機能亢進。而痙攣搐搦等之使其緩解。或消化器管之異狀亢進。而嘔吐下痢之使其鎮靜是也。生理學上。神經越一程度加刺戟時。則神經疲勞。其興奮力及傳搬機能減衰。甚至有時機能一時麻痺。故此制止作用之手術目的。在強刺戟。應用雀啄術、或置針術、歇啄術等爲要。

（三）誘導作用　隔離患部。而從其他部位刺針。以刺戟末梢神經。引起血管神經作用。導血液於其部位。例如對於腦充血之刺戟四肢末梢。以擴張末梢部之毛細管。同時使腦之血管收縮。誘導血液至末梢是也。又如深部充血炎症之來時。則刺針於淺部。或其他部位。以誘導其血液。又如對於腹部內臟機能亢進或充血時。則刺戟其末梢神經。擴張其血管。使起內臟之血行異狀。或行反射刺戟。使下腹運動脈管收縮等是也。

刺針依以上三作用之發起而奏效於疾病。惟現今所行之刺針學說。尚有刺戟電氣說。——醫學士岡本愛雄主之。——電氣刺戟說。——故醫學士大久保適齊氏主之。——刺戟變質說。——醫學博士三浦謹之助氏主之——等。

㈠電氣說　刺戟時生活體內之液體的電池作用。因針之金屬與身體內之某不明物質之間。發生電氣。以此電流。刺戟於身體之神經系或組織。以奏效於疾病。故電氣療法。係全身的。而針術療法。則局部的。

㈡刺戟說　針之刺戟。即機械的理學的一種働作。刺戟知覺運動等之神經。其刺戟程度之強弱。刺戟時間之長短等。或以亢進神經。或營麻痺等作用。而導以治愈疾病。

㈢刺戟變質說　刺針時。因針之大而損傷筋神經。其損傷部分以下。因而變質。此刺針之損傷若多。其部必麻痹。其麻痹先經興奮階段。此作用即所以應用以治愈疾病。

以上刺針。對於身體之影響各說。舉其大要如左。

㈠興奮神經，

㈡麻痺神經。

㈢擴張血管。

㈣收縮血管。

㈤刺激細胞，旺盛其新陳代謝之機能。

㈥去筋肉之緊張力。

㈦活潑内臟機能，

㈧抑制内臟機能之亢進。

第十一節　針之深部治療（介達作用）

學者既於解剖學。通知身體之構造則刺針應刺身體之何處。應知不可稍有差誤，此層當更就刺針禁忌部位篇分述之。今先舉其刺針上深部治療之手術與其應考慮之點而記述之。例如消化不良。起於胃機能之衰弱。應支配胃之自律神經。其目的先在背椎第六以下之棘狀突起之兩旁。因胃分布之交感神經。卽出於大小內臟神經。此交感神經在脊椎之前側以上。若與以實際之刺激。勢必穿通肋間筋。以達到肋間之緊張。又胸廓內有肺臟及肋膜。若誤施深刺此等重要臟器。恐來不測之害。

第一內外肋間筋。占呼吸筋中重要位置。若刺激此筋而使興奮。則呼吸時每來胸部疼痛。陷患者於不安。在此情形之下。應保持中樞神經系統及自律神經系統各部。使之連絡吻合。故其表層刺激於同一部位之脊髓神經。使其刺激傳達於交感神經。此之謂針治之介達作用。

又變調神經。其感覺甚敏銳。例如胃痙攣。起於胃之知覺神經。比之其他健全之神經。感覺敏銳。若變刺激。卽來變調之神經疾患。醫師用嗎啡等之麻醉藥注射。使之鎮靜。其他之健全神經雖不起作用。而疾患之神經。每起作用。刺針對於變調之神經作用。能正調鎮靜之。

第十二節　刺針之禁忌點（衛生學上禁忌部位）

身體中何處應可刺針。不能不有差異。刺針危險之所稱禁忌點。舉之於左。

(甲)延髓部　延髓部司生活機轉。有重要之中樞部。故名生活點。此部若誤深刺。刺激延髓。有關生命。

(乙)眼球　眼球不可直接刺針。

(丙)睾丸　睾丸不可刺鍼。但熟於刺鍼術者。苟無差異。則睾丸炎等可奏驚人奇效。

(丁)小兒之大小百會。

(戊)大血管之淺在部。

(己)胸腹部貴要內臟之直達鍼刺。例如喉頭。氣管。肺臟。心臟。肝臟。脾臟等。

第十三節　刺鍼之練習

練習用之鍼。宜先從五號鍼之銀鍼。練習器宜用乾蘿蔔。或特種之毛織物等。內包堅糠等。以從事練習。併於自身大腿部。練習最良。其次用四號鍼。四號鍼若能自由自在刺拔。再用三號鍼練習。三號鍼能自由自在刺拔。再用二號鍼練習。二號鍼能練習純熟。於是在自己大腿部或下腿部等練習。至刺拔之際。不感何種疼痛。卽能在他人之四肢背部等刺入。

第十四節 刺鍼刺戟之強弱

鍼治上定刺鍼刺戟強弱之度。爲最大之要素。猶之醫師。對於醫藥。定其適宜之度量也。假如對於鍼治之適應症。不當其刺激之度。不能奏效。刺激標準。如何決定。據多年之經驗所得。先要參酌左之事項。

㊀患者之體質(神經質粘液質等)
㊁性之差異。卽男女之別。
㊂年齡。
㊃體質營養如何。
㊄病症如何。

通常男子比女子堪當強大刺激。又生後六個月之小兒。當然不及三歲以上年齡之人。堪當強大刺激。其外多血質脂肪質之人。通常較神經質之人堪當強大刺激。神經質之人。有因受輕度之刺激。大受感覺。甚至全身汎發痙攣。或因腦血管之收縮。起一時性之腦貧血。而有失神等事。故對於神經質之人宜先施一二次皮膚鍼之刺鍼。其後以極細之鍼。加以比較的淺而又輕度之刺。又對於神經痛、痙攣、麻痹、知覺脫失等病症應加強大的刺激。對於腹部內臟交感神經之鍼刺。應極緩刺激。患者眠時。應起床爲佳。又身體之部位如顏面手掌等。較之身體他部知覺銳敏亦宜注意。

第十五節　刺鍼上之注意

刺鍼上之注意事項。說明如左。學者應十分注意。

㈠嚴重消毒　刺鍼刺入組織中。以毀傷（極微極僅）組織。故對於鍼具及術者之手指患者之患部。不可不充分消毒。（此項在消毒篇詳述之。）

㈡鍼之檢點　刺入之鍼體。宜無毀傷。否則刺入後有起折鍼等之弊。此不可不充分注意。

㈢不適應之症不宜鍼刺　術者應充分診別病症。若係禁忌症。不適應症。不可鍼刺。

㈣依照解剖學不刺入身體危險部位　除身體之禁忌點外。凡可疑之妊娠婦人之下腹部等之刺鍼。須十分注意。

第十六節　從解剖生理學上之見解對於身體之刺針。

(中樞點)

通常針刺。刺於身體之經穴。從解剖學上配置。此經穴定身體刺針中樞點如左。

頭部疾患

例如腦充血。腦貧血。頭痛。耳鳴等。其第一刺點。在乳嘴突起與項部正中綫之中間。(卽風池)及第一頸椎乃至第三頸椎。去棘狀突起之兩旁五分(約一拇指)處求之。以淺層五分內外之刺針。刺激脊椎神經。深層一寸以上之刺激。刺激交感神經七神經節以上。刺點於便宜上定爲第一刺激點。此第一刺激點。刺戟脊髓神經以介達於腦神經。應用於介達作用。

其第二刺戟點。在第四頸椎乃至第一背椎棘狀突起之兩側。卽各據突起間定之。以淺層五分之刺戟。從頸椎神經介達刺戟於迷走神經。深層一寸之刺戟。刺戟中下之交感神經節。故此刺戟點主對於胸部疾患行之。

其第三刺戟點。在第六乃至第十一背椎棘狀突起之兩旁各一寸之所。係交感神經之大內臟神經。從此部位出發。以之治胃腸疾病。爲重要刺點。

其第四刺戟點。在第十二背椎乃至第五腰椎。去棘狀突起各一寸處所。淺層五分。目的在脊髓神經。深層一寸五分以上。目的在交感神經之下腹叢。主對於腰部痛及腹部內臟疾患之刺戟點。

其第五刺戟點。在後薦骨孔。（八髎穴）此刺戟點應用於下腹部內臟及薦骨神經之疾患。

以上對於大體軀幹之刺戟點。已能會得。今更說明四肢之刺戟如左。

上肢之部

上肢主要之神經。已於解剖學修得所謂正中神經。尺骨神經。橈骨神經等。正中神經之刺戟。在上肢第一刺戟點。即前膊前面正中綫之中央部（郄門）橈骨神經刺戟點。在上肢第二刺戟點。即橈骨結節之外方去一寸五分。即『三里』。『三里』與手背在食指拇指間。即第一掌骨與第二掌骨之間。當於『合谷』之處。此『三里』『合谷』。對於腦疾患或齒痛等。與以誘導反射作用之要點。尺骨神經之刺戟點。在上肢第三刺戟點。即尺骨神經溝之稍及上部『少海』。

下肢之部

下肢之主要神經。爲坐骨神經及其一系之脛骨神經。與腓骨神經。其第一刺戟點。在坐骨結節與大轉子之中間。指壓時抵抗少之部分。卽係坐骨神經之出發點。其第二刺戟點。在上脛腓關節間之下方二寸處所。『三里』此部卽對於深腓骨神經之刺戟點。其第三刺戟點。在下腿內踝之上方二寸五分處所。卽內踝之一握上。(三陰交)此卽腓骨神經之目的。以上第二第三刺戟點。爲腦或腹部疾患之反射及誘導之刺戟點。

以上之刺針點。不過示以刺鍼上之規範而已。若夫複雜之病。則須從解剖及生理學與夫先哲所遺有效之實驗上所示經穴。臨機應變矣。

第十七節　刺鍼之健體及病體作用

刺戟旣以一種金屬。與以機械的刺戟。故無何等疾病之健康體。以其刺戟之強弱。對於運動知覺二神經。起興奮或麻痺。若對於交感神經。與以適度之刺戟。則內臟機能。益能亢進。故自人體保健上觀之。對於健體適宜施術。亦可見良好之成績。對於病體。因興奮制止誘導三作用。對於疾病。巧於應用。則疾病可以全治。

第十八節　針術之適應症

所謂針術之適應症。卽施針術後效驗迅速。疾患可以全治也。因神經系之疾患。內臟機能之旺盛或減衰而功效特異。今將病名列左。

一　消化器病　扁桃腺炎　耳下腺炎　胃加答兒　神經性消化不良　胃痙攣　腸加答兒　神經性腹疝痛　痔疾等

二　泌尿生殖器病　腎臟病　膀胱加答兒　膀胱痙攣　膀胱麻痺　淋病　睾丸炎　尿道加答兒　子宮痙攣　月經困維　月經過多症　子宮內膜炎　喇叭管炎　卵巢實質炎

三　血行器病　神經性心悸亢進　心胸絞榨症

四　運動器病　筋肉麻痺　筋肉痙攣　關節僂麻質斯　筋肉僂麻質斯

五　神經系病　各種神經痛　各種官能疾患　各種麻痺　歇斯的里　神經衰弱　偏頭痛

六　小兒病　夜驚症　消化不良　小兒急癇　遺尿症

七　眼科　眼瞼緣炎　單純性結膜炎

其他脚氣中風等。

第十九節　針術之不適應症及禁忌症

針術不適應症。卽施鍼後病象不奏功效之症也，禁忌症。卽施針後非特不見何等效果。反覺有害者也。不適應症。如心臟瓣膜障礙。皮膚病。急性熱性之疾病，梅毒，血液變性等疾患是。禁忌症如惡性之腫瘍等。癌腫。法定傳染病。破傷風。丹毒等疾患是。

第二十節　刺鍼中身體內之折針

刺針中之折針。多因於左之理由及左之原因。

一　針體有微傷，或一度屈曲之針。伸直使用。

二　刺針中，患者急動自己之身體。筋肉乃起壓力。

三　刺鍼中。患者因咳嗆等情形。致身體急劇動搖。

四　刺入急劇。致起身體之痙攣強直等。

折鍼多係身體之深部刺戟重要之所。例如腰部刺針等，多起此種情形。針體毀傷。或直針屈曲。遇身體急動咳嗽之際。亦易折針。折鍼多在針柄與鍼體之接着部。故在深部刺戟時。針體全部刺入組織中。要有相當之注意。

折針時之處置

折鍼時，不可告知患者。使其驚怖。此時術者宜態度鎮靜。使患者毋動。一面用較強之押手，在刺鍼部之周圍，用強壓迫使針透達皮膚上。然後用箝或爪等摘住。靜靜拔去。若不現於皮膚上。拔鍼困難時。亦絕對不可告知患者。一面在刺針部輕輕揉捻。斯時身體並無何等危險。二三日間，其部及附近有疼痛。或筋肉痙攣強直等之感。經過若干時日。所感可漸次消失。

管針始創者杉山和一氏唱說。折針時。於其部塗布白梅或鼠之腦髓。經過若干時日。折針可從他部拔出。此說從現代科學的見地觀之。全屬妄說空論。不足置信。

日本延命山針灸學院研究部。對於折鍼行動物試驗。並無何等生命之危險發現。

大久保醫學博士三浦博士對於折針動物試驗之成績如左。

大久保博士之實驗

第一種。以七八個月齡之雌兔。在左側終末胸椎之橫突起與第一腰椎之橫突起之中間。用六號鍼刺入八分深時折斷。第一日運動活潑、常接近於人。奔走跳躍、第二日舉動漸靜、觸於刺鍼局所。現疼痛之跳躍。第三日。觸於折鍼局所。並不跳躍。壓於該部、只見稍稍筋傷。第四日亦然。第五日摩擦該部。且壓之。亦不發筋惕。從此以後。壯健如常。交尾受胎產兒均甚健全。其後經過六個月。從事解剖針體之刺入處。在眞皮之裏面。及皮下結締組織、長五生的邁當半之色素浸潤。呈青藍色。其下層筋鞘。亦呈同樣狀態。鞘內之筋質。及腹腔壁面之漿液。與別處比之、並不見刺針踪跡。筋層間更不見折針通過之踪跡。因在內臟悉數精檢。又寸斷筋肉精密檢查、不發見其折針之針體。

第二種。在雄兔左側第二腰椎與第三腰椎間刺入六分餘。折鍼後。經過八個月。從事解剖檢驗。不能認得其折鍼踪跡。因其針尖銳利。因運動而從筋之收縮移轉脫出、又用鈍針尖在雄兔右第一腰椎與第二腰椎橫突起間刺入切斷、十四個月後。解剖檢驗。於刺入局所。亦不呈異象。其折針轉向肝臟之左葉。從後方至前方。潛在如地平。其周圍更無炎症之發現、其折針之現狀。呈新刺入之觀。其針體因酸化作用而呈黑色。針之重量。初爲〇・〇三五。此則〇・〇一五。減去〇・〇二。此種減量。蓋卽液化所溶解也。

第三種。折針後恐針體容易移動。將針變爲二個屈曲。從皮下結締組織與筋稍間地平刺入切斷。至第八日解剖檢查。針之四周。現炎症徵候。卽毛細管怒張。靜脈鬱血。漿液滲漏。從第一屈曲至第二屈曲間。密纏結締組織。不易拔出。由是考之。經過不少時間。必至隔離他組織之全包裹。

今從以上三種試驗之結果。得一結論曰。針尖之銳鈍。與運動之繁簡而異其趣。卽針尖之銳利者。刺入局部運動劇之部位。則移轉極速。不留蹤跡。其針尖鈍者。刺入運動緩慢之局部。至經歲。酸化溶解。不減形。不移動。結締組織新生之色。對於身體。無何等危害。

三浦醫學博士之試驗

腹腔內用六號針刺入三生的邁。當時切斷。另以一針刺入臀部筋而折針。經八個月後。解剖檢驗。與大久保之說相同。其折針部之針則不存在。雖精密檢查各部臟器及筋肉。亦不發見。是蓋從腸之蠕動。脫出於身體。或以酸化消耗。亦未可知。又折針後三週間。呈紫色。微有炎症之著明細胞浸潤。而有化膿傾向。

延命山針灸學院。對於動物試驗得同樣之成績。

動物試驗如上。惟人體各器機關甚屬貴要。對於胸部內臟等。應注意其不折針爲是。

第二十一節　拔針困難時之處置

刺入之針。拔除頗感困難。因筋肉急急收縮緊固針體故也。此時可在其附近二三分處所。更行針刺。使筋肉緩解。則拔針自易。

第二十二節　補瀉迎隨之說

研究針術之古書。不論何種。均載補瀉迎隨四事。此說『靈樞』九針十篇記之甚詳。今說明其大要。

補者。在呼吸之呼氣時刺針。吸氣時拔針。以揉其跡。

迎者。向脈之流刺針。即瀉法也。

隨者。從脈之流刺針。即補法也。

以上所言之『氣』自今日言之。蓋指神經云。

（一）皮膚銳鈍之鑑別

術者所最要注意者。厥惟神經家。蓋神經家不論何處。若與以極微之刺戟。每發生全身汛發性之痙攣。或腦血管攣縮。時而起腦病血卒倒。失神之事。故對於此種患者。應先摩擦其刺戟點。或先試以一二次輕度之刺戟。使其慣於刺戟。而後可行本手術。

欲知患者感覺之銳鈍。先用針管管頭。在其局所叩彈二三次。加其刺戟。可因驚愕或緊張。而知其體質之銳敏與否。

故刺針應先鑑別其人之體質與臨時狀況。（如身體熱時。皮膚之刺入大感疼痛是。）爲術者最要之事。

（二）常則刺入法

刺針應先取患者身體適宜之位置。次定術者之位置。而後檢針。從腰以上異直正座。立右膝。張兩肘。据氣臍下。俾呼吸平穩。與患者之呼吸相合。先將押手之拇指壓於患部。次將刺手之針入管。集精神於針尖。不可他顧。勉力將針尖與押手之指端相合處插入。同時食指於中指之背側。出於針柄之管之上依彈入之法（浮水六法）彈入。若彈入有疼痛。（若針細。則針體之針口痛，故初學者宜用三號針）依一舉彈時之終。將管拔去。押手之指端須固定鍼頭。然後徐徐運動押手。將針刺入。達於宜敷部分。行定法之手技。但不刺入彈入之處。行應症之手技。疾病大抵不治。

靈樞云。針過深則邪氣却沉而病益增。故傳云『針不深不淺得其部分。』然押手在刺入之始終，皆須固定。刺手則中指在食指之指端固定。食指及拇指間之針徐徐刺入或拔去。

（三）針之響

針響實爲刺針最緊要之事，亦最困難之事。蓋此響係鍼從筋肉中通過。而觸於知覺神經。此刺戟，僅感甚微之放散性疼痛。有時或如牽引。有時如壓其部分。有時上下左右。感覺如電氣之擴張。此則屬於術者自身指頭之感受。亦屬無難。

此知覺神經。最初刺入三分之針。然後達六分。迨技術熟練。此響自能感於術者自身。術者自得加減，其初在患者身上輕響。至習慣後可以強響。然此實不易之事。初學於能聞患者正響而覺加減。宜加注意，

(四)拔針法

拔針時不宜急速拔去先用押手之指壓住。徐徐拔去。俟餘一二分時。可以急速拔去。拔去後。押手之拇指。應在其針口縱橫圓散按壓。若針口生粟粒大之膨脹。於外觀不宜。又起痙攣等筋之刺針。拔去時應先按撫其周圍。使患者穩穩呼吸。然後漸次拔去。不可用強力無理拔去。不論何時。不可不防折針。及筋纖維毛細管與細小神經等之損傷而致患者疼痛或破損其部之組織。故痙攣等症。刺入之先後。應在其部反覆摩擦爲要。

(五)刺針上之注意

行刺針時。患者若感疼痛。是由於術者手技之未熟。若欲刺針不痛。應使患者對我正姿勢。左手置應刺之部分。右手持管鍼之針。向左手之拇指與食指間。右手之食指。輕輕向龍頭叩打。當此穿皮之時。每起疼痛。欲其不痛。先用手腕之力。使其調節。其法稍稍舉起時。稍曳右外側。便可不痛。而右手拔管時。在左手拇指與食指間之針。用可及的指或爪與爪成圓圓如滿月形之押手。又右手拇指與食指夾持針之穗。先與龍頭左手少少進針。右手不如引退幾分。若患者言痛。則稍舉左右之時。向後稍退。其痛必止。用管者亦準此法式。

針達於一定部分而止之時。右手少引退而止。拔時如稍進。靜靜曳退。深刺時。如中途一次停止而後拔去。必不感疼痛。

（六）押手（十六法）

施針於患者。宜先察病之輕重。與身體之強弱。明自覺他覺。計針之深淺。定針之要穴。然後施術。左手定患者之要穴。謂之押手。押手法分十四種。部外二種。故稱十六法。

第一平圓　此押手合拇指與食指之指端。伸其他三指爲圓形。卽以前二指端之間保持針管也。

第二壘立　此押手一如平圓法。合拇指與食指之指端。而屈其他三指。中指之指端。合於拇指之本節而現空間。

第三打捻　自拇指之本節而至指端。均平伏。而以食指之指端。合於拇指之三節（俗稱指腹）二指之間。保持針管。

第四打針　此押手如平圓。合拇指與食指之指端間而持針管。而屈其他三指之三節。

第五相反　此押手在後面内端。而伸其他四指於他處。齊中指與食指之指端間。保持針管。（假令在患者之面前。欲施針於後頭時。先將拇指壓於顳顬部。而伸其他四指於風池穴。以中指食指保針管。備彈入。）

第六三本捻鍼　此押手自掌至指端。均平伏。以中指與食指間保針管。中指與環指間。亦保針管。環指與小指間。亦保針管。

第七指外　此押手屈四指之三節。以拇指與食指中指三指之端間。斜保針管。

第八箇立　此押手合拇指與環指之指端。以中指與食指重壓環指之上。小指重壓環指之背。以拇指與環指之端間保針管。

第九離立　此押手如平圓或曇立等。於針刺入部分而誘導其他。先以右手之指持針柄。靜靜去前之押手。以拇指食指中指環指小指少少將針離開前後左右。

第十本福　此押手從食指至小指。均立於要穴之岸。食指之端。合於拇指之指腹。於二指之間。斜保針管。

第十一束　此押手屈中指與環指之三節。立拇指。拇指之指腹。合於食指之指端。於二指之間，斜保針管。

第十二三枝立　此押手如三本捨針。重掌而輕指端。拇指與小指全開。而小指附於環指而開。以中指與食指之指端間。保持針管。

第十三歸反　此押手如平圓合拇指與食指之指端。中指與環指斜立而重環指。小指輕開拇食指之中間。保持針管。

第十四氣柏　此押手合拇指與食指之指端。環指與小指稍開斜立，於拇食二指之間。保持針管。又食指前指於手術時。中指可替食指。

以上十四押手之外尚有部外二法。

第十五平掌　此押手五指共伸且接拇指之最前部。保鍼施術。

第十六反針　此押手屈小指與環指。伸中指與食指。其前接拇指之手尖。針從反向側三指之間。保持施術。

以上押手既終。玆再述最有趣味之彈入手法。卽浮水六法。(穿皮術)其初從刺入之手技。卽基本手技。而涉爲百法針術之蘊奧。進而應用。並述各疾病之療法。此宜十分玩索彈入之法。

針之彈入有三法。卽

輕緩　重緩

輕數　重數

輕遲　重遲

此云浮水六法。卽穿皮術也。

(一)以一秒一次之速度爲正規指彈稱緩。凡五點彈入。

(二)以十秒間五次至七次之速度爲正規指彈稱遲。凡四點彈入。

(三)以十秒間十五次至二十次之間幅爲正規指彈稱數。凡六點彈入。

秒時從昔時言。斯時不說明。則理解極難。蓋此不過假用而已。

右稱輕重。卽指彈力強弱之意味。中指多重於食指。浮水六法。爲古來所傳不文之定律。杉山派有一百餘術。皆係浮水何種。押手常占何種位置。不可不有記憶。茲擇要教授之。

『前項之解釋』

㈠輕緩（○○○○○點）輕緩之針。五打彈入。

㈡重緩（○○○○○點）重緩之針。五打彈入。

㈢輕遲（○○○○點）輕遲之針。四打彈入。

㈣重遲（○○○○點）重遲之針。四打彈入。

㈤輕數（○○○○○○點）輕數之針。六打彈入。

㈥重數（○○○○○○點）重數之針。六打彈入。

基本手技（七大技術）

一單刺術　直達刺針之目的。直接拔去之手技。專應用於以輕微之刺戟。

二旋撚術　刺入中左右旋撚。刺入後或拔出中亦行之。目的在靜止緩急強弱。或應用於興奮之目的。

三迴旋術　左右鍼或向左之一方迴旋。即向上方索引。稍緩須更向前行反對側迴旋。而後拔出。此種手技專應用於與以強度之刺戟。

四振震術　刺入後行振震針之手技。極急速微細之上下。或數次搔手柄之切輪。或在手柄之上端。用右食指腹頻繁叩打。或以刺入之針之手柄。以鍼管頻繁叩打等。此專應用於血管筋肉收縮之目的。

五間歇術　刺入後稍向上拔出。稍停須臾。又向下刺。如此反覆行之。此專應用於血管擴張。及筋肉弛緩之目的。

六置鍼術　刺入後暫時放置。(五分乃至三十分)而後拔出。此專應用於靜止之目的。此置鍼術限用鐵鍼。

七雀啄術　恰如雀之啄餌。細針刺入中。宜上下移動。其目的在靜止興奮。

初專　次專

(一)初專者。入彈終去管。右手之拇指與食指持龍頭。僅左右撚。不上下異動。

㈡次專者刺入之後。以右手之拇指與食指持龍頭穗在押手之際。如押如撮輕刺拔出。右初專次專二法。不在諸術之內。故手術一課中。不列其名。

百法鍼術

刺入之手技。有百餘種。故稱百法針術。茲先述其一百餘種之鍼術式。先教口傳。終揭主治。術式之不容易者。設爲解釋以說明之。

一　雀啄術　七法

押手平圓從浮水所。以鈿鍼在刺入中。或及刺入後。或拔出時上下動。恰如雀之啄餌。此法有左之七種。

㈠上下均等雀啄（適宜）

上下均等雀啄。行五次反覆之法。

㈡上多下少雀啄（遲）

針達於部分者少。上引者多。下降者少。行五次反覆之法。

㈢下多上少雀啄（緩）

針達於部分時。下降多。上引少。行五次反覆之法。

㈣身持雀啄（數）

持針不持鍼柄而持針身。行通常雀啄。反覆五次。

以上四手技爲緩遲數之法。

㈤針身摩雀啄

管與鍼身摩擦。行反覆五次之法。

㈥鍼柄摩雀啄

拇指之爪端與針柄摩擦。反覆七次。

㈦柄指摩雀啄

拇指與針柄摩擦。反覆七次。

解釋

此法鍼刺入部分時。暫置二三息間。待氣稍靜。卽行雀啄。再置二三息間。續行如前。以細鍼上下進退。如小鳥食餌時之嘴啄。

口傳

鍼刺入部分。暫撚以離氣。右手當患處。大指搯龍頭。形如雀啄。如斯三四呼吸間。而後拔鍼。

口傳解釋

口傳猶言口授。不敢秘也。耳提面命難充分。口傳口授易領悟。秘法於今傳當世。公開實行庶不誤。

主治

因刺戟之緩急強弱。而應用於制止興奮。卽急慢二性之食道疾患。如胃腸病。子宮疾患。月經不順。種種疼痛。幷便秘。尿閉。及其他病可奏奇效。

二　隨針術

押手平圓浮水輕緩。押手之大指食指。在經之上方重。呼時刺入。待吸時至部分。左二右二。撚三次。少止。待吸拔上。呼時至皮膚。初專速拔去。縱橫按之。

三　散針術　一名亂鍼

押手平圓浮水輕緩。刺入少。押手之拇指靜重。既而止。復換食指。如斯三次。然後左二右二。撚三次。而刺入宜敷部分。斯時押手同一重。暫止復靜。然後行緩雀啄。少止。靜然後拔去。在其跡縱橫按之。

四　發散針術

押手平圓浮水輕緩。刺入間押手之拇指靜重。復靜止。食指同此。如此三次。右之次專。然後初專數次。而後刺入部分宜敷點。此時押手一齊重復靜止。次行雀啄。隨病症而差別其緩遲數而後靜拔去。更按其跡。

五　細捐鍼術　一名誘導術

押手平圓或曇立。浮水輕緩或重數。不去管其輕緩廿八度。如斯三次。次輕數五十六度。速拔去。不必按其跡。然患者若訴疼痛。則以押手按之。

（以下諸術。暫中止揭載。）

順氣之法

慢性之疾患。難於豫決針灸之效果時。患者必小呈異狀之痛點。然治病之難者。其刺點及術式與病之關係。亦殊有興味。揭之如左表

部位	順氣穴名	術式	口傳注意事項
頭	百會	發散針糠針	久撚速拔
	風池	四傍天針	同
	風府	四傍地針	同
面	頰車	天地人	痛時鍼尖向淺刺
	四白	同	同
胸	乳根	直刺	久止左右皆撚
	期門	同	同

腹	中脘	圓針	和
	梁門	同	同
	天樞	同	同
	通谷	同	同
脇	章門	横天地人	和
	京門	同	同
肩	肺俞	雀啄　細指	禁深刺
	膏肓	同　同	同
	肩井	圓鍼	同
脊	膈俞	雀啄　細指	不要深刺
	脾俞	細指　屋漏	同
腰	腎俞	八重霞	不要深刺
	志室	同	同
	膀胱俞	同	同
手	三里	天地針	痛從肘上者天刺
	曲池	同	從肘下者地刺
	肩髃	同	同

足 風市	天地針	同
足 三里	同	同
足 懸鍾	同	同

術式中所學發散鍼榛針。四傍天地人鍼。雀啄鍼。細指鍼屋漏針。八重霞鍼等。以列於百法術中。茲從略

順氣之法

凡欲用鍼。先宜察寒熱虛實。分別病之久暫。凡久病者。宿疾。或有疼痛不快之症。先在順氣之穴。用此鍼術以試之。若其痛處少動。其病可治。若不動。則不必刺。因其不可治也。

一　診察之心得

凡治病有治其難治之病。有治其能治之病。有不治其不治之病。此之謂名醫。庸醫不察此意。每不治其可治。而強治其不可治。其不失墜自己之信用者幾希。世人亦因之常怪鍼之效。而廣其危。是在爲醫者善遵古人之法。而不泥古人之說。常加自己之發明。而不陷於自己之成見。斯得矣。

二 鍼之效果

針砭非所以掩救天命。不過去其邪氣。復其正氣而已。故靈樞云。 刺效之信。若風之順雲。明乎若見蒼天而刺之道畢。』誠概乎言之矣。針。猶風也。邪氣、雲也。針之風起。而邪氣之雲被拂。此時現正氣之蒼天。則月光皎皎矣。此針治之效畢矣。若風不能拂雲。非特技不能見。反至黑雲瀰漫沛然下雨。善鍼術者。不可不於是察之也。

三 鍼之利害

王壽曰。『針能殺生人。不能生死人。』蓋極謗誹針科之能事矣。其實細解其意義。實與針家以絕大之奮激訓誡。針家以期技術之精巧。雖近世業斯術者。每不解其手技。更不解其兪穴。偶得刺針之一端。輒不自諒。誇耀於人。且誤信不必兪穴。不忌禁穴之謬說。妄施刺針。馴致演出意外之事。斯眞斯業之罪人。不顧人道者也。吾人於此。不可不勉。

針治不得其道。妄施手技。非特有害。更恐喪命。但針雖不能從膏肓以救天命。苟得利用之巧。克適其病。雖靈藥猶不及。世人多不察此意。惑於針能殺人與難病不濟之訣。解其實爲害者。

何獨針灸一科而已。醫藥亦然。藥之良否。由於藥液之本身。其作用亦不同。苟調劑能適其病。雖萬病亦能治愈。然其不治之症與難病。亦尚不濟。况乎藥之種類甚多。有劇藥，有毒藥。每因其配劑與分量而去病。或招害。或陷於死境。諺云。冰多則水多。故針亦有禁穴。犯之則增病，甚或奪其生命。此全在臨症時善用之。而又所許急病一針。能奏起死回生之效。蓋利害得失理數之所難免。有效亦必有害。能收其效。不招其害。是在術者之手腕也。

四　針之刺戟

針術貴乎可及的耐痛。此則不得不俟手法之鍛錬矣。古人深深留意此點。精於百法功夫。行種種傳說。或者劏瓜以浮水面。以刺針時。瓜不下沉爲度。或者刺於眠貓。凡不驚覺者。其術斯精。此等針刺術。避去皮膚之刺戟。終屬不外假法。蓋管針之所謂穿皮術，(浮水六法)卽針從人體刺入。以驅除病患爲要。刺瓜不沉。眠貓不驚。卽令其技已達。而治病不得其術。亦有何益。且瓜屬無心。貓係異類，刺於無心異類。如何能極其術。如何能應用於人體。彼常就自身刺戟自在者。施之他人。不能應用、蓋人體皮膚。千百人不同。或知覺過敏，或知覺遲鈍。或屬初鍼不堪刺戟。或係常針。慣受針刺。或疾痛痾癢。能知其感覺。或一毛拔去。痛徹全身。此皆難於一概而論。況乎以金屬之製物。刺入筋肉之中。其痛宜矣。且因此刺戟。或興奮神經，或起痲痺作用。而收針治之效。其刺戟之強弱。全在術者之掌中。刺鍼之際。皮膚若有疼痛。一因於術者之下手重。一因於患者之邪氣聚。故宜輕其手而散其邪。然後刺入。斷可不痛。爲人治病。所以除疾苦。針係機械的刺戟。何人能知之。苟若不痛，其技止矣。

五　響之強弱

針術實無一息之留滯，隨呼吸刺入時，針尖通過皮膚。決不感刺痛，在觸其神經時。恰如電流。或起一種牽制而感覺。此之謂『響』。此『響』可收針之效，果若刺戟此之氣不至。可不問其數。刺戟此之氣至。可以即去。勿復針。蓋刺針之要。氣至而可也。響有緩急，有強弱。施之適度，爲吾人針灸家最要之事。此技不至。其術徒勞。且難免於誹謗。此中宜據針之細大長短而各差異。大概長針深刺。其刺戟宜稍稍強大。短針淺刺，刺戟亦隨之而微弱。大針比小針增劇，此均在乎術者之手腕。苟能熟習其手技，則『響』之度自能自由自在。否則若術未熟。而遂使用大針。

則更感痛苦矣。

刺戟之強弱因各個之體質。刺鍼之部位。或治療之目的而各異其度。若不適其度。卽不能奏效。且生危害。假令鍼胃痙之症。若過刺戟。反增疼痛。反之。若稍微弱。則奏鎮靜之效。故雖同一疾病。必隨其病狀酌量行之。又未曾有受針之經驗者。則初針者每抱恐怖之念。故宜輕度行之。俟其習慣。漸次強大。而多血質。及脂肪質。或常受刺針之習慣者。則較能受刺戟。反之。若爲神經質。歇斯的里性者。其感覺敏。故宜輕微刺戟。強大則恐失神。又如身體中之頸部。顏面。手尖。足蹠等。比之頭部及肩、背、腰部知覺銳敏。故施術之先。應預探知患者之體質。及知覺之銳鈍爲要。

六　針之深淺

難經曰。『刺榮無傷衛。刺衛無傷榮。』榮衛者。陰陽也。榮行脈中。衛行脈外。各有深淺之處。用針之道亦然。故針於陽者。宜臥而針之。刺於陰者。宜先在左手針處。按榮俞之穴。良久。以散其氣。而後刺針。又曰。夏者陽氣浮於上。人氣亦然。故針於陽者。宜臥而針。針於陰者。先以左手針處之榮俞穴。按之良久。氣散而後針。又曰。春夏者。陽氣上浮。人氣亦然。刺之宜淺。亦不過淺。秋冬者。陰氣下沉。人氣亦然。刺之宜深。不宜不及。然此不過論時令氣候之大意。不可拘泥。苟能探知其皮肉筋骨疾病之所在。測邪氣之深淺。而定或深或淺。斯得之矣。蓋過深則傷肉。淺或不及則外塞。適得其法。乃奏其效。否則難免招害。愼之愼之。

然世之業斯術者。每不探疾病之所在。不論邪氣之深淺。隨患者之意。以不痛而爲奇。或避刺針而行皮膚針。或炫自己高技。長針深刺。以貫肉害骨。在病者雖尙不知。然難掩具有常識者之耳目。卽云可掩。良心亦受苛責。蓋醫者仁術也。以憫人救世爲天職。針治時行淺刺以避刺戟。行深刺與以刺戟。皆屬術者之活法。例如神經衰弱。則僅刺戟知覺神經足矣。又如發熱頭痛。則刺二三分。或使發汗。或散邪氣足矣。若對於強之痙攣。或人事不省之症。則非深刺與以強刺戟。以喚起正氣不可。蓋皮膚有厚薄。年齡有少壯。難於概論。能知其疾病之輕重。邪氣之深淺。酌量施治。斯得之矣。

七　補瀉迎隨

迎隨者。迎而奪而濟之也。術者對此。能暗誦五行生尅之理論。而多未曉其奪濟之本義。蓋迎者。當邪氣盛時。對之迎刺。以奪其勢也。奪者奪起擢敵權利之意。卽瀉也。隨者。邪氣旣衰。正氣漸復。隨刺以扶助其虛氣。故曰隨濟之意。牛疲勞車不得進。人從後方推之。合牛之力以進車者是也。濟者。救濟之意。助勢也。卽補也。邪氣如敵。正氣如主。彼我相對。互相交戰。或迎而折之。或追而擊之。海戰陸戰。均不出我之所料。而敵亡矣。敵之襲來。擊而却之。迎而奪之也。敵之退却。追而進之。隨而濟之也。針如遊軍。與援兵或迎而奪其敵勢。救濟其君。素問中『伏如橫弩。起如發機』等。以軍法取譬者。不勝枚舉。是皆察病之所在。刺之不失其機會也。實彈丸非所以殺人。針家亦應知其法。以定將軍之勝敗。蓋進退攻守之節。當則敵無所逞。或竟畏威却走。針法得其當。則效果立奏也。

八　補瀉迎隨　（補遺）

補瀉迎隨。乃千年前之古語。今之經穴學之讀者。輒生多種之誤解。遂致演出種種笑話。其深得本問題者。實十之中難得一二。茲爲補遺如左。

當世新進之識者。每不取一定經穴。不信古來之治法。雖有依據其說以治病者。然未嘗見驗。蓋古人針法。根本上不可輕視。經穴治法。更爲有用。

古聖針法。先樹補瀉迎隨。以定左右前後之手法。其說之細微。其法之深邃。殆非今人所能想像。安能以不經之空言。掩其萬一乎。集左靈二書三要之難經曰。『能知迎隨之氣。可令調之。調氣法必在陰陽何謂哉。然所謂迎隨者。知榮衛之流行。經脈之往來哉。隨其順逆而取之。故曰『迎隨。』

本義迎隨之法。補瀉之道也。許昌滑氏云。迎者。迎而奪之也。隨者。隨而濟之也。然必知榮衛之流行。經脈之往來。榮衛流行。經脈往來其義一也。知之而後視其病之順逆。在其當處隨而爲之補瀉。迎者。卽從筋脈之流。逆而針之。以迎其來氣之強勢。奪而瀉之也。隨者。隨筋脈所行之氣。順而針之。以追其往氣。濟而補之也。四明陳氏云。迎者。其氣方來而未盛。迎以瀉之。隨者。其氣方行而未虛。隨以補之也。潔古王氏云。呼吸出納。亦名迎隨。古來言針法者。誰不論補瀉迎隨。然誤解古人補瀉之道理。云針可瀉可補。不免牽強。蓋所謂補瀉。指補不足。瀉有餘而言也。

凡疾病者。每元氣衰。邪氣盛。針以退其邪氣。瀉也。回復其正氣。補也。有行道者。遇道路横牛馬。不能通過時。有傍人來取而除之。通過易矣。行道。正氣也。妨礙物塞於道途。邪氣也。取除邪氣之道。使正氣通過。是爲補瀉之術也。行補瀉之法。古者先促患者。行一息之深呼吸。補則從呼氣刺入。吸氣拔出。揉其跡而使之閉。瀉則從吸氣刺入。呼氣拔出。不揉其跡而使之開。蓋針孔之開與閉。其效果大相逕庭。徵之實驗自明。

九

左右　前後　繆刺　巨刺

針有左右。有前後。左右者。邪氣在左則刺於右。在右則刺於左。腹背頭足皆然。此之謂逆順。素問云。『身形有痛。九候莫病。則繆刺之。痛在於左而右脈病者。巨刺之。』『夫邪氣客於皮毛。留入孫絡。不去則閉塞不通。不得入經。流於大絡。而生奇病。邪客大絡。左者右注。右者左注。上下左右與經相干。而布四末。其氣無常處。不入經俞。則命繆刺。邪客於經。左盛者右病。右盛者亦移左病。左痛不止。先病右脈。如斯者應巨刺。巨刺必中於經脈。非絡脈也。』古人論針法如此詳審。後世竟不甚知之。實屬遺憾。又曰。絡病者。其痛繆處經脈。故名繆刺。下文論痛處多端。而畢竟看不出其血絡皮部者。則取繆刺。繆刺者。刺絡脈。巨刺者。刺經脈。均左痛刺右。右痛刺左。察方今諸家之刺法。僅經刺之一法。經刺者。邪入皮毛。不治五臟病者也。故曰不盛不虛以經取之。經字字同而義異。此經卽其本經。巨刺之經。指經刺也。故實不盛不虛。陰陽之感傷者。如不經刺。雖病在血絡。易於移病左右。此宜繆刺。據巨刺之法。其鬱冒壅塞處之邪。非發散不能蠲除。前後者。先後入於其病之某穴也。例如飲食傷。不耐腹痛嘔吐。欲吐不得之症。古法者刺中脘三里。由今觀之。或有效或無效。是蓋畢竟知與不知。其先後之由。蓋利先刺中脘。後刺三里者。其氣下降不吐。先刺三里。後刺中脘者。其氣上行易吐。然每不知病之逆順。先後刺而不效。咎歸古人而不悔自己之不明。故爲揭其大意如此。此外尚有標本或方圓等之法。標本者。應病之先後。刺其本末也。方圓者。依其呼吸而針隨之疾徐刺拔。卽補瀉之性也。是均散見於內經以下諸書。參考後自能知悉。

小兒針

或說京師御園氏之祖先。從花園天皇之命。刺枯死牡丹之蠹（蠹木心之蟲）而使蘇生。天皇大賞其技。欽賜御園之姓。與牡丹上唐獅之紋章。由此蟲針之名大噪。鄉間小兒針。極不流行。而都會小兒針之專門家則甚多。如大阪之藤井氏。每日治療四百名以上之小兒。神戶之貧志氏及後藤氏。每日午前有二百名之施術。此種盛況。必有小兒針功效之可證。茲就小兒蟲針述之。

吾人有時訪問專家。參觀多數小兒之患病者。經專家先生看其手之筋。無不同稱小兒之疳蟲。自手指之瓜間出若施以輕微之刺戟針。則有絲狀之物質。現於目前。此卽疳蟲附着之體。此附着之體。在昔名爲「絲引」。茲據醫學上之說明。抄錄大阪速水氏（醫政及醫學之拔萃）書中一節如左。

古來淨土眞宗有一奇蹟傳唱於世曰「絲引之名號」。謂誠心信眞宗者。一心合掌禮拜阿彌陀佛時。有微細的絲狀之物質。出自其指頭或手掌。出此絲有淡白色或有帶赤色者。若有此物出時。其人必受佛陀冥冥之厚護。以此信仰之度愈深。然從醫藥上之立場觀之。決不能定稱奇蹟。蓋此「絲引之名號」乃手指之汗腺。非血漿之凝固產物。欲明此理。先就神經性出血一言之。

抑『歇斯的里性』之人。從劇度之精神感動。或陷於恍惚狀態之際。往往從皮膚出血。此則人所共知之事。蓋此種皮膚出血。起於血管擴張。神經之精神的刺戟的神經性。其本性自汗腺圍繞小血管。溢出於汗腺內。與血液汗液同時排出。卽『血汗』也。然若血管壁出血。不達程度時。其血液液分從其擴張之小血管滲出「絲引名號。」想係未達血汗之度時。肝腺周圍之毛細管。乃至血管。滲出血漿。從肝腺排出於皮膚。此際析出纖維素。因形成絲狀物質。其本性與神經性出血。同一精神之刺戟。易感動。或易陷於恍惚素態者。非『歇斯的里』性之人。不易形成。異宗信徒。因神經性之狂熱。而有惑溺之傾向。遂有「絲引之名號。」此與熱烈『歇斯的里』性之基督信徒。正同一轍。而竟認為神祕。從醫學上之證明。恰如腎臟之絲狀。自尿管內滲出血管中之蛋白。凝固管內。顯微鏡的微小之尿圓柱。共尿以排出。同一原理也。

故「絲引之名號」如上述醫學上之說明。而針灸業者。對於取小兒之疳蟲。爲大可能之事矣。或云此「絲引之名號。」基因於神經出血。小兒之無邪氣者。不能抵當之。然小兒之性過敏。而在術者面前。恐怖心尤易勃發。因劇甚之精神感動。而狂熱。或溺或陷於恍惚狀態。此際小兒疳蟲之本體。血漿中之纖維素。現於指頭或前額。肉眼能目擊之。

小兒與大人同適用治療之法。同著其效。固理之當然。小兒尙有一種特異之性質。卽蟲是也。蟲與無蟲。不能於小兒之解剖學生理學病理學上求之。夫以未成年之人。體非充分發達者。其身體各部之諸臟器脈管神經等之抵抗力甚弱。而刺戟之感受性非常旺盛。司配身體各部之神經制止作用發達。故興奮作用比大人爲遲。此確異於大人之點。故疾病之性質。不如與大人同一視之。古人稱小兒疾患爲蟲。以區別於大人。其命名基於滑稽蒙昧之病理學。雖不足取。然今日之醫師。對於小兒疾患。其着眼點確與大人異其性質。故其治療方針。施術立案。亦尙有異。此亦治病上緊要之事也。故便宜上以「蟲」字代之。病名上必冠以小兒二字。如小兒胃加答兒小兒氣管支炎等稱之至當。而關於鍼灸學方面。今日著述書中。如夜怯症等。卽從來所稱之蟲疾患也。

前段記述。係廣義之解釋。茲從狹義之解釋。則小兒疾患。凡稱蟲者。有脾疳之蟲。心疳之蟲。肺疳之蟲。背蟲。驚風之蟲。夜啼蟲等總稱小兒疾患。就中脾疳之蟲。察其症候。有小兒消化不良。小兒萎縮症。慢性腹膜炎。腺病等。夜啼蟲。卽小兒神經過敏症「夜怯症」古書小兒疾患中脾疳之蟲最重。夜啼蟲不過蟲之代表的疾患之一例耳。故對於脾疳之蟲。如不確知其症候。醫治亦屬無用。

對於小兒病。應用針術。較之藥物療法爲優越。因其刺戟之感受性旺盛。與以器械的外來刺戟容易旺盛內臟之官能。易於整調血行。正調神經機能。且針術之神者。無痛而效者。較之嫌忌服藥強而後進者。價值偉大。誠理想的第一治病術也。

但今之針灸家。對於小兒療法。大體採用皮膚針。以全身施術。以應各機官之病變。徵之著者臨床上之實驗。以海賚篤氏帶之應用爲主。而對於小兒末梢神經刺戟。比大人易起反射運動。且調節容易。在都會方面業易盛而事簡。若夫大阪地方之全身皮膚刺戟。失之簡單。且效果可疑。故隨病症以定取捨之斟酌。奏效自偉。

結核性淋巴腺炎與灸治

淋巴腺結核者。從局所之結核病竈（肺、腸骨、）續發爲淋巴腺之原發性結核。其主要在腺病患者之頸腺。胸腔內淋巴腺及腸間膜。前者從肺血核、脊椎及肋骨等之結核性加里愛斯（骨疽）而生於氣管枝淋巴腺。腸結核者從腸間膜炎蔓延及後腹膜腺。此等腺徐徐腫大。至四五倍。遂以乾酪變性而破壞。如斯結核性病變。獨於淋巴腺特發肺組織或粘膜不起特異變化。而經淋巴管。即因隱密性傳染。進入淋巴實質。利賁配爾小馬氏稱扁桃腺爲諸種傳染病原侵入之門。哈奈烏氏稱腺病頸腺結核從扁桃腺而續發。富留苦買氏更爲精密的研究。確證頸腺結核。不獨自扁桃腺結核續發。且從唇之腺病性濕疹結核性內耳炎續發云。

一般淋巴腺結核。有限局性結核。即是纖維性變化者。與瀰漫性結核。即腺全體大上皮細胞滲潤者二種之發生。其腺顯著腫大。遂陷於乾酪性軟化。或纖維軟化。菌量多時。乾酪變性軟化頗速。腺全體亦變化。菌量少時。乾酪變性少。不能軟化。腺亦徐腫大。又淋巴腺於結核變性少時。繼發硬變性炎症。增殖結締織。包裹結核節。乾酪變性時。制止其侵蝕的發育。而稀轉移之事。故陷於乾酪變性時。至近年。用外科的手術。則不切開。以外用藥漏出。

結核性淋巴腺炎之病理。及一般療法。已如前述。而對於瘰癧患者之結核菌。用局部之點灸。治愈較速。使軟化吸收淋巴腫及開口部之粘液性膿汁。以防外部之破壞。而陷於乾酪變性。

所謂點灸。在病竈部之結核菌。與以一定之變化。以遊離菌毒素。免除疫原。反起局部之細胞作用。新生抵抗結合。對於結核菌獲得免疫性。由是觀之。灸治對於頸腺結核。能奏免疫學的功效。證據確鑿。與（亞布里尼）療治及（脊佩爾苦林）療法同一原理。

療法

理學的療法

温熱療法　日光療法　水治療法　大氣療法

絕食療法　針灸療法　按摩療法

化學的療法

藥物療法　成藥療法

心理的療法

催眠術　祈禱　筮卜

傳說的療法

各種黑燒劑等

宗教與醫術

『哈依布爾氏』曰。願主基督。以百夫之長治僕之病。基督曰『汝如信仰。必使爾成』而病忽愈。此說言宗教的治愈之極致。最有趣味。然患者如能信賴術者。治療上必有大效。此心理的療法。主在精神作用之換轉。減輕或治愈病的觀念。參看書上文學博士之心理療法。石川醫學博士之精神療法學。小川醫學博士之醫術與迷神等書。自得之矣。

打針開祖與數種之施術法

織田氏以降。而至德川時代。繼入江吉田而起之御園意齊崛起於京師。以針術名於世。氏能知金銀之温柔。適於人體。創始製針。又作圓形之小槌。以之叩打針頭。使漸漸從皮膚之表面插入。世稱意齊法打針。按傳云。其先人多田二郎爲貞。係大膳亮爲綱之子。食邑攝津國三分之一之領七。住上杉。以針術聞於世。偶以花園天皇愛翫之牡丹花病將枯死。天皇憂之。召爲貞入宮中。施以針術。爲貞謹敬奉命。入御園診牡丹。以針刺蠹。不數日。枯枝回春。倍旺於前。天皇大賞之。賜以御園之姓。與牡丹獅子之紋章。此實爲日本打針之開祖。其後子孫繼其術而發揮之。於是有打針術中興之代。

意齊派之打針。係以槌將針打入。卽動搖榮衛。（一身以榮衛爲主。靈樞云。浮氣之經。隨運而爲衛氣。其精氣之經。運而爲榮。榮氣者。陽、衛也。血者。陰、榮也。）推徹肉中從而撚之行補瀉之目的也。其施於衛者有數種方法如左。

（一）火曳之針　針於臍下三寸。兩腎之眞中。曳上氣而下。以應用於產後之血暈等症。

（二）勝桑之針　用無定所針之。以打拂邪氣。是瀉針也。傷寒大熱及食傷時用之。

（三）負曳針　無定所。病症有邪氣之隱居者針之。以出其邪氣而遂治療之目的也。

（四）相引針　無定所。曳邪氣與曳針相引相曳之針也。是名補針。

（五）止針　病在兩腎命門之相火亢上。針以止之也。

（六）胃快針　針時用深針。此術施於大食傷嘔吐胃腑不快時用之。故稱胃快針。

（七）散針　無定所。滯滯而有摩擦之聲。以解氣血之針也。

經絡說針科視爲最重要者。但意齊派不賴經絡。其根本在察五臟之虛實。探其邪氣之存處。此種鍼術與其他鍼科大異其趣。

參考

故大久保醫學士曰。不要要穴。不禁禁穴。從病態之變化。故針治素無定則。凡解剖不知。生理不明。病理不審。診斷不確。技術不熟者。須有一定之規範。

上谷露月曰。欲究針術。必守規則。不入規則。必走邪路。入規而不能者狹。入規而能者廣。方得自由自在。達於妙諦。

針道派之極意曰。針不殺人。針立殺人。針立不殺人。無學殺人。無學不殺人。下手殺人。下手不殺人。上手殺人。上手不殺人。大意者殺人。

此言凡業斯術者。不可不慎也。

『風疾』打撲症之鑑別

一　從原因上所見之鑑別

打撲症者。對於既往症。受打撲之事也。但『風疾』性之人受外傷。則有誘發『風疾』之事。不可不注意。

二　從疼痛場所區別

打撲症受打撲之場所。疼痛最強。『風疾』於其他場所。尤屢屢發多發性之疼痛。然限局性之『風疾』於其部位打撲傷之穴部時。區別困難。此宜注意。

三　從疼痛之性質區別

『風疾』自發痛強。打撲症自發痛弱。打撲之高度者。其自發痛亦強。

四　從局部變化區別

打撲症之高度者。因皮膚之損傷。從皮下溢血腫脹等。一見便可知其爲打撲症。其輕度者。無腫脹或何等之變化。驟見之。或誤爲『風疾』。反之。『風疾』之高度者。關節或筋肉之腫脹。甚不滲潤。驟見之有外傷變化之誤。

五　從全身症狀之區別

『風疾』之急性者。多伴以發熱。打撲症大抵不發熱。然打撲症達高度時。亦起所謂吸收熱。

從以上數項比較。診斷時若能注意。則大體可不誤矣。惟尚有兩者相類似。而鑑別困難時。觀其暫時經過及豫後狀態區別之外。即打撲症。若用適當之治療。得暫時全治。再發爲「風疾。」再發者。豫後莫定。

告小兒針開業者

對於小兒科的諸疾病。得奏針治之偉效。今更詳論之。夫簡單而又無何等副作用之危險。爲眞理想的小兒病之治療。首推小兒針。而其預防法。在乎宣傳普及日本神戶地方小兒針最爲盛行。專門小兒針者。亦非常之多。就著者所知。市內外共有七十餘處。其中較舊之療院。所謂老舖者。每日治療患者多至四五百人。少亦二三百人。新開業者亦每日有百人之多。其中以貴志後藤二氏爲最有名。大阪地方。以岡島瑞軒氏之針業爲最盛。主人岡島政氏。已屬第八代針科。藤井秀二氏亦係有名之世代小兒針專門家。一日之間治療患者四五百人。其他所謂舊家者。在大阪地方尚屬多多也。所以新開業者。每有相當之困難。其宣傳普及之成功。全賴於手腕矣。

然小兒針新開業者。苟能對於一般之治療無誤。而效果迅速。一度治療。人皆滿意。便可奪老舖之業而代之。此層在大阪、神戶地方。因屬小兒科發祥之地。故宣傳力亦非常之盛。但徒標其名。不務實際。決不能成。故小兒針專門家。須先通小兒之科學。與有醫學的素養。充分研究小兒針之方法。而後出而問世。庶幾不至無聞。

小兒針之施術方法(院長牛島鐵彌述)

余曾訪問二三家有名之小兒針老舖。視察其施術情形。均門庭若市。小兒之患動輒百人至二百人。施術方法千篇一律。非常簡單。對於多數患者大抵施針於肩、背、腰部、手部、足部等。效果甚微。益以針者家屬盛氣難侵。故施針之小兒。每不復再來。依余研究。最善之方法。亦足筆述。以供參考。

小兒之病。多屬於蟲。而起於夜。其親屬不遠數里而來。求診者甚多。此應先診熱之有無。問其他別種異狀。但診察異狀者。須先仰臥小兒暫時以溫手在腹部輕輕按揉。而後用特殊的小兒用之針。即最細之毫針。在臍部上下左右、與左右季肋部、及頸部、背部各二三針。(拇指與次指。摘針之穗。速速淺刺。)所謂施以皮膚刺戟者是也。

小兒針一律如斯。從前醫藥成藥大抵無效。又瘦弱之兒。不得不有育與不育之分。與肥滿者有異。故須以種種方法。使之快樂。聞嬉聲而後施術乃善。

針治學講義終

凡例

一　本書凡十四節。曰灸術之定義。曰灸術之種類。讀者僅明其大意已足。曰艾葉談。讀之可明艾葉之成分。曰灸之生理的作用。子目凡八。對於灸之生理作用。大致已備。曰灸之刺戟作用。子目凡三。讀之可明灸治之效用。曰灸之病體及健體作用。曰灸炷所發之溫度。曰灸之對於皮下深部及其深之實驗報告。曰施灸部之組織的變化。對於灸治之病體及生體作用。尙稱完善。曰灸之不適應症及其身體之禁忌症。讀之可明治療上之應用。曰艾灸之大小及壯數之決定。曰施灸點之決定及取穴法。導讀者之塗轍。作灸治之津梁。雖字數無多。宜恪守勿懈。曰灸治之忌日。跡近神話。不足取信。姑存其說。以資談助。末附針灸術之學術文獻。聊備一格。藉供參考。於灸治學術上不無補助云。

二　本書爲日本延命山氏授徒祕本。雖卷帙無多。而對於灸治之原理。其生體病體之作用。大致已備。讀者欲求深造。宜再讀延命山氏之灸術寶典。是書爲延命山氏治病實驗之傳徒祕典。

門分類別。朗若列眉。讀者遇有疑難病症。一檢是書。卽可瞭然。足補本講義病理學之不及。

三　本書僅具灸治學之學說。對於疾病之取穴。壯數之多寡。詳載於病理學中。不列本書範圍。

高等針灸學講義目次

乙 灸治學

灸治學目次終

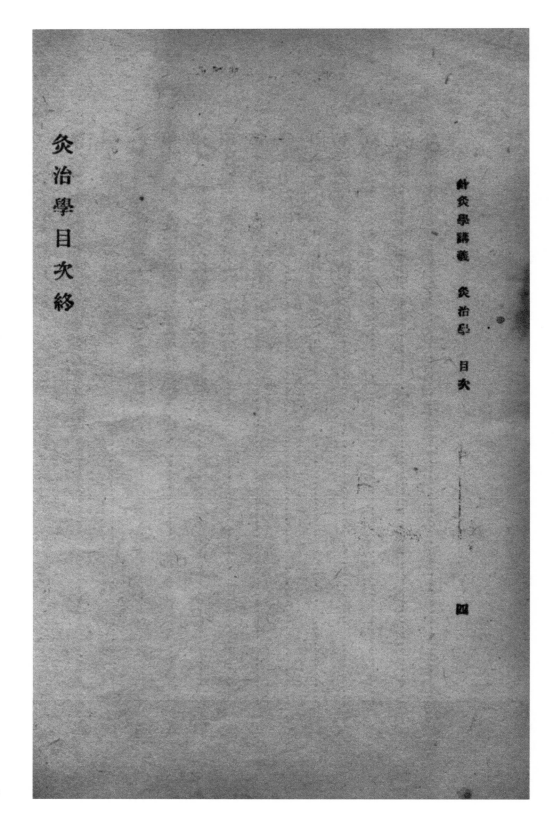

高等針灸學講義

乙 灸治學

第一節 灸術之定義

灸術者。在身體一定部位。卽選定某局所。以某種方法。加以温熱的刺戟。由此以導疾病之治愈或增進健康之方法也。

灸術始於何時。已於針灸學第一章誘導編中與針術同述之矣。考諸日本。惟古天皇十五年七月。(西歷六〇七年)初隨中國使節傳入。同書欽明天皇十四年。百濟(朝鮮之一部)送醫、易、歷、三博士。奉旨命卽交代。由此觀之。灸治與針術。實始自我國。而於日本欽明時傳往無疑。日本灸術之榮枯盛衰。與針術同其情形。今日泰西醫術。如此旺盛。在灸術當時。亦曾有之。尤以民間。驚其根底之深。或覺如丹波但馬等國。小兒生後一年以內。必施灸術。其信用與習慣。每持續不斷。

灸有『延嘉式』和石抄』等。調文覺法師之「隆信集」亦見灸名。古名殆不詳矣。近時物理的醫學物興。與學者漸注意於研究灸術。故其科學的學理。漸次明瞭。斯術亦益益精進矣。

以下請詳論各項灸術。

第二節　灸術之種類

灸術大別爲有瘢痕灸。與無瘢痕灸。及今之特種灸三種。

一　有瘢痕灸者在人體一定局所。卽施灸點處。捻指頭大之艾葉。置於施灸點之皮膚上。以綫香之火。燃燒艾葉。使皮膚上起一種火傷。並生一種瘢痕。此種施灸方法。普通民間療法多行之。此之謂有瘢痕灸治。若施灸點化膿時。其殘留之瘢痕亦稍大。

二　無瘢痕灸者。不直接起皮膚上之火傷。用種種方法。使間接在皮膚而與以適度之溫熱的刺戟。舉其一二實例如左。

㈠蒸灸（俗稱孔法大師蒸灸）　制圓筒狀之紙袋。其中置下等之艾。適如懷爐灰之形。一端點火燃燒。在皮膚面放置紗布布片。其燃燒部恰當目的部位。加以適當之溫度。以達治療之目的。

㈡金屬性之温灸器　形如水杓。或大熨斗金屬性製之。其中置艾或炭火。器物之下面。以紗布之類包之。此目的在置身體之皮膚上與以適度之温熱。

觀於以上所述。對於無瘢痕灸之意味。可了然矣。

三　特殊灸

以廣義言之。亦屬無瘢痕灸之一種。以其方法特殊。故另爲區別之。約舉之如左。

㈠水灸　以左之處方。成爲藥液。以筆桿或細棒塗敷之。

一、龍腦一錢　一、酒精適宜　一、薄荷腦二錢　三味或加　一、硇砂精一錢

一、白礬一錢　一、樟腦二錢　以上諸藥混合溶解

以上以艾薄薄平展。點火緩和灸之。使與皮膚以温熱的刺戟。亦屬一種方法。

㈡醬灸　在局所置醬。其上置艾點火灸之。使加以温度之方法也。

㈢墨灸　以左之藥品塗敷施術部。其上置艾點火灸之。

黄柏五錢。投入一合之水中。加以緩火煎爲五勺。和以濃液之墨。其中更加　一、麝香一錢

一、龍腦二錢　一、米粉二錢　混合溶和。塗敷手術點。

今又有一法用　一、麝香一錢　一、麻油適宜　一、龍腦一錢　一、煤煙適宜

以上藥品混和之。用浸潤之艾揉爲小豆大之丸。置於手術點。其上更置他艾。點火灸之。

㈣漆灸　用生漆、麻油、樟腦油各十滴。混和包含於晒艾中。恰如肉池然。然後用細棒塗敷手術點。

今又有一法。用黃柏煎汁。加乾漆十錢　明礬十錢　樟腦五錢　混和之。浸潤於艾中。以細棒塗敷手術點。亦屬一法。

（注意）此漆灸由於人之感受（即感漆之毒）而稱漆瘡。施灸後不甚發熱。而全身皮膚。則呈赤色。

㈤鹽灸　在施灸局所塗敷食鹽。在其上灸之之方法也。

㈥紅灸　以食料紅塗敷皮膚上之方法也。

以上之外。尚有所謂家傳之灸法。亦有種種。散見於各處。

第三節　艾葉談

使用於灸術之精艾。係屬於植物學上菊科。春季發生新芽。葉之表面青色。而裏面呈白色。夏秋之季。開淡褐色之小花。俗稱蓬。卽野生草木也。其製造方法。先蔭乾而後蒸煎。更使乾燥後。用木杵杵之。拔去其纖維。晒之日光中。精製成爲黃白之綿。欲辨其艾之良否。只消觀其色質。凡乾燥而呈白色。且其中無纖維等之混合，而看去極緻密（細之意）者。係良品。其價格最低每斤八圓起至最高每斤六十圓。（此指日本價值）蓋艾係一種商品。價值不免時有變動也。

艾之種類分散艾切艾二種。切艾者。捻艾爲圓柱狀。能儘其使用。大多於民間。尤以日本關東地方使用最多。散艾者。卽綿狀之艾。灸術專門家。皆使用之。不論何處何時。能適應各患者之體質。以指頭捻爲大小之形狀。茲揭日本大阪市衛生試驗所艾之分析表如左。

一般定量分析

水分	八、九八
含窒素有機物（蛋白質）	一一、三一
「依的兒」可溶性分	四、四二

無窒素有機物(主在纖維質)	六六、八五
灰　分	八、四四

灰分定量分析

酸不溶分	一六、二五
鉀及鈉(酸化物)	一九、九八
鐵及阿爾米愛油謨(酸化物)	八、〇三
酸化鈣	六、七七
燐酸(無水物)	五、八七
硫酸(無水物)	二、二二
酸化鎂	〇、五一

吾人言艾。不得不連想及於日本伊吹山之艾。伊吹山艾起於日本大正四年。(紀元二二三六年)

織田信長築安土城寨時。招葡萄牙人伊爾孟柏林氏等來。彼等在江州培植藥草。艾葉亦其中之一。此爲伊吹山艾之起源。故有八說。艾之輸入日本。始於葡萄牙。其實艾之輸入日本。實始於我中國。近時江州伊吹山艾栽培之地。非常之廣。可謂名實相符。其實往昔所稱伊吹山艾。僅指下野國都賀郡標茅原之栽培而言。

第四節　灸之生理的作用

灸術爲一種溫熱的刺戟療法。可無疑義。然由灸治而及於身體生理的作用者至夥。請順次分項述之。

一　灸之及於血液與影響　（東京帝國大學醫學部　樫田原田兩醫學士之實驗）

由家兔實驗所得之成績。先於各家兔之血液中之赤血球平常數。算定囘數。而後施灸。其後翌日乃至數週間。計其血球數之變化。其檢查時間。常在午後三時。其食餌常注意避白血球增加之影響。亙五次試驗。而總括結果。

灸後二分間以內採取血液中。常見白血球之增加多者。約達二倍。少則增加三十四%。至翌日。一度復其平常。其灸部貼膏藥處化膿。再見白血球之增加。其增加之度。與化膿一致。而其赤血球。則在灸後或增加或減少。常無一定。此依灸而增加白血球。對於治療各種疾病上。達如何效驗。尚無充分之研究。不敢斷言。要之。此白血球對於炎症性疾患之治愈轉機。極關重要。此就病理學上而言。又白血球營有毒性新陳代謝物之破壞排出。而白血球因灸治而增加。亦屬不能逃免之事也。

二 灸之及於血管與影響

從知覺神經之刺戟。及於反射於血管神經之擴張或收縮等之作用。既於生理學述之。今再言灸之及於血管如何作用。就蛙之實驗。在其皮下注射「哭拉來」以止總隨意運動後。其蹼膜之準毛細管動脈。用顯微鏡照測其幅。次在同側或反對側之上上腿部或胸部之中。用切艾施灸。其血管先初縮少。其後漸次擴張。而血行同時亦著旺盛。此可證明血行不論何時停止。而在毛細管依灸之刺戟。再明開始循環。此從蛙之實驗而得。確認腸間膜之血管。同一變化。

次就家兔之耳附着部近處。以切艾施灸其部之血管。於極短期間縮小。其後則強擴張。依照以上之實驗。以灸而激其溫熱的刺戟。先反射的動脈血管縮小。其後以反應的擴張。其血管之度在施灸組織之近傍爲最著。人體亦來血管縮小及反應的擴張。其最著充血者。肉眼能目擊之。

三　灸之血壓及其作用

由於以上之實驗報告而明灸爲血管作用之事。既爲血管作用。則及於血壓影響。亦屬當然之事矣。故欲確知此種關係。先就五次之家兔實驗。知其施灸後。必有多少之血壓昇騰。其時動物感溫痛。同時血壓急急上昇。刺戟去後。短時間漸次下降而復舊。其上昇之度依於各個之動物及其他不明之原因而有差異。艾炷極小時。其上昇之度小。艾之燃燒速時。其上昇之度大。實驗所得。最強上昇水銀壓上得一〇〇密里米突。最低爲一〇密里米突。

血壓上昇之間。心動多緩。且呼吸深。就人體灸後血壓影響十二名之患者。應用沙氏血壓計檢測其最著者。實上昇三十二密里米突。最小爲五密里米突。

四　灸之腸蠕動及其影響

剃去家兔腹部之毛。於其部得明見腸之蠕動。此由於目擊之實驗。即腹部之中央灸一個者。多引續一回之蠕動。其蠕動之不小者。同時腹部亦明見其高同時呼吸數亦見增加。灸後蠕動之間隔一二次。大概要較長時間。其後平均灸前十分間。蠕動十八次半。灸後十五次半。又攝取食事則蠕動高。施灸時多引續一回蠕動。灸後一二次之間隔。要較長時間。其後蠕動數少。故灸家免於食後則蠕動高通常不見多少減少。從通常高之數觀之。則見減少。

五　灸之吸收作用之促進

施灸後既如前述。血管擴張。血壓高。血液及淋巴之循環旺盛。而種種滲出物之吸收。亦能促進其他癒着性之疾患。亦有融解作用。

六　灸之神經系統及其作用

施灸之神經系統及其影響。由於神經之種別而異。即依於知覺神經之興奮。而疼痛過敏者。能制止疼痛。對於此知覺神經之興奮疼痛制止之理由有二說。一爲譽魯氏之温熱刺戟者。對於知覺神經之興奮。有制止的働作。今又有一說。爲皮魯氏所唱。温熱刺戟者。良其血液循環。刺戟神經之末端。洗其疼痛所有之有害物質。即直接止痛也。此兩說同屬灸爲止痛作用。其理解亦無差異。

七　灸之精神的及其作用

灸治爲温熱刺戟中。與對方以最強印象。施灸之度頻頻者。對於感覺之抵抗力同時亦強。猶之自信力、決斷力、或道德的精力高者。行冷水浴。有同樣之效果。但亦有由灸刺戟而生新疼痛。而原來之痛。亦生不快之感。此係抑制此等感覺作用之故。又灸點若偉大。效果亦大。所謂暗示作用。在病者愈有力也。

八　灸與蛋白體療法

考之施術與白血球之增加點。及其他血淸作用點等而觀之。則灸者於血液中發生某種抗毒素。恰如「滑苦精」血淸之注射療法。同一作用。此則近時從學理的立場而能明之。

從來施血淸或「滑苦精」療法之際。考其隨伴者。不過一種蛋白體。依近時學者之研究。卽名蛋白體療法。或非特殊性刺戟療法。而諸學者間亦喧傳之。此蛋白體療法。卽蛋白質非經口的輸入。而依注射等輸入血中。而生活體之疾病治愈機轉。起種種作用也。今與蛋白質非經口的輸入（卽由注射輸入）時。及於生活體之影響如左。

㈠發熱　此必然的無之已經人證明。

㈡血液　能增加白血球及血小板。

㈢血清之變化　免疫素增加殺菌力強大。

㈣血液之化學變化　促進血液之凝固作用。

㈤腺　腺之分泌作用抗進。即乳汁分泌增加。淋巴增加。膽汁增加。胸腺。脾臟。淋巴腺等細胞之核分裂作用增強，

㈥結締組織之再生作用高。

㈦血液增加糖量。

㈧對於皮膚之毒物增大抵抗力。

㈨新陳代謝之機能旺盛。

以上所稱蛋白質之作用。起於非經口的輸入。與X光線照射。溫浴療法。發泡藥等之起皮膚作用。同一作用。亦即施灸與蛋白質之注射。起同一作用，何故而云然蓋灸之溫熱的刺戟作用。及於直接生體。又此溫熱的刺戟。從生活體之蛋白質遊離生蛋白質類似之分解產物。結果如何可確然判明。

第五節　灸之刺戟作用

前述灸爲温熱的神經刺戟之一。此刺戟作用有三。卽誘導刺戟法。與直接刺戟法。及反射的刺戟法。請分述之。

一　誘導刺戟法

誘導刺戟法者。從患部隔離部位施灸。以刺戟其部之末梢神經。誘導血液於其部之方法也。例如對於腦充血性之頭痛。施灸於肩部背部之末梢部。以擴張此部之毛細血管。以誘導腦之血量。使腦之血量減少。或如對於因子宮機能之充血性抗進而疼痛。則在腰部或者下肢末梢部施灸。以擴張此部之血管。起下腹動脈異狀。又如對於深部之充血炎症。在其近傍表在部施灸。以擴張表在之毛細血管。恰如醫療之貼用種種之發泡膏。或用芥子泥療法。同一理由。

二　直接刺戟法

此則在疾患之局部。直接施灸。以刺戟其部之知覺神經時。刺衝於其部而覺疼痛。此刺戟疼痛。從求心性而傳達於中樞。以興奮中樞之神經細胞。更由反射的遠心性。向末梢傳搬。使其局部之血管擴張。增加血液之量而盛其組織之新陳代謝。促其對於浮腫及炎症性疾患者滲出物之吸收。以正復其疼痛麻痺知覺異狀鈍麻等之神經機能之變狀。

三　反射的刺戟法　（一名介達刺戟法）

此對於直接疾患。不能與以局部刺戟。如內臟疾患或深在之神經等。從解剖學上所見。施灸於其中樞或偏於患部。與以間接刺戟之方法也。例如胃之消化作用減衰。則刺戟於第六乃至第十一背椎神經。傳其刺戟於交感神經。以正復胃之消化機能是也。又如腎臟之分泌機能減弱。則刺戟於上位腰椎神經。傳搬其刺戟於各處之交感神經。以發起其分泌機能之興奮是也。

第六節　灸之健體及病體作用

灸之健體作用。與所謂灸之生理的作用。同一意義。即施灸於健體是也。從灸炷而發溫熱。爲一種理學的刺戟。從中樞神經系及自律神經系統作用等。而高神經之興奮性。增強各神經之作用。即於自律神經之支配下。對於各內臟之活動性。高於各種之腺因之各分泌之機能亢進。或制止血管神經作用。結果血管擴張。旺盛身體之血液循環外。更能佳良全身組織之新陳代謝機能。

其他白血球之增加等。與前述蛋白體療法同一效果。結果身體之抵抗力強。對於各種病之襲來。能爲預防。人生得臻永爲無病健康之生涯。實平生最大之幸福也。

今昔時異世遷。無論何事。咸有岐異。往昔長命耆年。隨處可覩。此等長命之人。均能注意於養生之法。施灸亦其中之一大原因。渠等俚歌云。「朝起起身多轉働。少食多灸爲忠孝。」常有三里灸、二日灸等。以施灸於三里膏肓絕骨或三陰交(任何穴所)等。

又灸治之病體作用。如前述灸爲直接反射誘導之三刺戟作用。應用各種疾病。而巧於應用此刺戟作用。以治愈疾病而奏效果之外。與蛋白療法同一效果。故血液中生某種之抗毒素。以對於各疾病強其抵抗力而導治愈疾病。

第七節　灸炷所發之溫度

在石綿板上。置電熱計之金屬線接合部。其上燃燒鷄卵大(凡四瓦)之艾。第一回表示五百七十五度。第二回表示五百六十度。又以艾置水銀槽部之周圍。其燃燒溫度達攝氏三百六十度以上。復以三十七度艾之肉片。其上置電熱計之金屬接合部。燃燒巨大之艾炷於其上。前後四面平均溫度達二百九十度。又剃去家兔腹部之毛。艾灸其部。以寒暖計計之。平均巨大之艾二百度。大切艾九十三度五分。中切艾八十二度五分。中小切艾六十二度五分。小切艾六十一度。

但生物之四度比較的低。因血液不絕的奪溫而去也。又艾炷之大小及品質之良否。亦能使溫度生高底之差

（依日本帝大醫學部　樫田原田兩醫學士之實驗報告。）

第八節　灸之皮下深部及就其深之實驗報告

灸熱於皮下組織之溫度。宜知其如何影響。以溫熱療法。爲灸治重要之點也。先從屍體之皮膚組織中。穿以小孔。用銳敏之寒暖計插入水銀槽部於皮膚下。與皮膚之表面平行。其皮膚上施灸。就其溫度之變化檢之。次用同方法。於家兔之生體。在大腿內側背部第七胸椎之右側等前後行九回之實驗。總括其結果。使用最普通之切艾所發之熱量少且熱之時間短。及於皮下深所之熱之影響亦僅微。而在○・四糎屍體之皮膚下。寒暖計不過及於一度之影響。反之巨大之艾炷。加熱時間長且熱量多。熱之深達作用亦大。於○・四糎家兔之皮下寒暖計上昇六・七度。於二糎深

之部尚見一・一度之上昇於二・三糎深之部〇・五度以下之上昇至二・七糎近之深尚有熱之影響。故施灸時若欲望強熱之深達作用。須用巨大之艾炷。而灸壯數亦不得不增多。

（依日本帝大醫學部　樫田原田兩醫學士之實驗報告）

第九節　施灸部之組織的變化

施灸時組織起灸痕者。艾火起火傷之結果也。施灸時其跡生水疱者。灸熱之溫度過高之關係也。蓋火熱弱時（約四・五度）其施灸之部。不過來一時性之充血。若稍強度。（約五十度）即招水泡。若再強度。（約五十五度）即陷於壞死。倘更強度。（約六十度）其壞死更及深部。此施灸之瘢痕。初呈赤褐色。經過若干時日。漸次變爲灰白或白色之斑點。若用顯微鏡觀察灸痕部。其皮膚之表皮。失去固有之構造。表面呈滑澤。而乳頭、毛囊、汗腺之排泄管知覺神經末梢之一部等。一時悉破壞消失。其部之皮膚厚者減少。且知覺鈍麻。經過若干時日。再從其部。復生神經纖維。而知覺復元。從此灸痕部刺針。以破壞皮膚。則其部皮膚。已消失彈力性。針刺入時。不覺抵抗。不感疼痛。又施灸部貼灸點膏藥。則膿及壞死性之物質。必充實於內部。所謂引起化膿者是也。灸痕部若化膿。其治愈後。灸痕必稍大。

第十節　灸之適應症

施灸既如前述直接反射、誘導之三作用之刺戟。不外佳良血液之循環、與一種之蛋白體療法。奏同一效果。故對於肺結核、淋巴腺結核、肋膜炎、腺病性體質（一種之潛伏結核）等。現偉大之效果。其外治一般神經痛、筋肉之痙攣等。知覺運動之麻痺。及依於自律神經系作用之神經性消化不良、腸之運動機能減弱而來常習便秘。又因其他充血而生之疾病。即種種炎症。子宮內膜炎。卵巢炎、喇叭管炎。膣加答兒。胃腸加答兒、鼻口腔、喉頭、氣管枝加答兒。氣管枝喘息。其他淋病、睪丸炎從淋毒而來之諸疾患。脚氣、筋肉、關節僂麻質斯等。能有特殊之效果。

內經云。「湯藥攻其內，針灸攻其外。即病無所逃矣。」灸治與針治同爲治病之要術。日本大寶令。灸術入針科之中。以其孔穴治病方面。稍相似也。但此項灸術從前多應用於外科的疾患耳。崇德天皇大治五年（紀元一七九〇年）關白忠通病癰。大如柑子。痛徹骨節。不能倒轉。由丹波重基灸三十七壯。其痛頓減。次日。膿潰而愈。其後堀川天皇嘉祿年中。（紀元一八八六年前後）「清益聞答」載北條時宗。由其師佛光國師之歸化人朗元房漢章二醫官灼灸。又「東鑑」時宗北條入道。患癰瘍難堪。招本道外科盡補瀉割灸之奇術云云。慶長三年。（紀元二二五八年）後陽成天皇奉灸道。例止於一條殿鷹司殿。其後病癰瘍時。例止於中院入道世定軒。從此以後。此術遂奉勅行之矣。又源平盛衰記。（字治川）筒井淨妙云。立於甲冑處之矢六十三。大事之手五所。訪問閉處。彼是灸治云云。又後藤良山著「病因考」能灸種種便毒。（今日橫痃之類）又能灸腫以散毒氣。由於以上觀之。可明往昔灸術應用於外科的種種疾患。今日外科醫術發達。灸術不過應用於其一小部分。而對於內科的應用。如前述種種適應症。則大顯偉大之效果也。

譯者案。自崇德天皇起至以散毒氣止。原本多雜漢文。故文字頗多杆格。讀者但會其意可也。

第十一節　灸之不適應症及其身體之禁忌症

灸之不適應症。即施灸不奏效。或有時而來有害之疾病也。世之言灸術者。分為不適應症及禁忌症二項。其意義無何等相異。但禁忌症施灸後。非特不奏效。而反多疾患。而不適應症則不加疾患耳。例如法定傳染病。（虎烈拉、赤痢、腸窒扶斯等。）急性盲腸炎。急性腹膜炎。凡伴以高熱之急性炎症。諸種癌腫。破傷風。丹毒。黴毒等是。

於身體之禁忌點不可灸之部位。與針術之不能深刺身體之內部相同。若施灸其部位。必有大害。茲舉禁忌點之部如左。

㈠眼球。㈡睪丸。㈢大血管之深在部。(例如橈骨動脈之下端總頸動脈之分岐。)㈣心臟部之多壯施灸。妊娠五個月以上之婦人。下腹部之多壯施灸。以上皆爲宜禁忌之部位。

其他如顏面手部等施灸。外面表現醜惡之瘢痕。有傷人體之裝飾美。可避者避之爲良。其外延髓部（瘂門）之多壯施灸。亦屬有害。

第十二節　艾灸之大小及壯數之決定

行灸治上。對於艾炷之大小及壯數之決定。最爲重要。猶之普通醫師。應各患者而決定藥之分量也。蓋灸治雖萬人同一。而炷之大小與壯數則不可同一。大小壯數如何決定。第一宜視其年齡而後再觀其體質與性之區別。男女之別)營養良否。最後更因病症而適宜決定之。

小兒或大人體質之虛弱者。對於結核性疾患之消耗性病者。如艾炷不小。壯數不少。難堪火熱。施灸後必覺疲勞，此外對於痙攣性之疾患。以興奮而欲達鎮靜之目的者。以壯數多。艾炷大為良。又對於麻痺性之疾患而欲達興奮之目的者。艾炷宜大壯數宜少。

第十三節　施灸點之決定及取穴法

灸術施灸點。古來與針術同依經穴法行之此項對於各病症之施灸點。於病理學篇詳論之。須基於解剖學熟悉骨、筋、肉、內臟等之位置形狀。脈管神經之分佈狀態。併知生理學之作用。與灸治學合併决定之。如有差誤。卽不能定施灸點。故於病理學篇。就各病症之施灸點。宜一一牢記其大綱。迨將來實際應用時。雖千變萬化。自能領會。且古來所定之經穴。從今日解剖學生理學上觀之。其理論與實際效果亦多符合。其中雖多不合理之箇所。但學者從經穴編而習經穴時。能對照解剖學、生理學、針灸學各學科。深習而研究之。其庶幾矣。又從解剖生理學上所見不合理之經穴而對於病症。亦多奏良效。此點不為多數臨床家所公認。此亦解剖生理之智識所未能判定。須俟將來化學進步而後。可解此種疑點。是則吾等所共同期待之者也。

第十四節　灸治之忌日

俗間施灸有種種忌日。例如巳日避施灸。歷日逢三。中止施灸。瘟癀日施灸。三日以內必死亡之類。此等忌日在智識階級每有宜避之傾向。『養生辨』云。吾生歲之日。與巳之日焚身。故巳年生者。一生不灸。

又有卯腹。辰腿。寅背。未頭。甲腰。或子目。丑腰。寅胸。卯脾、鼻。辰腰、膝。中。巳手。午心。未頭、手。申頭、背。酉背。戌頭面。巳亥頭頂之說。

名針灸師曲亭馬琴翁云。灸治先忌出生年日。卯日不據氣海天樞。寅日不燒七九。卯腹辰股寅背灸治均屬大忌。

又「金烏玉兔集」云。血忌日一切有憤之心不可行。血忌日者。丑正月。丑二月。寅三月。申四月。卯五月。酉六月。辰七月。戌八月。巳九月。亥十月。午十一月。子十二月。虫。註曰。血忌日者。天之善星會合。退治惡鬼之日。故諸人之血若出。與彼惡鬼之血難合。必受災殃云云。

貝原益軒云。方術之書多禁灸日。忌其日及其穴云云。道理不明。內經多云。針灸之事。不顯禁灸之日。

從以上考之。所謂禁忌之日。毫無何等科學根據。純係一種迷信。然症之治愈。實受精神上莫大影響。灸之忌日。固不可信。然者強勸其施灸。究難生何種效果。此則不可不考慮者也。以上述針灸學之各項既盡。茲更揭示諸醫學者。研究針灸術之論文於次。以爲針灸學篇之結束。

針灸學之學術文獻

醫師　欽島本一郎

針灸之生理的作用幷醫治之效用

古來我國（指日本言譯者註）所行之針灸醫術。每未明其生理之作用。而其適應症之施術。不能立奏奇效。或豫期效果。或反因此惹起副作用。於是對於針灸。疑信參半。因此不能達於發達之域。實爲斯道隱憂。依余輩之研究。述其一二如左。

第一　針所以去橫紋筋並滑平筋之緊張力。擴張血管。增進血行之作用也。

從物理學上所見。針從針刺部及其神經支配下。去橫紋筋並滑平筋之緊張力。以減該部之血壓。使血液大量從血壓高之部分向低壓部環流。

第二　鍼灸之對於神經作用

灸之刺戟。自始至終。爲興奮中樞、及末梢神經。針所以鎭靜神經之異常興奮。對於麻痺之神經。與以適度之刺戟而興奮之。

第三　灸之對於筋並血行作用

普通灸之刺戟。所以亢進橫紋筋並滑平筋之緊張力。而灸所以刺戟皮膚知覺神經。反射的收縮腹部大動脈管亢進末梢部之血壓。旺盛血行此可用脈波計檢查而知。

第四　針灸之鎭痛消炎作用

針能治痙攣性疼痛。例如因炎症性刺戟。(黴菌或其毒素)而擴張血管壁變性。此時血行速力增進。漸次遲緩血液成分變性擴張。通過血管壁周圍之組織滲潤。該部因充血滲潤。而發赤、腫脹灼熱、滲出液刺戟知覺神經而感疼痛。針有鎭痛消炎之效。能去橫紋筋並滑平筋之緊張力。去知覺神經之壓迫。增進血行。促炎症性滲出液之吸收。灸亦能促進血行。促滲出物之吸收。一方有誘導作用。兩兩相俟。而能收消炎鎭痛之效前述針灸之生理的作用。以治療或種疾病。較之藥物療法。確屬優秀。此等作用。如已瞭解。試述極簡單之血液生理。

血液有赤血球、白血球、並小血板等。赤血球主司瓦斯交換。白血球本形如球狀。如生活中滴蟲。延出原形質而突起。又有退縮性。常變換形狀。轉移位置。從毛細管之內皮細胞間穿壁而從組織中突起。以運動於組織中。生理學上需此或不溶解性之物質(例如於腸壁攝取脂肪及色素)以運搬配佈異物。例如排泄破壞之細菌。尤以炎性刺戟物。有異物現存之組織。從血管多量遊出。簇集生膿。白血球因化學的刺戟。而有興奮機能性。血液因胃腸之消化。而吸收食物。賦與身體組織細胞。以取呼吸時之酸素。而配佈於此組織之分泌腺。供給組織中必要之材料。有取其老廢成分。從皮膚腎臟等排出之妙機。故若來血行異狀。身體組織。必受著大之影響。疾病與健康。全不反對。不過分量之差而已。蓋疾病初起於內因。外因而內因外因一方欠缺時。病遂以起。

外因　從外部侵來在生理上爲一般之有害物。

內因　依身體內部之事情。而從內部侵犯。

吾人身體組織。對外因反抗。又從外因發生障礙。而有自然恢復之機能。此之謂天愈。或自然療能，以其有自然治愈疾病之意也。例如喉頭有異物侵入。卽發咳嗽以排出外界。胃腸入有害物時。卽發嘔吐下痢。以驅除體外。筋肉及神經生疲勞素時。其淋巴管及靜脈管卽吸收之。以運搬排泄於他部。血液中有細菌並毒素之侵入時。白血球卽攝取之而消化於體內。使之無害。組織中有固形異物竄入時。其周圍卽包擁此結締新生。若生創傷時。其周圍之結締組織細胞及血管新生增殖。以補充廢痕形生之缺損部。若罹傳染病時。對於病毒生抗物質(抗毒素)醫療者所以輔佐自然療能之不足也。或除去病因。或使早治之方法。以短縮病之經過。非別種特殊之方法也。蓋病雖有自然治愈之傾向。然若儘其自然放任。而不治愈。經過長之時間。不免因其他障害。而續發不利。故速施醫療。所以早除侵襲之外因也。眞病不醫。醫亦不治。蓋醫者。不過補助而已。普通醫療之難治者。爲筋萎縮症。然針治可以全治。玆述左之一例。以爲參考。

下肢筋肉萎縮症全治之一例

血族　患者稻芳市三氏。十三歲。父母健存。同胞二人。皆健全。無其他之特記。

既往症　生來健全。幼時經過種痘麻疹。平時常罹寒冒。惟未罹大患。本年五月罹肺炎。計一個月而治。本症當肺炎臥床中。感下肢之牽引。以爲由於肺炎之故。肺炎既治。而下肢屈曲愈甚。下肢筋日以羸瘦。不能起立步行。

現症　大正七年八月十八日診視。診上顏貌蒼白。全身羸瘦。而下肢尤甚。無浮腫及知覺之異常。無聽診上心肺異狀。僅肺動脈第二音亢進。於臥床之位置伸展下肢。其膝關節部甚屈曲。膝蓋骨當上掌面。僅僅加力伸展下方。即訴膝膕窩及腓腸骨疼痛。膝膕窩與床上之間隔。右計八寸。左計三寸五分。下肢厥冷。下肢筋羸瘦。全不能起立步行。

診斷　腳氣筋後遺症之下肢筋萎縮症。

療法　在患部筋膜。施針一二針。一次施術後。即感能伸展之樂。

翌日診視。比前日伸長一寸餘。下肢不覺厥冷。

本療法經過四十日。兩足全伸。下肢筋肥大如健康人。足腓腸部筋豐隆。(以下略)

結論

針灸之作用。爲鎮痛、誘導、興奮三作用。尙有一步。不得不進而研究。以達眞針灸醫治之效用。依余（作者自稱）之研究。針所以去組織之緊張力。擴張血管。旺盛血行。以促病的滲出物之吸收。一方去組織之緊張。去知覺神經之壓迫。有消炎鎮痛之效。灸則對於組織作用緊張。與以弛緩性。最爲有效。至灸能促反射性之腹部大動脈幹之收縮。旺盛血液循環。促滲出物之吸收。及鎮痛等。與針同其作用。此乃說明針灸治病之效果。最屬樞要之點。如斯則針灸所以旺盛血液循環之作用明甚矣。

以上從生理學及病理學上之見地。凡血行障礙。有治療機轉之害之疾病。不論急性慢性。均適應針灸。

凡施適度之針灸。能去諸種之病的痛苦。爽快身心。又食物之消化吸收不良。能鞭策自然療能而鼓舞之。且對於疾病之治療經過。有非常短縮之利益。余常以針灸。應用於左之諸病。均能收豫期以上之效果。

一　急性淋毒　睾丸炎　於患例　灸鼠蹊部之精系上。及刺針其部與腰部六七針。去苦痛。速解熱而治愈迅速。

二　不堪藥效之慢性胃腸加答兒　應用針及灸治愈迅速。

三　肋膜炎　肋膜炎施用灸術。能使滲出物迅速吸收。治愈經過既速。則其時期勝於藥物療法。彰彰明甚矣。

四　肺結核　於某時期（第一期第二期）用灸有奇効。

五　神經衰弱　歇斯的里。不眠症等等。輕者一次即愈。重症一週日。全用灸治。完全可治。

就以上諸病。請讀者屢屢驗之。則針灸對於醫療上功效之偉大自明。且此醫療上優秀之針灸術。我國（指作者自己之國即日本）自古行之。惜醫師應用者少耳。余（作者自稱）初研究針灸在三十五六年前。當時醫師用針灸者。彼自命知識階級之人。率力詆之。明治之末。依三浦謹之助博士之實驗。確認針灸之效。著論文發表。遂受醫學社會之注目。經原田醫學士。樫田醫學士之研究。富士博士之經穴調查。東京帝大及京都醫科大學。福岡醫科大學等。復設針灸學講座。研究針灸術之眞理。至今醫師社會。大有蓬勃發揚之氣象。是眞可為慶賀者也。現神戶山下醫學士與陽葉醫學士治病。常用艾與線香。對於患者大推獎灸之偉效。勸用灸治。又目下醫師。研究鍼灸術者已多。我等十數人開業醫師。亦入會矣。故斯道之前途發展。誠可喜也。

灸治談

醫學士　樫田十次郎

東京附近本所中三鄉。有最有名之弘法之灸。吾人於診察之際。見患者背部有四個大灸痕。此灸痕即爲用艾之所。其艾之大。直徑一〇四粍。周徑四〇二粍。高及一粍。艾屬黃白色。無夾雜物。且甚輕。其比重輕者無火消之憂。且少感熱。艾之大者。有大中小三種。小之中。更分數十種。大小之重量。甚不一致。或十二克。或僅四克。演者用實物幻燈鏡。在本所御廐橋橋畔。寫映其名灸。衆庶羣集之。弘法之灸用艾及「米蒲干烏」行於四國傳通院。即印佛像之紙。四折置於皮膚之上。與患者以艾之熱。於肩凝腰痛等患者。常擇要映出。供人觀覽。氏又時時表演。或用寫眞映寫。米蒲干烏者。以稀釋各種濃度。入硝酸銀之箸。以起灸症。其上行毛刷摩擦之法。又「阿布拉干烏」用燈心點火。從一文錢之孔。燒於身體一面之法。上州、草津。古來盛行此種灸治法。茲映寫獨谷學士之寫眞。以見患部之全部。其受灸治者。三年間無再發之事。

元來灸治法。有千二百通。禁忌之場所（禁穴）四十八處。而後者之部位。一致於神經血管之行路。又疼痛之部位。（頭痛者頭部）常不施灸。對於胃痛。在第八胸椎之附近。肺病。在第二胸椎之周圍（當氣管枝之分岐點）行之。此亦必然之事。例如對於頸部之傷疔施灸於拇指食指間是也。又灸者概多於伸展側行之。

艾所出溫度如何　夫艾者確實有三百六十度乃至四百五十度以上。（溶解於阿替摩鉛之力。）余曾借工科大學採礦冶金學教室以白金所作之寒暖計實驗。凡五百六十度或六百二十度乃至六百五十度。加之風送火力強時達六百七十度。又在石綿上燃燒出五百四十度。由此觀之。艾之溫度確實有五百度以上。又在三十七度溫之肉片上行灸有二百九十度。刺去兔之腹部之毛。在其上行灸。該部達二百二十度。（生物艾灸之溫度比較的低因其血液不絕的奪去熱故也。）嘗以特許專賣之一種灸治器。在皮膚七十度之溫度上裝置。其耐熱溫度從七十五乃至八十五度。其熱之及深。據弘法之灸。其初八度深〇・四糎。灸至一九〇度五。其深所不能達三〇三糎。用針寒暖計 Najcithe mometes 計之。熱之及深確實有二・三糎。若二・三仙米。不過僅有多少影響而已。葛羅斯氏行過熱療法之際。從皮膚表面二糎之深度。行溫度之上昇。計十五分時。達九度二分。此凡灸熱時同稱之。但灸在單時間內。及於深部之熱。必有特點。

灸治法與血液之關係如何　元來與全身以熱刺戟時。赤白血球增加。可減少部分之刺戟。其理由因腹部及皮膚血液之分佈。變爲皮膚內血球增減之故。點灸後。白血球增加。赤血球不一定。而白血球在點灸後二分時達二倍。其後漸次減少。但此種增加因灸熱刺戟而致血球增殖。其組織來眞白血球增加。又或依血管擴張力之增加。白血球之固定入於血流中。亦屬不明之事。又難起筋性白血球之增多。余更就知覺神經所及影響如何。加以實驗。恰如見針術之際。反射的來血管之收縮。

灸治與血壓之關係如何　亦曾數次反覆試驗。用哭拉來注射。其強者百耗。弱者十耗。終以呼吸數之增加而確實。又腸之蠕動。通常灸治之後緩慢。又前膊之容積。初增加後減少。與血管緊張之模樣相一致。

針事談

木村醫學博士

針之製。多以銀或金爲之。昔之鐵針。今日用者極稀。針如何用於疾病。聞之針師云。萬病可以醫治。據吾之（作者自稱）試驗。確係去興奮或誘導者。蓋某部興奮時。起於某所充血。此生理學所明示者也。其以外處貧血。又屬生理學證明者也。此興奮誘導二作用。實係確鑿之事。興奮之起因。其針刺於神經。或筋肉。起器械的刺戟。而興奮而誘導。

疾病之效。第一爲神經痛。特於坐骨神經痛爲最。作者曾醫五人。其三人針後卽全愈。一人係神經質。因變化而針術不能治。他一人半愈。其他之神經有效者甚確。蓋神經因針之器械的刺戟。而生化學的變化。此種神經疼痛。有時一度行之卽不疼痛

神經麻痺。因器械的刺戟度。與以興奮。確屬有效。同時營養不足者亦愈。又胃痙攣症。昔亦行之大效。今則用注射。蓋遠勝於煎藥云。

古昔傳聞針一支。能致人命之自由。今之鍼師。聞而甚怖之。復從而甚尊之。據吾之試驗。實無其事。最危險者。爲延髓心臟。圍於骨之處。決無危險。惟刺歇斯的里患者時。因其刺戟之反射作用。起周圍筋肉之痙攣。因歇斯的里是驚症。由精神機能。忽起驚恐而致騷然。騷然則心臟加倍運動。而起

針灸學講義　灸治學　三三

心臟麻痺。遂致危篤矣。又刺動脈靜脈。亦屬危險。又消毒之說。極無關於重要。因破皮膚時。大抵用「拔苦的里阿」常在消毒也。故此種針爲吾等醫師應用者。目下到底可不必用。

諸君對於針道應研究吾國古之技術。（指日本言）漸研究外國技術。蓋歐美之產物。尚有可資研究者也。尚望奮發而善爲之。

以上所載。對於吾人針灸家。從不當注意之點揭之。

張俊義曰。延命山氏爲日本之針灸世家。故其思想陳舊。立論多不脫神話窠臼。然其造詣之深。治術之神。舉日本之針灸醫師無其匹也。本社取其講義。譯印問世。俾爲學者之指針。至於經穴學。因其仍以十四經分部。初學者不易檢查。故改用日本東京鍼灸醫學研究所所長猪又啓巖氏之講本。又補瀉迎隨之說。以今日科學之立場上觀之。亦光無意義。茲姑仍存其說。他日當於針灸雜誌詳論之。讀者但取其術而適於實地應用。斯可矣。至於理論百家雜陳。非區區小册子所能盡載。取精抉髓。宜博覽羣籍。善自取舍。不多贅焉。

灸治學終

中華民國二十年十月初版
中華民國三十年一月三版

定價每冊六角

高等鍼灸學講義 針治學 灸治學 合編

編譯者 無錫繆召予
校閱者 四明張俊義
出版者 東方醫學書局
印刷者 蔚文印刷局
發行者 東方醫學書局

發行所 東方醫學書局
上海麥根路舢舨廠新橋西二三三弄六號

莆田国医专科学校
针科讲义

提 要

一、作者小传

作者不详。

二、版本说明

该书为莆田国医专科学校针灸教材，具体印制时间为1934—1940年。

三、内容与特色

该书分章节阐述针术之由来、定义，针之构造、种类、制法，针之长短、大小与应用，针尖之形状，针之选择、修理与保存，刺针之练习，刺针之方式，刺针之方向，刺针之目的，直接的刺激与间接的刺激，针刺之感通作用，刺针时之准备，刺针时之注意要项，刺针时医者与病者之体位，进针时之程序，进针后之手技，《黄帝内经》针法的操作及应用，科学观点之针法，近代诸贤补泻之针法，晕针之处置，出针困难之处置，折针之处置，出针后之遗感觉之处置，出针后皮肤变色高肿之处置，针尖刺达骨时之处置，针刺之禁忌。从内容上看，该讲义与承淡安《针科学讲义》颇相似，疑为莆田国医专科学校据承淡安之讲义誊写而来，以作为教学之用。

莆田縣國醫專校鍼科講義

鍼術之由來

鍼學一科，夫人盡皆知，為我中華最古之醫療學術，極首為九鍼十二原。曰黃帝問於岐伯曰：余子萬民，養百姓，而收其租稅，余哀其不給，而屬有疾病，余欲不使被毒藥，無用砭石，欲以微針通其經脈，調其血氣，營其逆順出入之會，令可傳於後世……先立鍼經。觀此可知鍼學發千餘年前[illegible]。

漢藝文志曰：黃帝內經一十八卷，後人謂即靈樞九卷、素問九卷。夫內經為黃帝與其臣屬岐伯等相互問難，辨別臟腑陰陽時序

鍼科　一

攝生療治之法為中華醫學最早之著作亦為中華醫學之基礎但以稽手實際黃帝時代文字純治金術尚未大成故劉向指內經為諸韓公子所著程子謂出戰國之末是非無因黃帝岐伯為著者所假托可以無疑然則鍼術之發明當在戰國時期考之山海經有高氏之山有石如玉可以為鍼則古代之鍼先為石鍼石鍼即砭石素問異法方宜論曰其治宜砭石閱上文不使被毒藥毋用砭石則鍼為砭石之遞變由石製而改為鍼製漢服虔云石砭也季世無復佳石故以鐵鍼代之則鐵製之鍼至秦漢而通用上文推想鍼術之發明在戰國時期或許無誤

吾人必欲考據鍼學發明時期，當先究靈樞素問之創造時代。漢志載黃帝內經十八篇，無素問之名。後漢張機傷寒論序始有撰用素問之語，晉皇甫謐甲乙經序亦稱鍼經九卷，皆爲內經，與漢志十八篇之數合，則素問之名起於漢魏之間。至於靈樞，漢隋唐志皆無此名，至宋紹興中錦官史崧乃云家藏舊本靈樞九卷，是此書至宋中世而始出。又杭世駿道古堂集靈樞經跋謂文義淺短，與素問不類，其十二經水篇乃王冰時之水名，黃帝時尚無此名，是此書乃王冰所輯而托名於古人者。觀乎此，素問靈樞之著又在戰國時代之後，鍼術或發明於戰國時期，必先有鍼術而後乃記其法則列為當世最古之內經總之鍼學為砭石之道法由石鍼而漸進可以集聚鍼學之書文可稽有法可循至于萬世而不泯滅者皆為內經之功也

二、鍼術之定義

鍼術者以一定之法則用金屬所製之細鍼於身體一定之部位如關節之間郄膕之處而刺入之施一定之手法以戟刺其內部之各組織各神經系統整其生活機能之變調以達疾病治愈之目的之一種醫術也

三、鍼之構造

鋼

古人以石之細纖而銳者為鍼，即高氏之山有石如玉之石，鍼石、砭石也。說文：砭，以石刺病也。素問異法方宜論曰：東方之民，病皆為癰瘍，其治宜砭石。是亦昔之鍼以石製者。本草綱目亦有云：古者以石為鍼，季世以鐵代石。是石鍼之後，改為鐵製。鑱錫錐渊鍼矣。後世製鍼法，以為御鐵為之，或用金鍼更佳，則鐵鍼之外，在明時已有以金製者。近百年海運開放，外貨充斥，以為御鐵製鍼之手術頗煩且易損折，剝用德國鋼絲以為之，堅韌又折又勝鐵鍼。

多矣然以其易銹有以金銀為之者特無綱鍼之滑利耳

四、鍼之種類

古昔之鍼分為九種名曰九鍼九鍼之意古人以應九數一曰鑱鍼取法於巾鍼去末寸半卒鋭之長一寸六分主熱在頭身也二曰圓鍼取法於絮鍼筩其身而卵其鋒長一寸六分主治分肉間氣三曰鍉鍼取法於黍粟之鋭長三寸半主按脈取氣令邪出四曰鋒鍼取法於絮鍼筩其身鋒其末長一寸六分主

癰熱出血。五曰鈹鍼，取法於劍鋒，廣二寸半，長四寸，主大癰膿兩熱爭者也。六曰圓利鍼，取法於氂尾，鍼微大其末，反小其身，令可深內也，長一寸六分，主取癰痹者也。七曰毫鍼，取法於毫毛，長一寸六分，主寒熱痛痹在絡者也。八曰長鍼，取法於綦鍼，長七寸，主取深邪遠痹者也。九曰大鍼，取法於鋒鍼，其鋒微圓，長四寸，主取大氣不出關節者也。此古之九鍼大小長短法也。本近代除鋒鍼、毫鍼外，甚少用之者。

靈樞九鍼十二原篇謂：小鍼之要，易陳而難入之

文。又第二篇爲九鍼解。是九鍼之外。又有小鍼焉。元臺註為微鍼。殆即近代所用之毫鍼也

附九鍼式

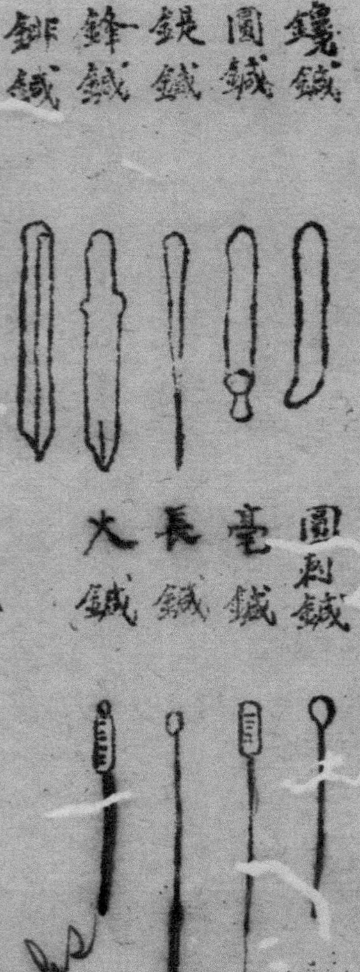

四、鍼之製法

一

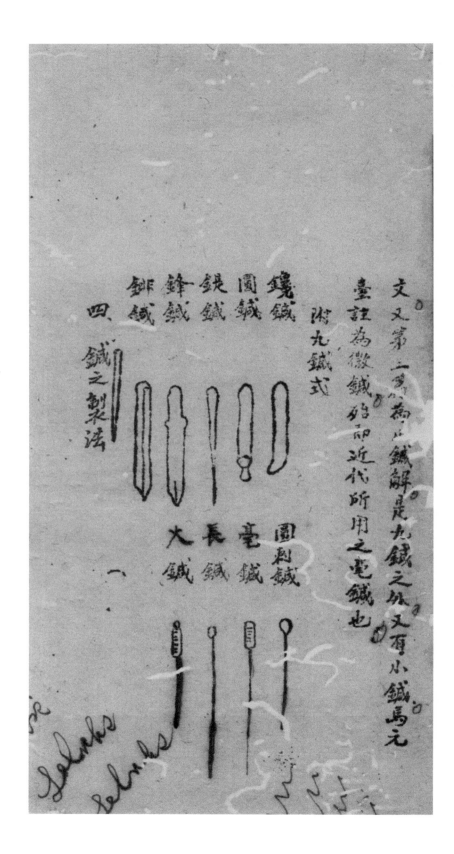

鍼灸火或製鍼法○以日御欽製○謂其無毒○
煅鐵或絲○分長短斷之○外塗蟾酥再煨之○云
可止痛○然後纏以銅絲為鍼柄○磨其一端為鍼
尖○專入芳香運氣辛溫和血之藥品中煮之○
謂藥可入於鍼質內○其意為施鍼時○藉鍼
內之藥氣○以助運血行氣也○實則鍼質細緻○
○吸收藥力極微○且煎後復須以磁層摩擦之○
○使之光潔滑利○即能吸收藥力○一經磨擦○
亦已消失○古人之用心○亦有似是而非者矣○

鍼科

近年工藝之突飛猛進。鋼鐵皆有細絲。勻而堅韌。鍼家以馬啣鐵製成法手續太煩。且脆而易折。故多以鐵絲或銅絲為之。惟仍入藥煮過。然後一端磨銳。成為鍼尖。一端繞以銅絲。成為鍼柄。繼以細砂捻摩鐵尖。使其利而不銳。圓而不鈍。再擦鍼身。務宜光滑細緻。於是應用於人身。自無痛澀之弊矣。

鋼絲之鍼。堅韌適中。有彈力而不易折。較之馬啣鐵製成者。不可同日語矣。然易起養化作用而生銹○為一大缺點金銀絲製者○雖不生銹○而柔軟易曲○美中尚有不足○今有一種不起養化作用之夾金絲○彈力亦不弱鋼絲○以之為鍼○則甚相宜也○

六　鍼之長短大小與應用

人之肌肉有肥瘦○部位有厚薄○下鍼有淺深○刺戟有強弱○欲適應其刺戟之深淺○則鍼之長短○不可不分也○為適應刺戟之強弱○則鍼之大小○不可不分也○就歷來經驗以得之○長者

鍼科　六

須三寸五分。短者為七分。從七分與三寸五分之間。為之分配一寸、寸五、二寸、二寸五、三寸、共計七類。於臨症應用、深處如脾樞、淺處如指端四肢腹背厚薄淺深無往而不宜矣。然是鍼之大者。鍼鋒宜稍大。便於刺也。且刺深者。大都刺激神經幹。鍼小則力不足而效不充也。鍼素宜小。利於皮下之輕刺。如以散瘀行氣為目的。則非大者不宜矣。

七　鍼尖之形狀

用鍼之目的。在直激其神經。發揮其行氣行血之機能也。神經機能之活力，固在神經細胞。而傳導之功。乃在神經纖維。纖維細而柔嫩。不能受重大損傷。故鍼刺祇可刺激神經。不能刺傷神經。鍼與神經之接觸。厥為鍼尖。欲其盡刺激之功。而無刺傷之弊。則鍼鋒不宜銳而宜圓。前人謂鍼頭圓者。血管遇之可以避。蓋肌經歷之謀。然鍼頭太圓者。其面積較大。則肌膚之力亦強。下鍼較為困難。病者或刺痛苦亦重。

○故鍼鋒要銳亦不可○太圓亦非宜○當於尖銳之中帶有圓形○於圓形之中須存銳利○總之能利而不銳○圓而不鈍○斯為上也○

八　鍼之選擇修理與保存

我國鍼醫用鍼○大都為鋼鐵所製○間有以金銀為之○鋼鐵富於彈力○製鍼最宜○惟易生銹○因銹而發生斑痕○苟不注意○小之筋纖維纏繞鍼身○發生劇痛○不易脫出○大則為之斷折○故鍼身之有無斑痕○為選擇上應注意之一○

金銀鍼雖不生鏽○無銹痕可慮○惟質柔軟○鍼鋒易毛且彎成鈎形○（鋼鍼亦時有之）其弊同於鋼鍼○故研究鍼尖之良否○亦為選擇上應注意之一○

不論金銀鋼鍼○愈用愈熟○熟則滑利而少痛苦○若一旦臨症應用○病家因體位移動○致鍼身屈曲○或鍼鋒成鈎○棄之似甚可惜○再用有所不能○如能善為修理○屈者直之鈎者正之○則仍不失為一枚良鍼也○

鋼鍼易銹。宜每日拭淨。若貯而不用。則塗以油質。可久藏不變。金銀鍼雖不生銹。用時亦必拭擦。貯鍼之器。普通都用鍼管。但鍼鋒易受損傷。最宜用鍼包。使鍼固定不移。則鍼鋒鍼身。可無受損之慮矣。

九 刺鍼之練習

以如線如髮之鍼。運於二指之間。欲使之透膚入肌。直搗目的。非有充實之指力不可。指力之成也。則非熟練不成。彼善用鍼者。微愁則

止嗽百部紫菀荊
桔梗甘草白前陳

道入内層○患者似無感覺○其初學者如刺如鑽○令人難忍○每以患者視為畏途○裹足不前○不特此也○同一病而同一治○一般效宏○一無進退○何也○亦指力之有無○捻運之純熟否耳○故欲謀斯道之進展○受病者之樂就○指力與捻運之練習○未可忽視也○練習之法有二○一為指力之練習○一為捻運之練習○先言指力之練習法○其法亦有二○一為棉紙球練習法○一為棉花三四兩○捲成

球形○無墨於於棉紙線、纏繞二、轉○臨時以三四寸長之毫鍼○用右手大指合食指及中指○時時捻進捻出○日復一日、、而鍼日增一層○經年累月○線球大而結實○捻鍼乃能自如○功力已至○用諸人身○不復感痛苦矣○

又法以書一冊○懸於壁間○高與肩齊○初取一頁○依字而捻刺之○日加一頁○五天頁後○二日加一頁○增至十頁○三日加一頁○如積至三十餘頁○能不費力而鍼透之者○可以之

應用自如矣○

次述捻運之練習○捻運之主要技術○在乎提撚捻撚○左旋右轉○進退疾徐○各有法度○彼乎提撚熟者○於痛之療治○其功效相去倍蓰○故初學者應有相當之練習○練習之法○先以鍼插入棉被中為提插捻動之練習○繼為左旋右轉之捻撥○再進為進退疾徐之修習○能心有獄于手應之○圓轉自如○然以之臨症○可謂得心而應手○無往不利矣○

十　刺鍼之方式

刺鍼之方式○專言進鍼時應用之手法○就所知所見者有三法○一為打入法○二為揷入法○三為捻入法○打入法今已不行○揷入法兼有行之者○最流行而最普遍者為捻入法○

打入法○其鍼短而粗○鍼尖夾於左手拇指食指之間○按於穴上○尖着皮膚○二指將持其鍼尖與鍼體之角度○然後以右手食指扣打而下○入穴約二三分深○然後以左之拇食中三指扶持鍼

柄而捻運之○此法今已不行○聞陝北尚有行之者○日人亦有打鍼法○惟不用指打○其技不及我國多矣○

揉入法○今日有所謂達摩鍼法者○其鍼亦粗類似九鍼中之圓利鍼○進鍼皆用揉入法○先以左手拇食二指固定穴位○右手持鍼○拇食二指挾持鍼尖○露出鍼端約一二分○鍼柄則支於虎口○然後以鍼尖密按穴上○准定入鍼角度○二指畧行寬鬆○藉虎口掌腕之力直揉入穴一二分或

針術

三四分○精停乃行爪括捫循提彈守法○

捻入法為普通之下鍼法○亦下鍼法中之最簡便

法○手技分長鍼下法與短鍼下法二種○茲言短

鍼下法凡用短鍼之處○大都屬頭部肢末筋肉淺

薄知覺神經末稍分佈最密之部○下鍼捻入之時

○先以左手拇指爪切穴上○右手拇食中三指○

挾持鍼柄○無名指傍扶鍼身○鍼尖着穴○於是

挾持鍼柄之指○捻轉進下○至應入之目的而止

○長鍼之挾持法○同於短鍼○鍼着穴之後○左

手拇食二指○即挾持鍼身○當右手捻當鍼柄送下之時○左手拇食二指一方扶持○不使鍼身偏斜○一方助鍼總送下○至應深之目的而止○然後行捻運之手術○

又有管鍼法者○盛行於日本○以圓形或六角形之細鍼管○較鍼稍短二分○應用時以鍼插入管內○鍼尖一端○按於穴上○左手拇食二指挾持之○右手之食指扣打鍼柄○鍼即入穴○然後將鍼管上提○挾管之二指　挾鍼身○一方持原

刺鍼之方向

有之角度○鍼管既去○手捻動鍼柄而下○此法雖手術較煩○如術者技方不足或婦女膽怯者○用之亦免痛之一法也○

十一 刺鍼之方向

刺鍼之方向者○言鍼刺入穴時○所向對之角度也○約分言之可列為直鍼横鍼斜鍼三種○直鍼者○不論直下或平進○皆保持其九十度之直角○所謂直角○係皮膚面與鍼尖相接洽○其兩方作成各個直角是也○人身經穴○大部分皆

刺鍼之目的

從直角下鍼。

撚鍼者。即沿皮下鍼。不入筋肉。鍼從鋭角刺入之謂也。所謂鋭角。鍼尖與皮膚面相會。大約成為二十五度角度是也。横尖之穴甚少僅頸部胸部數處。

斜鍼亦曰斜刺。鍼從鈍角刺入之謂也。鈍角者鍼尖與皮膚成九十度以上之角度是也。如鍼風池太谿崑崙諸穴。應用亦甚夥。

第二　刺鍼之目的

內經有曰○欲以微鍼[illegible]○調其血氣又曰虛則實之滿則泄之菀陳則除之邪勝則虛之○此古人用鍼之目的也○從今日科學目光觀察之○通經脈調血氣○即為刺戟其神經與血管○使血行流暢也○虛則實之滿則泄之○即近代鍼醫謂之虛則補之實則瀉之是也○所謂虛○乃某組織之機能減退也○所謂實乃某組織之機能亢奮也○菀陳則除之○邪勝則虛之○無非散其鬱血充而已○

鍼之氣血受奪而充。宜以指蓋之使不漏泄也。故補法則用此。

內經又曰。氣之勝也。微者隨之。甚者制之。已氣之復也。和者平之。暴者奪之。安其屈伏。無問其數。以平為期。夫氣之勝復靈神經之興奮過甚也。如肺之咳。胃之痛。病因雖多。總屬臟氣之勝。亦即某部之神經太興奮也。隨之制之平之奪之者。蓋所以制其興奮。和其血而平其氣而已。

内經又曰○頭有疾取之足○足有疾取之上○入曰病在上取之下○病在下取之上○病在中○傍取之○此即遠道取鍼之術○施灸之法也○綜上觀察而歸納之○刺鍼之目的○一使神經起興奮○一制止其興奮○一誘導其充血鬱血及病之産出病是也○簡言之刺鍼之於治病○以古説言，不越乎補瀉○以新理論不外乎興奮制止誘導三種而已○

玆特言興奮制止誘導三種之作用與方法

一 奮法

止法

興奮法者○專應用於生活機能減弱之疾病○如肺虛肝虛脾弱胃虛[illegible]麻木等○所謂其虛則補之者○對於此類之疾病○與以輕微之刺激○興奮其各組織之神經○鼓動其生活之機能○以達療治之法也○

制止法者○與興奮法絕然反對○專應用於生活機能之亢進所發之疾病○如知覺神經過敏○發生疼痛○運動神經過興奮發生痙攣○內臟神經太旺盛發生某種分泌過多○宜與強之刺戟以制

誘導法

止之鎮靜之緩解之之法也○即內經所謂實則瀉之○邪勝則虛之法也○

誘導法者○即頭有疾取之足○於距離患部之處○與以刺戟使其部以血管擴張導其患部之充血鬱血○或病之產出物○以達療治之目的○所謂微者隨之法也○其他如暴者奪之○苑陳則除之○即今之放血法刺血法也○

十三　直接的刺戟與間接的刺戟

上節述鍼治之目的○吾人已知○不外施制止誘

導興奮三種作用○但刺戟點湏直接刺其患部之深層○神經幹或血管○使之發起作用○以達到其目的○然而在皮膚淺層○知覺神經之末端○刺用反射作用○與以淺刺○亦能達到其目的○覺之深刺戟有時反覺為優良○以末稍之反射範圍較廣○惟此類之皮膚刺戟藉其反射力而發揮作用○可名之曰間接刺戟○其直接刺其與患部有疾之神經筋肉或血管○可名之曰直接刺戟

十四　鍼刺之感通作用

當鍼刺入人體之時。恰如電氣之感傳。而發生一種如麻痺樣之刺戟。亦有如發熱感覺如痠如痛者。皆名之曰鍼之感通。鍼醫名之曰得氣行氣。其感通之範圍不一。有在一部者。有沿其神經所經過之區域而發感覺者。如鍼腰部。能感覺至下肢與足趾。如鍼背部能波及上膊與肩胛。亦有不循神經之經絡感傳者。如鍼足部而感傳至頭。鍼胸而感傳至足。良由神經交綜錯節。無處不通。自某部之刺戟。其神經發生興奮

傳于中樞起反射之興奮作用○使附接之神經細胞亦起興奮○從而波及其他之知覺神經發生感覺○亦未可知○

從麻痺癢痛之感覺○亦能推知其病之輕重○下鍼而發感覺者其病輕○久而始感覺者其病重○感傳遠者其病輕○限於一部者其病重○術者指覺之敏鈍者○亦能知其感覺之有無與輕重○鍼書有曰○鍼下得氣如魚吞餌之狀○邪氣之來也則緊而急穀氣之至也和而緩○是皆

指覺也○指覺非人之所能○非熟練不可○亦非細心體會不可○殆非[illegible]筆墨可以形容者也○

十五　刺鍼時之準備

吾人在臨床施術之時○宜如何作準備○曰第一部請施術者之手掌手指○與其診察上之用具○然後診察病人審明症狀○以定治療之方鍼○確定應取之經穴○乃出其耀目之鍼○擇取適於其經穴深淺之長度○即以淨布勤擦之○如用棉花蘸以精鑌擦尤佳○鍼既檢定○乃使被術者○整

刺注意要項

其體位○安其心志○毋移動胆餒○鍼穴部位為之亦分消毒○於是徐徐為之下鍼○行種種之手技焉○

十六　刺鍼時之注意要項

臨床施術○不特如上節之先與消毒而已也○於鍼身鍼鋒之是否無損○應有詳細之審察○苟發現缺點○宜以薄紙試之○全鍼刺過○絶無聲息○則鍼身不損○退出無音○悉無阻碍○則鍼鋒亦良○以之應用○可以無憂○

鍼既良矣○而之也者面無血色○目瞳少神○於未可以辨然下鍼也○必詢其有無受鍼之經驗○如其未也○宜緩辭之○必欲鍼治○必先告以暈鍼之情狀○與不但餓○然後徐徐下鍼○微運而退○長時之强刺戟○絕對禁忌○當下鍼捻運之時○必十分注意其面部之顏色○微有變動○立即停鍼○且此一二穴後○雖不發生暈鍼○亦宜停止○使其翌日再鍼○萬不可以其不妨而多鍼亞○恐起極度之腦貧血○則悔已晚矣○

於若遇病者○雖不慮及鍼之發生○然於下鍼之時々若發生筋肉痙攣○切不可强力刺下○宜立即停止○切之循之○待其攣急緩解○然後徐徐下鍼○否則未有不發生屈鍼者也○

皮膚過於緊張者○刺下每感劇烈疼痛○皮膚下分弛緩者○易於移動○且以堅韌而不易刺入○故痛感每較常人為重○凡遇此等患者緊張者○必先施强力之摩擦○弛緩者○以左手拇食二指緊張其皮膚○然後為之進鍼○可免若干之痛苦

矣○皮膚之易不移動猶在其次○
其他關於小兒婦女之鍼刺○尤宜注意○其好動
下鍼○宜淺而速○不能久留○否則折鍼彎鍼○
未有不演出者也○至若病勢衰弱已極○脈微神
散○氣短欲絕○當此之時○萬不能輕易下鍼○
妄想救治○靈樞經亦曰○用鍼者○觀察病人之
態○以知精神魂魄之存亡得失之意○五者已傷
○鍼不可以治之也○蓋精氣已衰竭者○根本不
存○油乾灯熄○鍼雖萬能○亦難挽再造之功矣

雖然恐怯病症而形似虛脫○若與以强烈戰之反射○每有因此而變更主者○是又不能恐受誹謗之嫌○而袖手旁觀也○

廿七　刺鍼時醫與病者之體位

凡將施術之先○醫者與患者須有一定之體位○苟患者之體位不正○則取穴不確○且神經筋肉肉骨骼之位置○微有不同欲其舒經行氣○不可得矣○即醫者之體位不正而草率施術○往往亦能發生偏倒○難於進鍼或屈鍼之弊○此體位之所

宜注意也。

考各經穴條下。關於取穴之法。皆有註明。如仰臥、俯伏、拱伸、蹲踞、各有定法。然病有輕重。力有盛衰。未可執而不化。坐臥側伏亦宜隨機權變也。茲定二者之體位式如左

甲　患者之體位

患者之體位以舒適。與筋肉弛張之程度自然為標準。如是在施術之中。不致十分移動。若其姿式屬於勉強。必中途轉側。發出折鍼屈鍼之

弊。關於各部施術方面。採取左之方式。期大致不誤矣。

在頭部側面施術之時。用坐式仰臥式或側臥式

如顳顬之後面。則取坐式伏臥或側臥式。

在顏面部取正坐式或仰臥或側臥式皆可。

頸部及胸部腹部之前面。則使其仰臥以施之。正坐亦可。在刺側胸部側腹之時。取側臥為善

後頭部及肩胛部背部。則用坐式或伏臥式。

四肢及臂部取坐式或側臥式。患部向上。而以施之

乙　醫者之體位

醫者之體位無定○必隨患者之體位如何○而採取其適當之位置○總以易於施術○易於發揮腕[illegible]力與指力為原則○

十八　進鍼時之程序

進鍼之時○其先決之條件為消毒○於刺鍼時之準備○一節已言之矣○準備已畢○即為刺鍼之實施○其程序有三○一曰爪切二曰持鍼三曰進鍼○為分述之○

爪切：、難經曰知爲鍼者信其左，不知爲鍼者信其右，當刺之時，必先以左手壓按其所鍼榮腧之處，彈而努之，爪而下之，其氣之來，如動脉之狀，順鍼而刺之，云云。此而言進鍼之時，宜先彈努爪下而後進鍼也。彈努爪下，即按摩爪切，非維使其皮下知覺神經麻木，進鍼減少痛感已也，主要在深尋穴位，切準穴門，下鍼不致傷骨傷筋也。按摩爪切之法，乃起初於其應刺之部位，以左食指或拇指，微着力按摩深尋骨隙穴位，既得，以爪下切成十字紋，或一字紋，然後以鍼尖着於之中央而下，直達應刺之目的，可無阻無碍矣。若操切從事，持鍼而刺，雖依其分寸，而不按切則未有能中的者，故善用鍼者，信其左也。

持鍼：

持鍼之道，亦為重要，內經有曰：持鍼之道，堅者為寶，正指鍼刺，無鍼左右，神在秋毫，屬意病者，審視血脈，刺之無殆。又曰：持鍼之道，欲端以正，安以靜。明季鍼家楊繼洲氏曰：持鍼者，手如握虎，勢若擒龍，心無依慕，若侍貴人，此皆言持鍼必端正而

心靜聚精會神專意於指端與鍼端直刺橫刺斜刺保持其角度而後下鍼斯克盡持鍼之法也

進鍼

進鍼、、古人於進鍼之時先定補瀉之要後行進鍼之法靈樞經求篇曰凡瀉者必先吸入鍼凡補者必先呼入鍼後之醫者令人咳嗽一聲以代呼或口中吸氣以代吸乘患者呼氣或吸氣之中而下鍼其規則謹嚴慎重從事庶識一脉自今日人體生理剖解之學發明知古人之所謂營衛氣血者一為血液之流行一為神經生理之現象鍼之補虛瀉實不越乎興奮制止等之作用對於其補瀉之手技僅屬於一種刺戟法之程度進鍼時對於呼吸上實無注意之必要而心之靜手之穩徐徐捻撥而下一方視其面部之表情為進鍼捻撥之緩急面色不變口眼不縐引者進鍼可速而下反之宜輕微漸進是乃進鍼之要訣也

十九　進鍼後之手技

鍼既進矣即為捻運就古法言目的在乎補瀉以新理論則不越乎制止興奮誘導三者目的不同手技

進鍼後之手技

遂異、參之內經、徵之近賢，名目繁多，心目為眩。大都標新立異，不切實際，在作者不外示其廣博，且閃爍其詞，不肯明言，以顯其神秘，而後之學者以其玄奧莫測，索解無從，遂視為畏途矣。鍼道之不明，實斯輩為厲階，毋怪有人目鍼家為草澤鈴醫之流也。編者不才，於古人手技之神秘處，未敢悉皆附從，如內經鍼法尚有可取之處，特錄其要者，為之註釋，以供同志之參考焉。從科學立場，吾人對於鍼法應取之途經，厥引之於後

拜式

雖然鍼術肇始軒岐，歷今數千餘年，關於用鍼法則以及手技，有不少變更，因多穿鑿附會之處，然相沿已有千百年之歷史，吾人既究研鍼術，亦不可不知其概要，因亦附錄於後。

甲 內經之鍼法

「九鍼十二原」曰：小鍼之要，易陳而難入，粗守形，上守神，神手神客在門，未覩其疾，惡知其原，刺之微在遲速，粗守關，上守機，機之動不離其空，空中之機，清靜而微，其來不可逢，其往不可追，知機之道，知不可掛以

髮、不知機道、知之不發、知其往來要與之期粗之闇
乎妙哉、工獨有之、往者為逆來者為順明知逆順正
行無問迎而奪之、惡得無虛隨而濟之、惡得無實、迎
之隨之以意和之鍼道畢矣

編者按曰本節首言小鍼之不易施故曰易陳而
難入也繼分粗工上工之所守蹤眾不聞妙機一知
守神能觀原病而知其虛實故曰粗守形而上守
神也其得神之妙者知病之在何經如客之在門
了然其出入之道也不觀其疾不知其言原施鍼

鍼注

二十五

不可不先審其病也次言刺鍼之真諦在乎遲速守穴中之妙機以適應病體之虛實即上守其機機之動不離其空也夫空者關節之空間也即神經出入之處也神經因受刺戟而發生反射機局部筋肉收縮是即機之動也粗工不知僅按其關節而刺之以為盡鍼之能事以此其所以名粗工下工也神經之機能微妙不可思議因神經細胞之活潑與否發生反射機能有強弱之分如其強也不能使之更強如其弱也不能使之再弱故曰

其來不可逢，其往不可追也。欲知反射弱之妙機，乃在指端，非可得聞而可得見也。惟有熟練之上工，乃能之察其反射力之如何而應以適當之手技，所謂知機之道者也。粗工不知此妙機，而不知其往來，故曰闇也。所謂往來者，指神經反射感應之起止也。當其起也謂之來，當其止也謂之去。粗工不知其起止，坐失將機，已止矣而猶擊之，故曰往者為逆。上工能察其起而應用其手技，故曰來者為順也。能明往來，而知順逆，所謂應其衰而彰之，應其實而虛之。

調正其機能之盛衰違疾病之驅除還而奪之、即實而虛之也追而濟之、即衰即彰之也還奪追濟能隨己意而和之所謂得心而應手盡用鍼之能事矣、

凡用鍼者虛則實之、滿則泄之、菀陳則除之、邪勝則虛之大要曰徐而疾則實、疾而徐則虛言實與虛若有若無察後與先若存若亡為虛為實若得若失

論者按曰本節言用鍼之大綱、經曰凡欲用鍼、必先按脈、脈之虛而無力者氣之弱也、當補之即虛

則實之謂也。脉之盛者，氣之盛也，當瀉之即瀉之，則泄之謂也。見其青絡怒張，乃鬱血也，則刺而放之，即菀陳則除之謂也。病痛甚而起之暴者，則解散之制止之，即邪勝則虛之謂也。徐而疾則實，此言其技徐入其鍼而疾出也，謂之實，謂之補。疾而徐則虛，言疾入其鍼而徐出也，謂之虛，謂之瀉，是也。所謂實與虛者，一為使神經興奮，謂之有氣；一為使神經安靜，謂之無氣，以若有若無之釋也。察後與先，若存若亡，治殆初因其氣而是之乃謂若針而若存，初因其氣實而瀉之，乃謂若存而若亡也。為虛為實若是若失者，言瀉之而虛，若有所失；補之而實，若有所得也。本節不肯定曰有無存亡得失，而曰若有若無、若存若亡、若得若失，愚深佩古人之卓見而會入微。何也？蓋本節之補瀉虛實，指氣之虛實言也。古人之所謂氣，周有多端，如本節之所指乃神經之活力也。神經興奮太盛而使之安靜，即古人謂實則瀉之意。為瀉若瀉其氣也，氣已瀉而不曰氣已無氣已亡氣已失而曰若無若亡若失細經因法方衰弱而使之興奮即虛則補之義也但不曰已有已存已得而曰若有若存若得此非故人之卓識曷克臻此

虛實之要九鍼之妙補瀉之時以鍼為之瀉曰必持內之放而出之排陽得鍼邪氣得泄按而引鍼是謂內溫血不得散氣不得泄也補曰隨之隨之意若亡之若行若按如蚊虻止如留而還去如弦絕令左屬右其氣故止外門已閉中氣乃實必無留血

急取誅之

編者按曰本節首言補虛瀉實以九鍼為最妙繼言補虛瀉實之方法瀉曰必持鍼以入之也放而出之言提鍼以放出邪氣也排陽得鍼者得以鍼摇大其孔排散衛陽使邪氣可得而泄也按而引鍼是謂內溫此言補之法也按而引鍼者亦即引鍼以按入之名曰內溫內溫者和其內部血氣血也故曰血不得散氣不得出也曰補曰隨之以下專言補之手技隨者意若忘之若行若

[illegible]若蚊虻止如留而還去如弦絕識形容補法之
絕妙好詞也吾今為之分解之一語道破不知其
合意深長耐人尋味矣隨之意若亡之者隨順也
亡無也言鍼之捻撚順手所至若有意若無意也
若行若按行動也按下也言鍼似動而似按也如
蚊虻止如留而還者以蚊虻之吸血情狀為譬也
自令左屬右而下乃言出鍼之手技令左屬右也
屬從也隨也言令左手從右手出鍼之時按其
孔穴則內之氣止外門閉而氣不泄於是中氣實

鍼科　　二十九

矣。如有留血急除去之。是即必無留血患。以
誅之之意也。
編者復不嫌詞費而重申其義。補者使神經
活潑興奮也。瀉者排除神經障碍。或制止其興
奮。使之安靜也。編者屢言之。使神經興奮之
手技。必須用輕微之刺戟。欲制止而使之安靜。
必用强之刺戟。學者試一思之。
本節言補瀉之手技。雖寥寥數字。然研討
其意義。能深合今之新理。可謂詳且盡。誰說古

人之學鍼不科學也耶。

刺之而氣不至，無問其數；刺之而氣至，乃去之，勿復鍼。

編者按：本節示人以鍼貴得氣，氣至而已。不至則候之。望之不問其數，誠開宗明義，如何明且盡也。不知後人為何復演出六陰九陽子午搗臼等種種眩人名目，殆未覩內經鍼法之真義也歟。

鍼科

三十

醫学·田畈

徐岩儒厂

徐入徐出，謂之道氣。補瀉無形，謂之同精。是非有餘不足也，亂氣之相逆也。

編者按：本節之鍼法不分補瀉手技，但徐入徐出以鼓動其氣，所謂不虛不實，以經取之之法也。補瀉無形者，不拘補瀉之手技，形式但徐入徐出，以和其氣血，故謂之同精。精者，指營衛氣血也。營衛同生於水穀之精氣，故本節簡稱為之精。清者為營，濁者為衛，清濁相干，乃生逆氣而為病，非氣血之有餘或不足也。故以鍼徐出徐入以道之。

病之始起也，可刺而已；其盛，可待衰而已。因其輕而揚之，因其重而減之，因其衰而彰之。

編者按：本節言刺法之因病制宜也。病之始起也，輕而微，刺入即可出鍼，故曰可刺而已。病之盛者，宜久留其鍼，以待其病勢衰而後已也，故曰其盛可待衰而已。因其輕而揚之三句，乃言因病施技之法也。病之輕者，所病係出係入，揚其氣而已，蓋輕刺法也。病之重而屬實者，所謂因實則寫之之法，而減之也，即重刺戟法也。因其衰而彰之者，補法也，亦即輕刺法也。

刺虛者，須其實；刺實者，須其虛。經氣已至，慎守弗失。深淺在志，遠近若一。如臨深淵，手如握虎，神無營於衆物。

編者按本節言刺虛刺實之必要條件、刺虛者須實而後已、所謂必待其陽氣隆至、鍼下覺熱而後去鍼也、刺實者、所謂陰氣隆至、鍼下覺寒而後去鍼也、經氣一至以下言運鍼之宜專心一意、始終不懈、即如臨深淵、手如握虎、神無營於眾物也、深淺在志、遠近若一者、乃言運鍼淺深氣行遠近、一如其氣也、

瀉必用方、方者、以氣方盛也、以月方滿也、以日方溫也、以身方定也、以息方吸而納鍼、乃復候其方吸而轉鍼、乃復候其方呼而徐引鍼、故曰瀉必用方、其氣而行焉、補必用員、員者行也、行者移也、刺必中其榮、復以吸排鍼也、故員與方非鍼也。

編者按本節言補瀉之貴乎適中其度也，瀉必用方，方者適當也，以氣方盛者，所謂適當其氣盛而瀉之，以月方滿，以日溫者，古人用鍼每擇日擇時擇人之精神充沛之時也，以身定方者，擇其氣血和平之時也，以息方吸而納鍼，以下至其氣而行焉，則言鍼之出入，必當其吸或呼之時而為之，於是其邪氣出而行並氣行也。補必用員，員者行也，行者移也，其意頗費解，按其大意，補者補虛也，古人之所謂虛，每指氣虛言，氣虛者氣不行也，今之所謂神經不活潑而無力以動也，補之使其氣行，使其發動，故曰員者行也，行者移也，則補必用員者，即補必須使氣鬱轉活動而流行也，刺必中其營者，鍼必達於內也。張隱庵曰，必中營者，刺血絡也，刺血絡則出血，出血之鍼屬瀉鍼，補法使其出血，理不可通，古人以衛主乎外，營主乎內，此刺必中營者，殆刺必達於營之部分也，復以呼吸排鍼者，隨其吸氣而出鍼也，故員與方非鍼也，乃取其意也，

吸則納鍼，無令氣忤，靜以久留，無令邪布，吸則轉鍼，以得氣為故，候呼引鍼，呼盡乃去，大氣皆出，故名曰瀉

編者按本節專言瀉鍼之手技，下鍼必乘其吸氣之時，不與其氣逆，下鍼之後，仍乘其吸而轉鍼，靜留若干時，待其氣至，

乘其呼而出鍼，邪氣皆出，故名曰瀉，夫所謂靜以久留者有二解，甄是執非，不能起古人而問之，但求理之可通，驗之有以準，所謂二解者，一、鍼入穴中，留置不動，以壓制其神經之興奮，可收止痛止痙之效果；一、為靜其心意，鍼留穴中而捻運之，對於因充血靜血而發之疼痛、痙攣、痛絕不之效果，張馬二家，依其字義而解，僅知其一耳。

必先捫而循之，切而散之，推而按之，彈而怒之，抓而下之，通而取之，外引其門，以閉其神，呼盡內鍼，靜以久留，以氣至為故，如待所貴，不知日暮，其氣已至，適而自護，候吸引鍼，氣不得出，各在其處，推闔其門，令神氣存，大氣留止，故命曰補。

編者按：此節係言補鍼之手技，馬玄臺之註疏，隨文解釋頗明，摘錄於下：

此言補虛之法也，言未用鍼之時，必先捫而循之，謂以指捫循其穴，使氣之舒緩也。切而散之，謂以指切捺其穴，使氣之布散也。推而按之，謂以指揉推其穴，即推按其處也。彈而怒之，謂以指彈其穴，使病者覺有怪異，脈絡膹張之意，使之脈氣填滿也。抓而下之，謂以左手爪甲掐其正穴，而右手方下鍼也。斯時也，鍼入其中，通而取之，以取其氣，候氣已至，外引其鍼，以閉其門，

門者穴門也，即推闔以閉其神氣，此乃始終用鍼之法，而其間
尤有節要，不可不知也，方其入而下之之時，使病人呼以出氣，
而吾細審其鍼，必靜以久留，候正氣已至，為復其氣，無慢心如待
所貴實無不隨心，不知日暮，其氣已至，又必調攝適其而護守之，又
候病人吸入其氣，而吾方引鍼，正氣不得與鍼皆出，正氣在內
而鍼在外，各在其處，遂推闔穴門，令神氣內存，正氣之大者為
之留止，故名曰補。
編者尋按，本節之靜以久留，與瀉之靜以久留，有不同焉。以編
者之推測，上節靜以久留可為二解，一為留鍼法，一為強戰

法就其收效言，甚合瀉之本義，久移之於補之手技中，則似有不合，以其致用言，不合補之本義也，故本節之暫以久留當另有一種手技，所謂法於往古，驗諸來今，從補字之意義推之，必屬徐徐捻進之一種輕微刺激，是耶非耶，尚待考徵，

乙、科學觀點之鍼法

單刺術

單刺術者，鍼之目的，刺達筋層間，立即以鍼技去之法，屬於極輕微之刺激，此法應用於小兒或婦女之無受鍼經驗者，或身體衰弱極度之症候。

鍼灸學

旋撚術

旋撚術者。鍼在身體刺入中。或刺入後。或拔鍼之際。右手之拇指食指以鍼左右撚旋之一種稍強刺戟之手技。適用於制止。或興奮為目的之鍼法。

雀啄術

雀啄術者。鍼尖刺達其一定之目的後。鍼體恰如雀之啄食。頻行急速上下運用之。專用於以強刺戟為目的之一種手技。然而其緩急強弱。不僅為制止作用。亦能應用於以興奮為目的為之一種鍼法。

屋漏術

屋漏術者，與雀啄術之行用少有些微不同，即鍼體之三分之一，刺入後行雀啄術，再進三分之一，仍行雀啄術，更以所刺之三分之一進之，仍行雀啄術，在退鍼之際亦如刺入時每回行雀啄術而出鍼，此為專用於一種強刺戟為目的之手技，適用於制止誘導二種目的。

置鍼術

置鍼術者，為以一鍼乃至數鍼刺入身體各穴，靜留不動，放置五分鐘乃至十分鐘，然後拔鍼之手技，適用於以制止或鎮靜為目

三十六

的之法。

間歇術

間歇術者，為鍼刺入一定度數之後，於此中間，任意引拔放置，更數四（回）反復行（行）同一之手技，應用於血管擴張或筋肉弛緩時，為與本目的之鍼法。

振顫術

振顫術者，鍼刺入後，行一種之輕微上下振顫手技，或於鍼柄上以爪搔數回，或以示（食）指復於鍼柄之上端，頻頻輕打之，搖撼之，專應用於血管筋肉神經之弛緩不振者，即所謂之與舊法補法等是也。

亂鍼術

亂鍼術者，鍼刺一定之處度，立刻拔至皮部，再行刺入，或快或遲，或向前向後向左向右而運用之。此亂鍼法專應用於瘦刺者，適用於淺薄解散鬱血之鍼法。

上述八法，爲手技中之最簡明而最難實施之手法，無門經鍼法之繁複而有效，凡百病症，可以此八法應付之，而還須講習補瀉之鍼法。

一、明陰當之鍼法，隨咳進鍼，至適度後微停少時，用右手大指食指持鍼細細動搖，進退搓捻，其鍼如手顫之狀，謂之催氣。約行五六次，覺鍼下氣緊乃行補瀉之法，如鍼左邊而用瀉法，以右手大指食指持鍼，以大指向前食指向後，以鍼頭輕提往左轉，食指連搓三下，略退出半分許，謂之三飛一退。行五六次，如覺鍼下沉緊，是氣至極矣，再輕提左轉一二次，令人咳嗽一聲，隨聲出鍼。如鍼瀉右邊，則以左手持鍼捻運，大指前向，食指向後，鍼頭轉向右邊依前法行之。若為補法，隨病人吸氣轉鍼，其手技都與瀉法相鍼左邊之補法，以右手大指食指持鍼，食指向前，大指向後，捻鍼頭轉向右邊，鍼深入一二分，停少時，以指輕彈三下，速行三次，於是以大指退捷三下，鍼頭轉向左，深進一二分，謂之一進三飛進行五六次，覺鍼下沉緊，或鍼下氣熱，是氣全已足，令病人吸氣一口，隨吸出鍼，急以手按其穴，如鍼右邊，則以左手捻撥食指向前，大指向後，依前法行之。

如為腹背中行，在男子則左轉為補，右轉為瀉，腹上中行，則右轉為補，左轉為瀉，女子反之，背中行右轉為補，左轉為瀉，腹中行左轉為補，右轉為瀉

南豐李梴之補瀉法，鍼男病者左手陽經，以醫者右手大指進前，吸之為迎，右手陽經，以大指退後吸之為隨，進前呼之為迎，右手

陰經，以大指進前，呼之為隨；退後吸之為迎。病者右足陽經，以署亦右手大指進前，呼之為隨；退後吸之為迎。右足陰經，以大指退後吸之為隨；進前呼之為迎。左足陽經，以大指退後吸之為隨；進前呼之為迎。左足陰經，以大指進前呼之為隨；退後吸之為迎。男子午前皆然，午後反之，女人與男人又反之

三、衛揚纖附氏行鍼之八法

一曰揣而循之。凡點穴以手揣摩其處，在陽部筋骨之側，陷者為眞，在陰部膕之間，動脈相應，其肉厚薄，或伸或屈，或平或直，以法取之，按而正之，以大指爪切掐其穴，於中庶得進退，難經

曰，刺榮毋傷衛，刺衛毋傷榮，又曰刺榮毋傷衛者，乃爲撮其穴，令氣散，以鍼而刺，是不傷其氣也，刺衛毋傷榮者，乃撮起其穴，以鍼臥而刺之，是不傷其榮血也，此乃陰陽補瀉之大法也。

二曰爪　爪而下之，此則鍼賦曰，左手重而切按，欲令氣血得以宣散，是不傷於榮衛也，右手輕而徐入，欲不痛之因，此乃下鍼之妙法也，

三曰撚　撚而轉者，如搓線之貌，勿轉太緊，轉者左補右瀉，以大指次指相合，大指往上進爲之左，大指往下退爲之右，此則隨迎之法也，故經曰迎奪右而瀉涼，隨濟左而補暖，此則補瀉

之大瀉也。

四曰彈　彈而努之，此則先彈鍼頭，待氣至却退一豆許，先淺而後深，自外推內，補鍼之法也。

五曰搖　搖而伸之，此乃先搖動鍼頭，待氣至却退一豆許，乃先深而後淺，自內引外，瀉鍼之法也。

六曰捫　捫而閉之，經曰，凡補必捫而出之，故補欲出鍼時，就捫閉其穴，不令氣出，使氣血不泄，乃為真補

七曰循　循而通之，經曰，凡瀉鍼必在手指於穴上四旁循之，使令氣血宣散，方可下鍼，故出鍼時不閉其穴，乃為真瀉，此提

搓補瀉之法，男女補瀉，左右反由

八曰撚 撚者，治上大指向外撚，治下大指向內撚，外撚者，令氣

向上而治病，內撚者，令氣向下而治病，如出鍼，內撚者，令氣行至

病所，外撚者，令邪氣至鍼下而出也，此下手八法口訣也

燒山火

治久患癱瘓，頑麻冷痹，遍身走痛，及癩風寒瘧，一切冷症，用鍼之

時，撚還入五分之中，行九陽之數，其一寸者，即先淺後深也，若得

氣，便行運鍼之道，運者，男左女右，漸漸運入一寸之內，三進一退

三出三入，慢提緊按，若覺鍼頭沉緊，其鍼插之時，熱氣復生，冷氣自

鍼科 四十

隨來數欲前再施

透天涼

治風痰壅盛、中風、喉風、癲狂、瘧疾、瘴熱，一切熱症。凡用鍼時，進一寸內，行六陰之數，其五分者，即先深後淺也。若得氣，便退而伸之，退至五分之中，三入三出，緊提慢按，若鍼頭沉緊，徐徐舉之，則涼氣自生，熱病自除，如不效，依前法再施。

陽中隱陰

治瘧疾先寒後熱，一切上盛下虛等症，用鍼之時，先運五分，行九陽之數五半（四九三十六數），如覺微熱，便運入一寸之內，卻行六陰之數之者四二六一十八數乃得氣，此乃先淺後深，先補後瀉法也。

陰中隱陽

治先熱後寒，一切半虛半實等症。凡用鍼之時，先進一寸，行六陰之數，如覺微涼，即退至五分之中，就行九陽之數，以得氣為乃深後淺，先瀉後補法也。

留氣法

治癥瘕氣塊，用鍼之時，先運入七分之中，行純陽之數，若得氣，便深刺一寸中，微伸提之，却退至原處，若未得氣，依前法再行。

運氣法

疼痛之病，用鍼之時，先行純陰之數，若覺鍼下氣滿，便倒其鍼，令人吸氣五口，使鍼力至病所，此乃運氣之法，可治疼痛之病，

提氣法

治冷麻之症，用鍼之時，先從陰數微撚，似覺氣至，微撚輕提其鍼，使鍼下經絡氣聚，可治冷麻之症

中氣法

凡用鍼之時，先行運氣之法，或陽或陰，便臥其鍼，向外至疼痛，立起其鍼，不與內氣回也。

若關節阻澀，氣不過者，以龍虎龜鳳通經接氣

之法，通經接氣，驅而行之，切以循攝切摩，無不應矣，又按捫導引之法而行

蒼龍擺尾手法

下鍼之時，飛氣至關節去處，便以回撥，以兩指扳倒鍼頭，將鍼慢慢撥動，九數或三九二十七數，其氣遍體交流矣。

赤鳳搖頭手法

凡下鍼得氣，如要使之上，須關其下，要下，須關其上，連連進鍼，從辰至巳，退鍼從巳至午，撥左而左點，撥右而右點，其實只在左右動，如手搖鈴，退方進圓，兼之左右搖而振之。

鍼科　　　　　　　　　　十二

附白虎搖頭

以兩指扶起鍼尾以肉內鍼頭輕轉如下水船中之櫓搖搖擺六數或三六一十八數如欲氣前行按之在後欲氣後行按之在前

龍虎交戰手法

用鍼時先行左龍則左撚凡得九數陽奇零也却行右虎則右撚凡得六數陰偶對也乃先龍後虎而戰之以得氣補之三部俱一補一瀉故陽中隱陰陰中陰陽左撚九而不撚六是亦住痛之鍼乃得陰陽交復之道號曰龍虎交戰

龍虎升降手法

用鍼之濟，先以右手大指向前捻之穴，後以左手大指向前捻經絡，得氣行，轉其鍼向左向右，引起陽氣，按而提之，其氣自行，如未濟更依前法再施。

五臟交經

下鍼之時，氣行至遲，須要候氣血自一致，乃能蒼龍左右撥之，氣血縱橫。

通關交經

蒼龍擺尾後用赤鳳搖頭，運入關節之中，後以補則用補中手法，瀉則用瀉中手法，使氣於十二經便交。

膈、角交經

凡用鍼之時，欲得氣相交相結者，或先補後瀉，或先瀉後補，隨其疾之、實病之寒熱，其邪氣自瀉除，真氣自補生。

關節交經

凡下鍼之時，走氣至關節去處，立起鍼，須拽出氣法納之。

子午搗臼

膈氣下鍼之時，調氣得均，以鍼行上下，九入六出，左右轉此按陰陽之道，其症即愈。

編者按：本節諸法，錄自鍼灸大成，為明代諸鍼家之運鍼手法。

其源固不詭於內經，惟惑以於陰陽男女之說，附會於鍼法之中。今也淺顯易明者，轉而為神秘玄奧矣。處現在革新之秋，神奇說本宜刪卻，惟研究鍼學者，要不知有此法，故錄出以供參考。

二十　暈鍼之處置

神經質之患者，或身體衰弱者，下鍼之後，往往神經因而刺激起烈反射，發生急性腦貧血症（名曰暈針），危險殊甚，故下鍼前後，有深切之注意。於十六節刺鍼時之注意要項中已述之。不而發生暈鍼，則宜急速一鍼以救治，尚不可驚惶失措，忽於處置也。

言處置法之前必先進暈鍼之病理與情狀即可知處置拯救之途徑矣。

廿、言病理。神經衰弱者與貧血者下鍼恐懼神經受刺戟直射腦部全身發顫血管痙攣尤以頭部為甚血壓急速下降腦部遂形成急性貧血於是腦之機能障碍甚至全失於是心臟機能亦急減或竟停止搏動矣。

言暈鍼情狀輕者頭暈眼花噁心欲嘔心搏亢進重者面色隨白。四肢厥冷。汗出淋漓甚至不知人事脈伏心停知覺全失呈驚人之危狀。

以言救治。則不外重復刺激。其知覺神經。喚醒腦神經。而復收其機能。恢復樞一開。百機皆動矣。其法維何。即發覺患者已呈暈鍼狀態。即停鍼退出。如坐者。將其卧倒。一方掐其中衝。或人中。不釋。使其感受劇痛。一手按其鍼導。如無鍼導者。但掐中衝。並飲以熱水。或葡萄酒。若鍼捻已伏。心臟欲停者。則以鍼刺人中。中衝。並行人工呼吸法。至鍼出而止。靜卧片時。頻飲熱湯。不久即可恢復常態矣。

二十一　出鍼困難之

施術中。時有發生出鍼　之事。其理由不外三點。一為體位移動致鍼絲屈曲，二為鍼身有傷痕或纖維纏繞不脫，三為內部運動神經，俄然興奮起筋肉攣急吸住鍼身，吾人欲解決出鍼困難，必先識別其屬何種原因所致，於是與以適宜之處置，苟不問其因而欲強力拔出，徒使病者感受劇痛，非惟仍不能出，且有折鍼之虞。

識別及處置之法如何？曰，鍼難捻動，深進不能，退出亦不能者，屬一點之鍼身屈曲，急矯正其體位，再探求其屈度與方向，如鍼身屈度未變，乃為小屈，以左手拇食二指重按鍼下肌肉，右手持鍼稍輕微用力提出之。若[illegible]病偏側者，則屈度較甚，左手二指不

若重按右手起鍼須順其偏側着[illegible]提撚一起一伏兩手
相互牽應則鍼可得而出矣不可太強拔是為大忌 輕輕捏捏一起一伏兩手
可以撚轉而提起或上下皆痛者屬第二點之鍼有傷痕宜
反六方向而撚動之。於撚轉之上上下下提按復行之則鍼下疏
鬆即可出鍼。若較前僅可多退縮不能全部提出者。再依前法施
之。如引出時。痛感較前大減者。可如第一點法微用力提出之。
亦覺鍼下沉緊捻動困難撥之則肌肉急硬者屬第三點之筋肉痙
攣所致。當將鍼再深入二三分行護從散術。如仍攣急不散者則
當以一鍼或數鍼於其所近下之行中等度之刺戟則出鍼之困

鍼科

四十六

戳，可立即解決矣。如病者不願從命再下鍼者，則以爪切其四圍而揉撚之，使異常興奮之運動神經鎮靜，緩解其強直之筋肉，其鍼自易出矣

二十二 折鍼之處置

折鍼之事不常有，以其鍼絲堅韌，不易折也。倘或有之，必鍼絲已有損壞。醫者疏忽未檢出。病者或不守醫戒，而移動體位，或醫者用強刺激時，病者之筋肉，突起痙攣強直，遂致鍼折於中。此際醫者之態度宜鎮靜，並告病家不必心慌。堅守其體位，不稍移。醫者左手重壓鍼處之周圍，使折鍼外透。如見折鍼於皮膚面發見時。

以箝或爪搞出之。知在皮下，可按得而不外露者，以指按[illegible]鍼頭，以刀消毒，微剖開其皮，檢視鍼裡，以箝攝出之。若折在深層者，則任其自消，不必攝取，雖有時或一二日中發生疼痛，大約經過三四日，即平安無事矣。就日人之實驗，研究謂鍼在筋肉中經過相當時日，自然消滅，或行移別部。其消滅與移行之說如左。

1 酸化說 二 由體溫之關係，鍼身起酸化而自行消滅。

2 移動說 二 折鍼因筋肉之運動而遊走，其比較靈動，稍鈍之部則久久停留而後消滅。

3 三浦博士與大久保醫學士，曾以動物試驗之，得結果如左說。

莆田
鍼科

四十七

二淳博士在洋鼠之腹腔內。以六號鍼刺三分深而切斷之。另以一枝刺入臀筋而切斷之。經三週間。其部呈紫色。雖炎症之症象顯著。細胞浸潤。但無化膿之傾向。於飲食運動。交尾不見障礙。八閱月之後。解剖檢視。刺鍼部之鍼。不得。從各臟器反覆以精密之檢查。亦始終不得發見。此由腸之蠕動而脫出腹外耶。抑由酸化而消滅耶。不能下確切之評定。

大久保醫學士。以七個月之雌兔。在左側胸末之橫突起。與第一腰椎之橫突起之中間。用大號鍼刺入八分。左右折斷之。其第一日運動仍活潑。奔走跳躍如前。第二日漸見舉動靜肅。刺處若觸動之則跳躍。第三日觸其刺處，如無事然。重壓之，稍呈驚惕之狀。第四日亦然。第五日後，雖重壓之，似無異感。後仍壯健，交尾單受胎分娩。初生小兔，亦健無此。後經六個月而解剖之，在鍼入之處，鍼處裏面及皮下結締組織，呈長三分、闊三厘之青藍色，而其下層之筋鞘亦然。在筋肉之實質及腹膜壁面之漿液膜處，不見刺點之蹤跡。在筋層間亦不見折鍼通過之蹤跡。因此在內臟各精密檢查。又寸斷筋肉檢之，亦不見折鍼之蹤跡。

又刺在椎之左側第二腰椎與第三腰椎之橫突起間，以六分餘長之鍼折入之。經八個月後之剖驗，亦不見折鍼之蹤跡。因此假

想鍼端銳利，在運動之際，因筋肉收縮之移轉而脫出，於時以鈍
之鍼端在棘突之右側，在第一腰椎與第二腰椎之橫突起間刺
入而切斷之，經十四月後剖驗之，在刺入之局部，不見異狀，折鍼
轉入至肝臟之左葉，從後方轉入前方，平而潛在，而其周圍亦無
見存之炎症，其折鍼頭存之狀，如新刺入之狀相同，而鍼體已呈
酸化為黑色矣，鍼之重量，初為〇.〇三五瓦，已減輕〇.〇二瓦，因
思此所減之量，不外為酸化溶解。
更且脆為鍼體之容易移轉，因此以鍼為二屈曲，在皮下結締組
織與筋纖之間，平刺入而切斷之，至第八日檢剖之，鍼之周圍微

奏痊猷。即毛細管戀聚，體膝鬱血，血液發生滲漏。由第一屈曲至
第二屈曲之中間，與結締組織緊密纏絡，不易拔出。
由上試驗結果，鍼尖之銳鈍與運動之激關似有異趣。鍼尖銳利，
刺入局部運動之劇烈部位，則移轉遲速不留踪跡，其鍼尖鈍而
所刺之部位在運動遲緩之處，則經年之久，亦能化而溶解消滅。
久不移動不消滅者，則將遂縮纖組織以包裹之，而無損於身體。

七、健全與運動

雖然，折鍼固無害於健全，但在有理智多疑之人，自急者終不能釋然於懷，每因疑慮而發生精神病症，學者毋因無礙而忽視可

也

二十三　出鍼後之遺感覺之處置

通常鍼刺之中。發生酸痛感覺。即十四節所說。鍼之感通作用。出鍼後之即消失。然有時依然酸痛。持續一二日始消失者。此謂之鍼之遺感覺。此由於醫者手術拙劣。與以極強之刺激。或以施術中患者發生動搖。知覺神經纖維受過度之刺戟。該部神經發生異狀之興奮所致。其遺感往往經一二日後得消失。於斯場合。於施術後於局部或附近。與以按摩輕擦。或於其相距尺許處鍼之。其遺感即消。

二十四　出鍼後皮膚變色而腫之處置法

出鍼之後時有小紅赤點在鍼孔部位發現或皮膚呈青色而高腫患者感覺變重不舒此乃鍼傷血管之所致在十数小時後自然平復但吾人欲促其速愈時可與輕擦揉揉在數小時中可消散無形

二十五　鍼尖刺達骨時之處置

在刺鍼時覺鍼尖觸達骨部時宜急速提起數分或提至皮下處變其方向而入之否則鍼尖屈曲不能出鍼且傷骨膜有發生骨膜炎之處施鍼時不可不細心注意之也

二十六　鍼治之禁忌

古鍼家於鍼治上有時日之禁忌。甲不治頭。乙不治喉。子踝。丑腰。一臍。二心。等時日之禁忌也。謂有人神所值犯之不利云。編者以其涉於迷信。未與研究。故畧而不述。經穴之禁忌。頗有合於現代解剖觀點上之重要部位。故錄附於後。

腦戶　顖會　神庭　玉枕　絡卻　承靈　顱息　角孫

承泣　神道　靈台　膻中　水分　神闕　會陰　橫骨

氣衝　箕門　承筋　手五里　三陽絡　青靈　諸穴禁止鍼刺

其他雲門　鳩尾　客主人　肩井　血海等穴鍼刺不能過

深，合谷　主陰交　石門　姙娠婦人皆宜避忌

就臨床之經驗而言，今日鍼家所用之鍼，細緻如髮，古人之所謂禁鍼穴，每有行者反得良好之效果者，既有不發生惡影響者，故日本有若干醫家，謂今日之鍼極細，不論如何之部位，皆可鍼刺云，雖然古人之認為禁穴，然從經驗而來，決非向壁虛造，吾人若手術不精，經驗未富，終宜慎重避免，為是其他關於身體之重要器官，部分如延髓部，顖門，眼球，心臟，膀胱，睪丸，陰核，乳頭等部，雖手術嫻熟者亦宜禁鍼，深刺，毋冒險以蹈危機也可，

結論

本編講義，編者憑數年之臨床觀察，參酌日人鍼學講義而著手，所得共二十六節，凡關於鍼家方面之學識，古今之異同，今而後應趨之途徑，已臚列條陳，讀者能因此而銳求精進，使鍼道前途日趨光明，則編者之所盼望為不虛矣。今得日鍼師坂本貢氏鍼刺之關於健體病體之作用一文，述鍼刺與神經之影響，特譯出作鍼刺之學理研究，為本編之結論。

鍼者為一種之器械，刺戟由種種手術，發生制止、興奮、誘導之種作用，即神經細胞，由一定之刺戟惹起興奮，或以強刺戟之過而減衰其機能，且引起神經因受刺戟而發生傳導於中樞或由中樞傳導於末稍之作用，並不問健體與病體，由鐵針神經之種類，與刺戟之強弱，而呈不同之作用，茲分別述之：

一健體之刺戟影響，

ㄅ知覺神經枝——在刺戟時，發生如通電之感覺，鍼拔除，其感覺立即消失，若與短時間輕微之刺戟，從求心傳達之中樞，從此中樞之神經細胞，起興奮活潑，因其興奮向遠心性末稍傳佈，於此謂之起反射運動，使其部之筋肉起收縮或弛緩，而血管則初為收縮，繼乃擴張，俾血液循環之旺盛，然而若以長時間之強刺戟，神經之興奮性反形減衰，甚至完全消滅，遂至

伝導機能亢進現象

1. 運動神經枝——於此刺鍼之時，其部之肌肉發生痙攣，若即去鍼，痙攣立止。此種現象與知覺神經之發現著明之作用相同，與以短時間之輕刺，起興奮作用，長時間之強刺，則興奮雖完全消失，反陷於筋肉弛緩麻痺狀態。

3. 交感神經枝——刺鍼之時，其每神經所分布之臟器，起衆烈樣之感覺，去鍼後，臟器之機能，有若干時之旺盛，故雖為健體，常行此種鍼刺，於體內益能使抵抗力之增加，以養身之目的。

二、病體之刺戟影響。

1.知覺神經枝——知覺神經枝,起有異狀之興奮,其結果發為神經痛或知覺過敏,如斯變態,欲使其調節時宜以鍼為持續之強刺戟以制止之,如對於機能減弱之疾患,與以輕而且短之刺戟,使其興奮,可回復其固有之機能,

2.運動神經枝——運動神經枝有異狀興奮之時,其神經所分布之,領域內,之筋肉,致發生痙攣或強直,若以強之刺戟,可發揮鎮靜緩解之作用,如運動神經因機能減弱,而發生之麻痺性疾病,若與以輕而刺戟,可引起其興奮而回復常態,

3.交感神經枝——此神經枝之異常亢進,則引起心運動之急

達，呼吸促進，胃腸蠕動增進，各臟器分泌機能亢進等。對於此類以強刺戟之制止法，可使之復歸常道，反之在交感神經機能減弱之疾病，則以輕刺之興奮作用，可調整其生理的機能。

针灸学（冀南军区）

提　要

一、作者小传

鲁之俊（1911—1999），江西新城（今江西黎川）人，著名外科学家、针灸学家，中国中医科学院元老之一，我国中医科研和中西医结合事业奠基人。

鲁之俊1928年考入北平陆军军医学校（国防医学院前身），于1933年从该校毕业。1939年11月，鲁之俊加入中国共产党。鲁之俊深感我军严重缺乏专业医务人员，于是提出到八路军卫生学校（后更名为中国医科大学）主授外科学。抗日战争期间，鲁之俊既在中国医科大学教书，又在医院诊治患者，是西医外科专家，还承担了部分党和军队领导同志的医疗保健任务。1945年6月，鲁之俊在《解放日报》上发表《针灸治疗的初步研究》一文。为此，陕甘宁边区政府授予鲁之俊“特等模范”奖，以表彰他团结中医，为革命、为人民的健康而研究及推广针灸疗法的行为。1947年，鲁之俊在中国人民解放军第二、三、四野战军推广针灸疗法，提高了部队的战斗力。他编写的《针灸讲义》是每一个卫生员背包中的必备之物。

1955年，鲁之俊主动请缨，筹建卫生部中医研究院。同年12月，卫生部中医研究院成立，这是我国最大的中医药研究机构，鲁之俊任第一任院长兼党委书记。在任院长的20多年的时间里，他坚持中西医结合，与中西医专家共同在继承和发扬中医，运用现代科学研究中医，以及教材编写和人才培养等方面做出了巨大贡献，为中医学继往开来、走向世界创造了良好条件。

20世纪80年代，为争取针灸学在世界各国的合法地位、维护国际上众多针灸医学组织的团结，鲁之俊不顾自己年事已高，辛勤出访，做了大量工作。在我国政府与世界卫生组织的支持下，由40多个国家和地区的70多个团体会员组成的世界针灸学会联合会终于在1987年于北京成立，鲁之俊被推选为终身名誉主席。

1999年4月10日，鲁之俊在北京去世，享年88岁。

二、版本说明

1947年9月冀南军区卫生部编印，土纸本。

三、内容与特色

该书为普及针灸治疗疾病知识的专业书籍。该书前言讲道："针灸医学……在临床治疗上，效力伟大，在某种程度上说，胜过药物，对一般病症都能疗治，对慢性病、神经性疾病效力更显著。又非常经济，仅须预备针数颗、艾绒及酒棉若干即可治病，携带很简便。"可见该书以临床实践为出发点。

该书共分三篇，第一篇为总论，第二篇为孔穴篇，第三篇为治疗篇。第一篇总论，介绍了针之种类及灸用料、针刺术及灸法、针灸的治疗作用、针灸治疗的注意事项等内容。第二篇孔穴篇，第一章至第四章分别介绍了头颈部、胸腹部、肩胛与上肢部、下肢部的穴位，并论述了每个穴位的定位、针法操作及灸法操作和注意事项，详细而有序；第五章至第七章介绍了禁针禁灸穴、重名穴，并对七十主穴的治疗作用进行了总结。第三篇治疗篇，介绍临床常见疾病的临床治疗法（一般疗法和针灸），内容全面，实用性强，通俗易懂。书后附着详细经穴图（头部正面图、头部侧面图、头部后面图、上肢图、下肢正背二面图、躯干侧面图、躯干正面图、躯干背面图、下肢侧面图、下肢外侧面图）。

现将该书特色介绍如下。

（一）总结经穴（孔穴）的解剖位置及七十主穴的主治，指导性强

孔穴篇分头颈部穴、胸腹部穴、肩胛与上肢部穴、下肢部穴4章，阐述穴位定位、针法操作及灸法操作和注意事项，详细而有序。禁针禁灸穴部分歌诀朗朗上口，方便学习。该书按照人体的解剖部位总结七十主穴的主要治疗作用，临床应用方便。

（二）分类归纳临床各科的适应证，应用性强

该书治疗篇系统介绍了临床常见病的治疗方法，涉及神经系统、消化系统、呼吸系统、循环系统、泌尿及生殖系统、运动系统疾病等以及妇科、小儿科疾病，涉及病种多，实用性强，内容通俗易懂，易于战争时期的应用与操作。

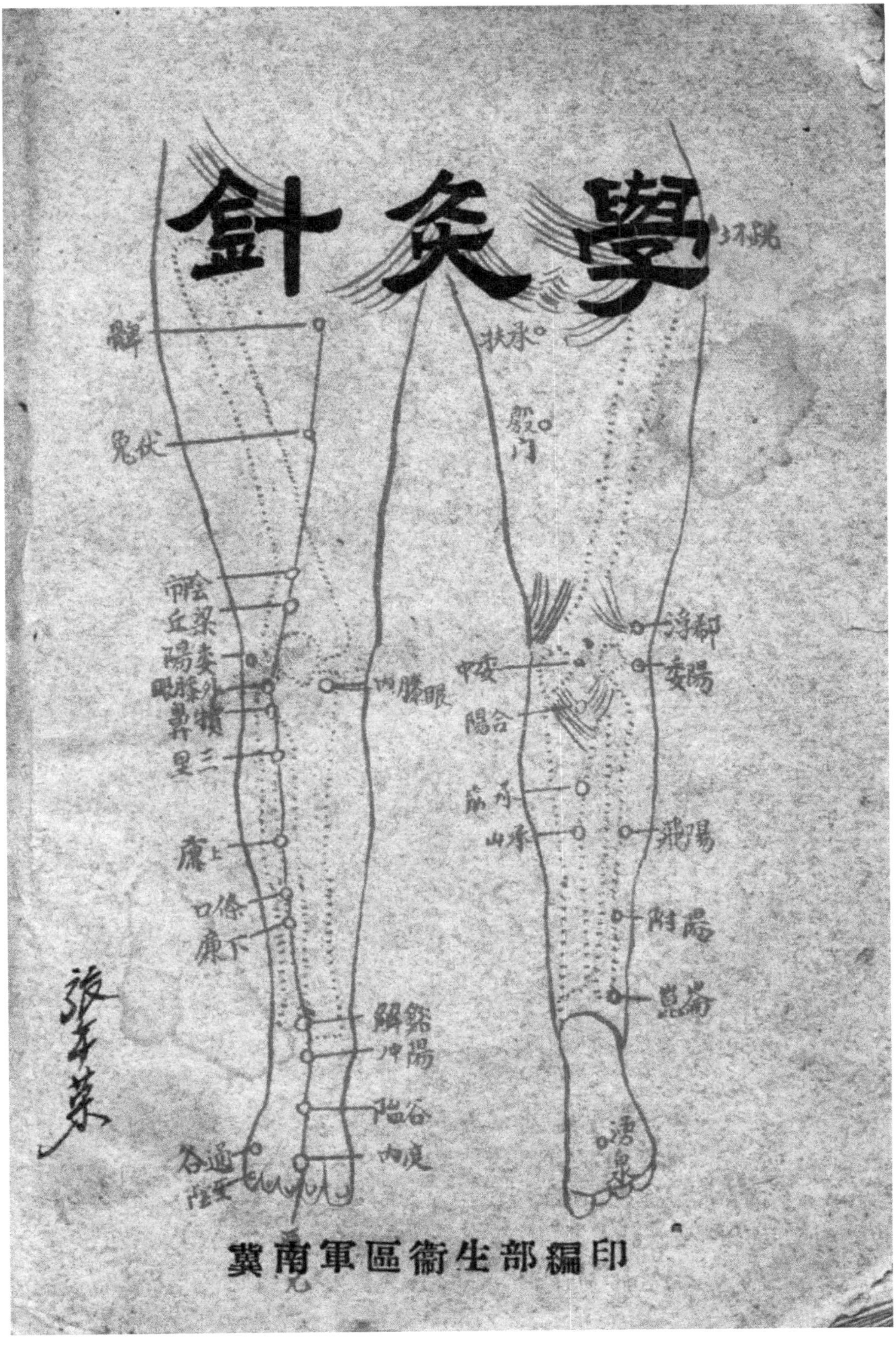
針灸學
冀南軍區衛生部編印

本菜

前言

針灸醫學爲我國數千年來的傳統經驗醫學，在臨床治療上，効力偉大，在某種程度上說，勝過藥物，對一般病症都能療治，對慢性病，神經性疾病，效力更顯著。又非常經濟，僅須預備針數顆，艾絨及酒棉若干即可治病，携帶很簡便。

今將針灸醫學匯集起來，定名爲「實用針灸學」全一冊。其中分三篇，第一篇總論，第二篇孔穴篇，第三篇治療篇，全書五萬言。各種名詞都著有科學名詞和漢名，同時繪有詳細孔穴部位圖，分頭部、軀幹、手、足、前後背側諸面，中心扼要，辭簡意賅，通俗易解，目次類別，系統井然。中西醫生學習都很方便，有些不能用科學解釋的，要待熱心針灸者，研究和補充。

中華民國三十六年九月一日

第一篇總論

第一章　針之種類及灸用料

㊀古人製針九種，後又增製兩種共十一種。大體區別為：破裂皮膚肌肉；針刺皮下，肌肉，內臟，神經；破血管泄血三類。破裂皮膚肌肉血管之針類，均可用刀剪代替，故不贅述。刺激神經之針類，有毫針、長針、圓利針三種。毫針的意思，是細如毫毛，針頭不是很尖銳的，對內臟組織不起破壞作用。這是最適用的針，但因細如毫毛，下針時須耐心的漫慢的才能穿透組織，達到刺激神經目的，這個缺點，只要有一切為治病的責任心和耐煩些則可克服。長針的意思，就是很長，使能達到組織的深部，這種針可用長些的毫針代替即可。圓利針的意思，是針頭尖銳，針質堅硬，適用於淺表神經刺戟，尤其是虛脫或痙攣癲癇之患者，不適合慢慢下針時應用；這種針也很適用，但用的時機是比較少。由上所述，我們所須要預備的針，就是毫針與圓利針兩種，而毫針又須分為一寸五分，二寸五分，三寸五分三種，以適合各部深淺的需要。

㊁製針質料，黃金，其質柔軟，雖細如毫毛，亦不易斷折，受潮亦不生銹，故易於消毒（中醫說黃金無毒）故黃金為製針最好質料，但價格昂貴，遇水銀即變白色，用火燒紅冷後又變為黃色。白銀，其質柔軟僅次於金，亦不易折斷，價格較金低十倍左右，以銀製針最為合宜，銀在空氣中生黑色銹，叫氧化銀，遇濃厚

熱硫酸，即成硫化銀，並能溶化在濃厚熱硫酸中。也有用鋼鐵製針的，鋼鐵容易折斷，往往在肌肉中，因肌肉緊張而折斷；鋼鐵容易生銹，故不易消毒和保存，故不適宜。有用馬口鐵（馬嚼子），代金製針的，其理論爲「馬嚼金」鐵經馬口則變爲金，事實不然，鐵仍然是鐵，只是在馬口中長期咀嚼，馬口中有一定溫度，由於這種原因，使鐵質較純和堅韌些，也或許有些道理。

針的保存，針爲柔軟金屬製成，應保存於硬殼有蓋的管筒中，保持其直度爲適宜。不用期間，盡量避免暴露於大氣中，注意勿受潮濕，用之前後均注意消毒（以酒棉拭淨即可）。古人以布囊裹存，未必適宜。

灸料以艾爲主，艾的成分是的列并揮發油和鞣酸鹼，有止血、鎮痛、强壯、利陰氣，暖子宮之效。大葉艾較小葉艾好採艾葉的時間以四五月間爲最好，用時取其葉去莖，搗爲艾絨，用手撮適量捏成尖栗形小柱，灸時以柱爲標準。

大蒜也是灸料中的要藥，其成分爲硫礦揮發油和果糖無水特（PHYTIN ARGININ）等有强力殺菌，制止細菌發育，鎮痛之效力。并有一種糖體，富於粘性。用時將蒜切成片，貼針眼上，將艾柱立其上，燃着，其藥力隨艾火之溫熱滲透入體內。

也可加麝香，龍涎香，乳香，沒藥，羌活等藥類，其用法，即製爲細末，混合艾絨內。

第二章　針刺術及灸法

進針部位，術者的手指和用的針，預先用酒精棉嚴密消毒，針刺部位選定後，用指甲壓一十字痕跡，以十字中心爲進針點，壓迫有麻痺作用，可以減少疼痛。進針時用右手的拇指和食指持針柄，將針頭按在壓定的十字中央，對準進針目的的方向後，用左手的食指與中指前端，貼進針部位，夾針之前端，使進針方向保持不變，亦可助針之進退。

⊙拇指向前食指向後捻爲進，進時須略往下插。拇指向後食指向前爲退，退時須略往上提。一般進針都是用一進一退左右旋撚法，和前進九後退六的平補平瀉法。在進退中有時遇有困難，進退不得時，則用九九大補或用九九大瀉法，或六六大補六六大瀉法。

針刺到目的後，捻動針柄，左、右、上、下反復行之，或僅對準一個方向反復行之，這叫搗針，向左右上下搗的叫轉搗，向一個方向搗的叫直搗，這是一種强的刺戟，給弱者以興奮，給强者以制止。對深部疾患，可將决定之進入深度作爲三次搗，——進至三分之一時搗一次，進三分之二時搗二次，到達目的時搗三次。

針到目的行搗之後，將針停放數分或數十分鐘，這叫臥針，此法可鎮靜神經，有時須要在臥針的時間內行搗針法，或將針退出三分之一又進入目的部位，這是對須要强刺戟的患者，這叫復針法。

臥針已畢，將針退出體外，這叫退針。退針時遇實狀行大退法，遇虛狀行平補平瀉法，不虛不實用一進一退之旋撚退法。

進針時要决定深度，針刺到神經後，有一種神經的反射力，術者之手可以識到，但這須要有經驗的術者，才可識得，患者有酸麻的感覺。

初次進針患者，統取臥位爲佳，因初次遇針，神經過敏，甚或發生休克和虛脫現象，術者應注意之。

⊙退針後，把預先預備好之蒜，切成極薄之片，貼蓋於針眼上，再將捏好之艾柱，置於蒜片上，用火燃着艾柱尖端，艾將燒盡，即行去掉；如此更換艾柱，把應用之艾柱數灸完之後，將蒜片揭去，用酒棉球拭擦針眼——消毒。

第三章　針灸的治療作用

針的作用：在於直接刺戟神經，使之興奮和鎮靜，達成運動旺盛與鎮痛之目的。灸之作用：是以溫熱之侵透力，使皮膚毛細管和血管擴張，使艾之特有元素能順利的滲透於體內。以上的理化學作用，可分述爲下列數種：

一、直接刺戟的易於傳達到中樞神經末稍神經，使其振奮，起死回生。如急性虛脫時，針人中，合谷等穴。其作用的速度，比注射樟腦液來的更快和更確實。對慢性疾患，尤其是神經性的慢性疾患，能使局部的血管神經興奮，達到治療之效。如對僂麻質斯，胃潰瘍，神經性的消化不良及種種胃腸疾患等。對於慢性的皮膚病，因皮膚血管神經運動之障礙，而經久不癒，如慢性濕疹，癬，狠瘡等等，亦有顯著作用。

二、隨刺戟的興奮作用而來之鎮靜作用，可立時止痛，其效力的速度和準確性比嗎啡更快和更有効。如對齲齒（虫牙）的劇痛，胃腸的絞痛痂痛，各種突然發作的劇烈疼痛等等。

三、神經被適中刺戟而健強，使衰弱的臟器運動增加，在血液中之惡化細胞破壞，廢物迅速排泄，而起新陳代謝的作用。白血球赤血球增殖，增加食菌和補血作用，達免疫，殺菌和輸血目的。如對於神經衰弱，貧血，肺結核的盜汗，各種胃腸病，泌尿器病等等。

四、對胸出血，肺出血，胃腸、腎、膀胱的出血，能促進吸收，對炎症能促進消退。

針灸的治療効力在臨床上極偉大，但有許多顯著作用不能解釋，這只說明我們還不能將其提到科學的程度，决不能說是針灸的治療作用不科學。

第四章　同身寸與同指寸

每個人的身體大小肥瘦不同，所以取穴不能有一個固定的尺寸，同身寸是根據人之大小肥瘦的不同，假定某部與某部之間爲幾尺幾寸的折量尺數，這種折量法是適合的實用的。

同指寸是以各人的中指彎曲，定中指的第二節橈側橫紋之間爲一寸，人大指長寸也長，人矮指短寸也短，所以能用作一般人取穴之尺度。但胖人指短肢體且粗，瘦人指長肢體細，這是同指寸不正確方面。下針之深度也只有根據人之大小肥瘦而定，同指寸如作爲下針深度的尺度就更不正確。

今將身體各部尺度列下，但遇有發育不全與奇形患者仍需斟酌。

一、身長（頭頂至脚心）七尺五寸。

二、頭大骨（頭蓋骨）周圍二尺六寸。

三、前髮際至後髮際（前髮際眉上三寸，後髮際第七頸椎上三寸）一尺二寸。

四、前髮際至頤一尺。

五、耳前兩耳門（耳翼前隆起之上）之間一尺三寸。

六、耳後兩完骨（耳後乳嘴突起）之間九寸。

七、後髮際至背骨（第七頸椎棘狀突起）三寸。

八、胸之周圍四尺五寸（以乳頭之高處爲準）。

九、兩乳之間，九寸五分。

十、肩峯鎖骨關節至腋窩四寸。

十一、腋窩至季脅（第十一肋骨之前端）一尺二寸。

十二、季脅至髀樞（大轉子）六寸。

十三、腰之周圍四尺二寸（以臍處爲準）。

十四、髑骭至天樞（臍）八寸。

十五、天樞至橫骨（恥骨軟骨結合處）六寸五分。

十六、膂骨（第一胸椎棘狀突起）至尾骶（尾閭骨）二十節長三尺。

十七、肩（肩峯突起）至肘（鷹嘴突起）一尺七寸。

十八、肘至腕中橫紋，一尺二寸（奥氏本甲乙經皆一尺二寸五分）。

十九、腕中橫紋至中指本節四寸。

二十、中指本節至指端四寸五分。

二十一、橫骨上廉至內輔上廉（膝內側大腿之內關節髁與脛骨之內關節髁相結合處）一尺八寸。

二十二、內輔之上廉至下廉三寸五分（上廉即上緣，下廉即下緣）。

二十三、髀樞（大轉子）至膝一尺九寸。

二十四、內輔下廉至內髁一尺三寸。

二十五、外輔下廉至外髁一尺四寸。

二十六、內髁至地（足着地處）三寸。

二十七、足長（自踵至趾處）一尺二寸。

二十八、足廣（足蹠最寬處）四寸。

同身寸取穴法，用軟繩或布條以假定尺寸度爲標準，如取頭部神庭穴，將從眉間至脊骨之長度折合十八寸，用顏色點標明，再從眉間往上量二寸五分，就是神庭穴，其他都按此類推即可，所取深度亦用這種尺度。

第五章　針灸治療的注意事項

一、急劇之熱性病及急性傳染病不可針灸，如急性腹膜炎，腦膜炎，惡性瘧疾，盲腸炎，發疹傷寒，腸傷寒，痘瘡，白喉，丹痧，飲酒過多，飲食過飽，勞働過度，憤怒之人。

二、孔穴之確定，某病某穴，穴之深度，孔穴有禁針禁灸之忌，必須注意，不可妄行，否則發生危險，不可救治，至於什麼穴是禁針或是禁灸，在穴孔篇都有說明，望注意及之，大凡禁針之穴處，都是重要臟器之所在，不可有絲毫之損傷者。

針刺前後胸廓，宜小心過猛或過深，萬勿刺透胸膜，否則發生人工氣胸，而致死亡。

三、診斷確實，不可不問診斷，隨意亂針亂灸。雖有許多對症療法，主要還是依靠診斷確實，選穴正確，才能達到治療目的。

四、積蓄經驗，從治療中覺得心得和經驗。提倡創造，在針灸學中未列之病症，細心研究，求得針灸的治療成績。

『附』 十四經說

古人所訂穴道，是用經絡系統，諸經絡以肺、心、胃、脾、胆、肝、大腸、小腸、膀胱等內臟表明，所以在經絡之外還有經外奇穴。定名十二經，加任脈督脈共為十四經。此書是以人身部位定穴，為便於了解起見，特將十四經穴介紹於下：

1、手太陰肺經，十一穴：

中府，雲門，天府，俠白，尺澤，孔最，列缺，經渠，大淵，魚際，少商。

2、手少陰心經，九穴：

極泉，青靈，少海，靈道，通里，陰郗，神門，少府，少沖。

3、手厥陰心包絡經，九穴：

天池，天泉，曲澤，郄門，間使，內關，太陵，勞宮，中沖。

4、手陽明大腸經，二十穴：

商陽，二間，三間，合谷，陽谿，偏歷，溫溜，下廉，上廉，手三里，曲池，肘髎，五里，臂臑，肩髃，巨骨，天鼎，扶突，禾髎，迎香。

5、手太陽小腸經，十九穴：

少澤，前谷，後谿，腕骨，陽谷，養老，支正，小海，肩貞，臑俞，天宗，秉風，曲垣，肩外俞，肩中俞，天窗，天容，顴髎，聽宮。

6、手少陽三焦經，二十三穴：

關冲，液門，中渚，陽池，外關，支溝，會宗，三陽絡，四瀆，天井，清冷淵，消濼，臑會，肩髎，天髎，天牖，翳風，瘈脈，顱息，角孫，耳門，和髎，絲竹空。

7、足太陰脾經，二十一穴：

隱白，大都，太白，公孫，商邱，三陰交，漏谷，地機，陰陵泉，血海，箕門，衝門，府舍，腹結，腹哀，大橫，食竇，天谿，胸鄉，周榮，大包。

8、足少陰腎經，二十七穴：

湧泉，然谷，太谿，大鍾，照海，水泉，復溜，交信，築賓，陰谷，橫骨，大赫，氣穴，四滿，中柱，肓俞，商曲，石關，陰都，通谷，幽門，神封，靈墟，神藏，或中，俞府，步廊。

9、足厥陰肝經，十四穴：

大敦，行間，太冲，中封，蠡溝，中都，膝關，曲泉，陰包，五里，陰廉，極脈，章門，期門。

10、足陽明胃經，四十五穴：

頭維，下關，頰車，承泣，四白，巨髎，地倉，大迎，人迎，水突，氣舍，缺盆，氣戶，庫房，屋翳，膺窗，乳中，乳根，不容，承滿，梁門，關門，太乙，滑肉門，天樞，外陵，大巨，水道，歸來，氣衝，髀關，伏兎，陰市，梁邱，犢鼻，三里，上巨墟（上廉），條口，下巨墟（下廉），豐隆，解谿，衝陽，陷谷，內庭，厲兌。

11、足太陽膀胱經，六十七穴：

睛明，眉冲，曲差，五處，承光，攢竹，通天，絡却，玉枕，天柱，大杼，風門，肺俞，厥陰俞，心俞，督俞，膈俞，肝俞，胆俞，脾俞，胃俞，三焦俞，腎俞，氣海俞，大腸俞，關元俞，小腸俞，膀胱俞，中膂俞，白環俞，上髎，次髎，中髎，下髎，會陽，附分，魄戶，神堂，譩譆，膈關，魂門，陽綱，意舍，膏肓俞，胃倉，肓門，志室，胞肓，秩邊，承扶，殷門，浮郄，委陽，委中，合陽，承筋，承山，飛揚，跗揚，崑崙，僕參，申脈，金門，京骨，束骨，通谷，至陰。

12、足少陽胆經，四十四穴：

瞳子髎，聽會，客主人，頷厭，懸顱，懸厘，曲鬢，率谷，天衝，浮白，竅陰，完骨，本神，陽白，臨泣，目窗，正營，承靈，腦空，風池，肩井，淵液，輒筋，日月，京門，帶脈，五樞，維道，居髎，環跳，風市，中瀆，陽關，陽陵泉，陽交，外丘，光明，陽輔，懸鐘，丘墟，臨泣，地五會，俠谿，竅陰。

13、任脈，二十四穴：

會陰，曲骨，中極，關元，石門，氣海，陰交，神闕，水分，下脘，建里，中脘，上脘，巨闕，鳩尾，中庭，膻中，玉堂，紫宮，華蓋，璇璣，天突，廉泉，承漿。

14、督脈，二十七穴：

長强，腰俞，陽關，命門，懸樞，脊中，筋縮，至陽，靈台，神道，身柱，陶道，大椎，啞門，風府，腦戶，强間，後頂，百會，前頂，顖會，上星，神庭，素髎，水溝，兌端，齦交。

另經外奇穴，四十穴：

[illegible]

內迎香，鼻準，耳尖，機關，聚泉，金津玉液，海泉，魚腰，太陽，印堂，中魁，大骨空，小骨空，十宣，鬼眼，五虎，四縫，二白，肘尖，池泉，肩柱骨，八風，獨陰，足小趾尖，足太陰，足太陽，百勞，通關，直骨，子宮，精宮，闌門，命關，內太冲，甲根，腰眼，鶴頂，膝眼，四關，夾脊。

總共四百穴。

第二篇 孔穴篇

第一章 頭頸部穴

一、顱頂及後頭部

神　庭——顖會前二寸，眉間正中之上方二寸五分。
顏面神經與三叉神經之分枝。內頸動脈之分枝。　忌針灸三壯。

上　星——神庭後一寸陷中。　針三分不宜多灸。

顖　會——神庭上方一寸五分，在前頭骨與顱頂骨前上隅之縫合部。即前頭顖門。
前頭神經分布。淺顳顬動脈。　針二分灸五壯。

前　頂——顖會後一寸五分陷中。　針二分灸五壯。

百　會——顖會後三寸，在頂之中央旋毛中，左右顱頂結節中央部。
後頭神經之大小分布。後頭動靜脈。　針二分宜多灸。

後　頂——百會後一寸五分，枕骨上，顱頂骨後上隅之縫合部，即後頭顖門。
大後頭神經分布。後頭動脈。　針二分灸五壯。

強　間——後頂後一寸五分。　針二分禁灸。

腦　戶——百會後下方四寸五分。
後頭神經之大小分布。後頭動靜脈。　忌針灸。

風　府——項後入髮際一寸。　針三分禁灸。
瘂　門——後頭結節下方一寸，入後髮際仰頭取之。
第一頸椎神經與大後頭神經。後頭動靜脈。
針五分不能深，禁灸，灸即瘂。
曲　差——眉毛中央部，向上方生髮之際；神庭旁一寸五分。
顏面神經與前頭神經。循前額動靜脈。　針二分灸三壯。
五　處——上星兩旁各開一寸五分，曲差上一寸。　針二分禁灸。
承　光——曲差後二寸五分。
顳顬神經與顏面神經。淺顳顬動脈。　針二分禁灸。
通　天——承光後一寸五分。
顏面神經之顳顬枝分布。顳顬動脈後枝。　針三分灸三壯。
絡　却——通天後一寸五分。　針三分灸三壯。
玉　枕——絡却後一寸五分。　針三分灸三壯。
天　柱——瘂門外方二指橫徑部，僧帽肌腱之外側，近髮際陷中。副神經與大後頭神經。　後頭動靜脈。　針五分灸三壯。
臨　泣——目上入髮際五分陷中，令患正睛取之。　針三分禁灸。
目　窗——臨泣後一寸。　針三分灸五壯。
正　營——目窗後一寸。　針三分灸三壯。
承　靈——正營後一寸五分。　禁針灸五壯。
腦　空——承靈後一寸五分。耳後乳嘴突起上方，顱頂結節與外後頭結節之中間。　針四分灸五壯。
風　池——天柱上五分，腦空後髮際陷中，僧帽肌與胸鎖乳突肌之間。

小後頭神經。　　後頭動靜脈。　　針一寸灸四壯。

天　衝——耳後入髮際二寸。　　針三分灸三壯。

率　谷——耳尖上入髮際一寸五分。　　針三分灸三壯。

浮　白——耳後入髮際一寸。　　針三分灸三壯。

竅　陰——完骨上，枕骨下，搖動有空。　　針三分灸三壯。

完　骨——耳後入髮際四分。　　針三分灸三壯。

本　神——神庭各開三寸，曲差旁一寸五分。　　針三分灸三壯。

頷　厭——對耳額角外。　　針一二分不可深，灸三壯。

懸　顱——斜上額角中，在懸厘頷厭間。　　針三分灸三壯。

天　牖——天容後，天柱前，完骨下，入髮際四分。　　針一寸不宜灸與補。

翳　風——耳垂與乳嘴突起之凹陷處。　　針三分灸三壯。

瘈　脈——耳後雞足青筋中。　　針一分出血如豆汁，禁灸。

顱　息——耳後青絡脈。　　針此穴絡脈微出血。

角　孫——耳廓上開口有空。　　灸三壯不宜針。

頭　維——上額角之髮際，顳顬窩前上部。
顳顬神經與顏面神經。　顳顬動靜脈。　　針三分沿皮下針禁灸。

曲　鬢——顴骨弓上方入髮際掩耳正尖上。
三叉神經與顏面神經。　淺顳顬動脈。　　針三分灸三壯。

懸　厘——從額斜上頭角下陷，在懸顱與曲鬢之間。　　針一分灸三壯。

二、顏面部

眉　冲——直眉頭上，神庭曲差間。　　針三分灸三壯。

攢　竹——眉頭陷中。　　針二分禁灸。
睛　明——目內眥頭外一分。　　針五分禁灸。
迎　香——鼻翼旁五分凹陷部，禾髎上一寸。　　針五分禁灸。
禾　髎——鼻孔下挾，水溝旁五分。　　針四五分禁灸。
陽　白——眉上一寸直瞳子。　　針三分灸三壯。
承　泣——目下七分直瞳子。　　針灸兩忌。
四　白——目下一寸直瞳子。　　針二分禁灸。
巨　髎——鼻孔旁八分直瞳子。即第一小臼齒齦部，　　針五分禁灸。
地　倉——口吻旁四分，即口角外方半橫指。　　針三分灸七壯。
絲竹空——顳顬部近眉毛端，眉後陷中。
顏面神經。　　淺顳顬動靜脈。　　針三分禁灸。
下　關——顴骨弓下方，下顎關節前方之凹陷部，合口有空開口則閉。　　針三分至五分不可久留針不可灸。
頰　車——下頷隅側臥開口取之。
下齒槽神經。　　咬肌動脈，後顏面靜脈。　　針三分至五分灸三壯至七十七壯，炷如小麥大。
大　迎——下頷隅前方，第二大臼齒之根部。
大耳神經，　　下顎神經，　　咬肌動脈後，顏面靜脈等。　　針三分至五分灸三壯。
瞳子髎——目外眥五分。　　針三至五分不宜灸。
聽　會——上關下一寸，耳前乳嘴突起與下頷枝之中間。
舌下神經，迷走神經，大耳神經等。　　耳前動靜脈。　　針三分灸三壯。
客主人——耳前骨張口有空取之。　　禁針灸。
耳　門——耳前起肉當耳缺中。　　針三分灸三壯。
和　髎——耳前兌髮下橫動脈。　　針三分禁灸。

天　容——耳曲頰後，耳下胸鎖乳突肌外緣。　針五分至八分灸三壯。
顴　髎——顴骨結節下緣陷中。　針五分禁灸。
素　髎——兩鼻孔尖端中間。　針一分禁灸。
聽　宮——耳前珠子旁。　針三分灸三壯。
水　溝——鼻柱下正中。　針三分不宜灸。
兌　端——上唇中央尖上。　針三分禁灸。
齦　交——唇內齒上齦縫中。　針二分禁灸。
承　漿——唇下宛陷中開口取之。　針三分灸七壯。
內迎春——鼻孔中。　治耳熱暴痛。　用葦子管搐出血。
鼻　準——鼻柱尖上，治鼻上生酔風。　宜用三稜針。
耳　尖——耳尖上，　治眼生翳膜。捲耳取之灸五壯。
機　關——在耳下八分。治卒中、中風、口噤不開。灸五壯。
聚　泉——舌中央。治哮喘、咳嗽，舌出用姜片灸。
金津玉液——舌下中央。治舌腫痛、喉痺，三角針。
海　泉——舌下兩旁。治消渴。　用三角針。
魚　腰——眉中。　治眼垂廉翳。　沿皮向兩旁針一分。
太　陽——眉後陷中。　治紅腫、頭痛。　用三稜針。
印　堂——兩眉中陷中。　治小兒驚風。　針一分灸五壯。

三　頸項部

天　鼎——前頸部喉頭結節部斜向外方至胸鎖乳突肌前緣，扶突下一寸。
舌下神經。喉頭動脈皮下靜脈。　針三分灸三壯。
天　突——喉頭結節之直下二寸陷中。
舌下神經，皮下神經等。下甲狀腺靜脈，外頸動脈等。針五分灸五壯。
廉　泉——人迎前陷中動脈前。　針三分灸三壯。

人　迎——頸大動脈應手結喉旁一寸五分。　針二三分不可深
禁灸。

水　突——直人迎下，氣舍上二穴之中。　針五分灸三壯。

氣　舍——水突下陷中。　針三分灸三壯。

缺　盆——在肩上横骨陷中，挾天突兩旁各四寸。　針三分灸
三壯。孕婦禁針。

扶　突——人迎後一寸五分。　針三分灸三壯。

天　窗——頸大筋前曲頰下，扶突後動脈應手陷中。　針三分
灸三壯。

第二章　胸腹部穴

璇　璣——天突下一寸陷中。　針三分灸五壯。

華　蓋——璇璣下一寸陷中。　針三分灸五壯。

紫　宮——華蓋下一寸陷中。仰取。　針三分灸五壯。

玉　堂——紫宮下一寸六分。　針三分灸五壯。

膻　中——玉堂下一寸六分。兩乳間。　禁針，灸七壯。

中　庭——膻中下一寸六分。　針三分灸三壯。

鳩　尾——蔽骨下端五分陷中。　巨闕上行一寸。
肋間神經之穿行枝。　上腹壁動靜脈。　不可輕
針，如欲針時，須兩手高舉，方可下針。　針三至
五分灸三壯。

巨　闕——鳩尾直下一寸。
肋間神經之穿行枝。　上腹壁動靜脈。　針六分
至一寸灸七壯。

上　脘——巨闕直下一寸。
肋間神經之穿行枝。　上腹壁動靜脈。　針一寸
至一寸五分灸五壯。

中　脘——臍上四寸，上脘下一寸。
　　肋間神經前穿行分布。　上腹壁動靜脈。　針八分至一寸五分灸五壯。
建　里——中脘下一寸，臍上三寸。
　　肋間神經前穿行枝。　上腹壁動靜脈。　針一寸至一寸五分灸五壯。
下　脘——臍上二寸，建里下一寸。
　　肋間神經前穿行枝。　上腹壁動靜脈。　針一寸至一寸五分灸五壯，孕婦禁針。
水　分——臍上一寸，下脘下一寸。　宜灸不宜針。
神　闕——臍中央。
　　腹部大小神經之分布。　深部大動靜脈之中心點。不宜針。
陰　交——臍下一寸。　針一分至一寸五分灸五壯。
氣　海——臍下一寸五分。　針一寸至二寸灸百壯。
石　門——臍下二寸。　針六分至一寸，灸三壯妊婦不宜針灸，犯之絕嗣。
關　元——臍下三寸。
　　下腹神經。　下腹壁動靜脈。　針八分至二寸灸三壯。
中　極——關元下一寸。　針八分至一寸五分灸三壯。
曲　骨——臍下五寸，中極下一寸。恥骨上毛際中。　針八分至一寸二分不宜灸。
會　陰——肛門至睾丸中間。　不宜針灸。惟卒死，溺死可針一寸。
幽　門——巨闕旁五分陷中。
　　肋間神經。　上腹壁動靜脈。　針五分至一寸灸五壯。

通　谷—幽門下一寸，上脘旁五分。
　　肋間神經前穿行枝。　上腹壁動脈。　針五分至一寸灸三壯。

陰　都—通谷下一寸。
　　肋間神經前穿行枝。　上腹壁動脈。　針五分至一寸灸三壯。

石　關—陰都下一寸建里旁五分。
　　肋間神經前穿行枝。　上腹壁動脈。　針五分至一寸灸五壯孕婦禁灸。

商　曲—石關下一寸。
　　肋間神經。　上腹壁動靜脈。　針一寸至一寸五分灸五壯。

肓　俞—商曲直下二寸臍旁五分。
　　交感神經與肋間神經。　下腹壁動靜脈。　針五分至一寸灸五壯。

中　柱—肓俞直下一寸。　針五分至一寸灸五壯。

四　滿—中柱直下一寸。
　　下腹壁神經與肋間神經分布。　下腹壁動靜脈。　針三分至一寸灸三壯。

氣　穴—四滿下一寸。　針三分至一寸灸三壯。

大　赫—四滿直下二寸。
　　下腹神經與肋間神經分布。　下腹壁動靜脈。　針五分灸五壯。

橫　骨—大赫下一寸。　針五分灸五壯。

俞　府—璇璣旁二寸，第一二肋間。
　　肋間神經與前胸廓神經。　內乳動脈與肋間動靜脈。針五分灸五壯。

彧　中—俞府下一寸六分，華蓋旁二寸，第二第三肋間。

肋間神經及前胸廓神經之分布。　內乳動脈，肋間動脈。　針五分灸五壯。

神　藏——彧中下一寸六分，第三、四肋間。
肋間神經及前胸廓神經之分部。　內乳動脈，肋間動脈。　針五分灸五壯。

靈　墟——神藏下一寸六分，玉堂旁二寸。第四、五肋間。
肋間神經與前胸廓神經之分布。　內乳動脈，肋間動脈。針五分灸三壯。

神　封——靈墟下一寸六分，第五、六肋間。
肋間神經與前廓神經之分布。　內乳動脈，肋間動脈。　針五分灸三壯。

步　廊——神封下一寸六分，第六、七肋間。
肋間神經與前廓神經。　前肋間動脈。　針五分灸三壯。

不　容——幽門旁一寸五分，即季肋部。
肋間神經前穿行枝分布。　內乳動脈與上腹壁動靜脈等。　針五分至一寸灸五壯。

承　滿——不容下一寸，　旁去上脘二寸。
肋間神經前穿行枝分布。　上腹壁動脈。　針五分至一寸灸五壯。

梁　門——承滿下一寸。
肋間神經前穿行枝分布。內乳動脈與上腹壁動靜脈等。　針五分至一寸灸七壯至二十一壯。　孕婦禁灸。

關　門——梁門下一寸。　針五分至一寸五分灸五壯。

太　乙——關門下一寸。
肋間神經前穿行枝分布。內乳動脈與上腹壁動靜脈。　針五分至二寸五分灸五壯。

滑　肉——太乙下一寸。　針五分至一寸五分灸三壯。

天　樞——太乙下二寸。與臍並行去神闕二寸。
下腹壁神經。　下腹壁動脈。　針五分至一寸五分灸至百壯。孕婦禁針。

外　陵——天樞下一寸。
下腹壁神經。　肋間神經前穿行枝，內乳動脈與下腹壁動脈。　針五分至一寸灸五壯。

大　巨——外陵下一寸。　針五分至一寸灸五壯。

水　道——大巨下一寸。下腹神經與肋間神經。　外腸骨動脈與下腹動脈。　針五分至一寸灸五壯。

歸　來——水道下一寸。　針五分至一寸五分灸五壯。

氣　衝——橫骨兩端鼠蹊上一寸陰毛際有動脈是穴。　針五分至一寸灸七壯。

氣　戶——俞府傍二寸，第一肋間乳線部。
肋間神經及前胸[illegible]　上胸動脈與肋間動脈，胸肩峯動脈。　[illegible]三分至五分灸三壯。

庫　房——氣戶下一寸六分。[illegible]二肋間乳線部。　針三至五分灸三壯。

屋　翳——庫房下一寸六分，第三肋間乳線部。　針三至五分灸五壯。

膺　窗——屋翳下一寸六分，第四肋間乳線部。　針三分至五分灸五壯。

乳　中——即乳頭。　禁針灸。

乳　根——乳中下一寸六分，第五、六肋間乳線部。
胸廓神經與肋間神經。　長胸動脈，與肋間動靜脈。　針三分至五分灸三壯。

日　月——期門下五分。　針六分至一寸五分灸七壯。

腹　哀——乳線第九肋軟骨下方。

肋間神經。　腰動脈。　針五分至一寸灸五壯。

大　橫——腹哀下方三寸。　針五分至一寸灸三壯。

腹　結——大橫下一寸三分。

下腹神經與腸骨鼠蹊神經分枝。　腰動脈。

五分至一寸灸五壯。

府　舍——腹結下三寸。　針七分至一寸五分灸五壯。

衝　門——府舍下七分。　腸骨前上棘內下方。

腸骨鼠蹊神經分布。　下腹動脈與股動脈之分枝。

針七分至一寸五分灸五壯。

雲　門——璇璣旁六寸。　針五分至一寸灸五壯。

中　府——雲門下一寸。　第二肋間。

肋間神經及前胸廓神經。　腋下動脈之分枝，胸肩峯動脈，內乳動脈，肋間動靜脈等。　針五分至一寸禁灸。

周　榮——中府下一寸六分。　針五分至一寸灸五壯。

胸　鄉——周榮下一寸六分。　針五分至一寸灸五壯。

天　谿——胸鄉下一寸六分。　針五分至一寸灸五壯。

食　竇——天谿下一寸六分。　針五分至一寸灸五壯。

通　關——中脘旁各開五分。　治五噎。　健胃用。

直　骨——乳下一橫指陷中。　治遠年咳嗽。　男左女右灸五壯。

子　宮——中極旁各開三寸。　治婦人不孕症。　針三分至五分灸五壯。

命　關——脇下中脘間乳三角取之。　治脾家一切病。

百壯。

脊背與臀部

大　椎——第七頸椎與第一胸椎之間。
胸廓神經與脊椎神經。　後肋間動脈。　針五分至一寸二分灸三壯。

陶　道——第一胸椎與第二胸椎之間。　針五分至一寸二分灸五壯。

身　柱——第三與第四胸椎之間。
胸廓神經與脊椎神經分布。　後肋間動脈。　針五分至一寸灸五壯。

神　道——第五第六胸椎之間。　灸五壯針一寸至一寸二分。

靈　台——第六第七胸椎之間。　針五分至一寸灸三壯。

至　陽——第七第八胸椎之間。　針五分至一寸灸三壯。

筋　縮——第九第十胸椎之間。　針五分至一寸二分灸三壯。

中　樞——第十第十一胸椎之間。　針五分至一寸二分灸三壯。

脊　中——第十一、十二胸椎之間。　針五分至一寸灸五壯。

懸　樞——第一第二腰椎之間。　針五分至一寸灸三壯。

命　門——第二第三腰椎之間。
腰神經分布。　腹部大動脈之分枝。
針五分至一寸灸三壯至數十壯。年滿二十歲者有絕子之虞。

陽　關——第四第五腰椎之間。　針五分至一寸二分灸五壯。

腰　俞——第四荐椎下。　針五分灸五壯。

長　强——尾閭骨尖端部。
尾閭神經。　下臀動脈。　針五分灸二三十壯。

大　杼——第一第二胸椎之間，旁開一寸五分陷中。正坐取之。
脊椎神經副神經。　後肋間動脈。　針五分至一寸灸三壯。

風　門——第二胸椎下，大杼正下方。　針五分灸五壯。

肺　俞——第三胸椎下，旁開一寸五分，風門下方。　針五分至一寸灸五壯至數十壯。

厥陰俞——第四胸椎下旁開一寸五分。　針五分至一寸灸七壯。

心　俞——肺俞直下，第五胸椎下，旁開一寸五分。　針五分至一寸灸三壯。

督　俞——第六胸椎下旁開一寸五分。　針五分至一寸灸三壯。

膈　俞——第七胸椎下旁開一寸五分。
副神經脊椎神經分布。　後肋間動脈。　針五分至一寸灸五壯。

肝　俞——膈俞直下第九胸椎下旁開一寸五分。
脊椎神經。　後肋間動脈。　針五分至一寸灸三壯。

胆　俞——第十胸椎下旁開一寸五分。　針五分至一寸灸五壯。

脾　俞——第十一胸椎下旁開一寸五分。　針五分至一寸灸三壯。

胃　俞——第十二胸椎下旁開一寸五分。
脊椎神經後枝分布。　腰動脈及肋間動脈。　針五分至一寸灸三壯。

三焦俞——第一腰椎下旁開一寸五分。　針五分至一寸灸三壯。

腎　俞——第二腰椎下旁開一寸五分。
腰神經分枝。　腰動脈之背枝。　針五分至一寸灸三壯。

氣海俞——第三腰椎下旁開一寸五分。　針五分至一寸灸三壯。

大腸俞——第四腰椎下旁開一寸五分。
腰神經。　腸骨動脈，腰動脈之背枝。針五分至一寸灸三壯。

關元俞——第五腰椎下旁開一寸五分。　針五分至一寸灸三壯。

小腸俞——第一荐椎下旁開一寸五分。　針五分至一寸灸五壯。

膀胱俞——第二荐椎下旁開一寸五分。　針五分至一寸灸五壯。

中膂俞——第三荐椎下旁開一寸五分。　針五分至一寸灸五壯。

白環俞——第四荐椎下旁開一寸五分。　伏取。
下臀神經分佈。　下臀動脈。　針五分至一寸灸五壯。

上　髎——第一荐骨孔旁開五分。
臀神經與荐骨神經。　荐骨與上臀動脈。　針五分至一寸灸三壯。

次　髎——上髎下方五分第二荐椎孔間。　針五分至一寸灸五壯。

中　髎——次髎下方五分第三荐椎孔。　針五分至一寸灸五壯。

下　髎——中髎下方五分第四荐椎孔。　針五分至一寸灸五壯。

會　陽——尾骶骨下兩旁。　針五分灸三壯。

附　分——第二胸椎下夫脊兩旁各開三寸。　針五分灸三壯。

魄　戶——第三胸椎下夫脊兩旁各開三寸。　針五分灸五壯。

膏　肓——第四、五胸椎之間兩旁各開三寸。　針五分灸五壯以上，同時須灸足三里。

神　堂——第五、六胸椎之間，兩旁各開三寸。　針五分灸五壯。

P76

譩譆——第六、七胸椎之間，兩旁各開三寸。　針八分灸五壯。

膈關——第七、八胸椎之間兩旁各開三寸。　正坐闊背取。針五分灸五壯。

魂門——第九胸椎下兩旁各開三寸。　針五分灸三壯。

陽綱——第十胸椎下兩旁各開三寸。　針五分灸五壯。

意舍——第十一胸椎下兩旁各開三寸。　針五分灸五壯。

胃倉——第十二胸椎下兩旁各開三寸。　針五分灸五壯。

肓門——第一腰椎下兩旁各開三寸。　針五分灸五壯。

腰眼——腰兩旁陷處，　灸七壯。

精宮——背後十四椎下兩旁各開二寸，治夢遺。　灸七壯。

志室——第二腰椎下兩旁各開三寸。　針三分灸三壯。

胞肓——第二荐椎下兩旁各開三寸。　針五分灸七壯。

秩邊——第四荐椎下兩旁各開三寸。　針五分灸三壯。

天池——腋下三寸乳後一寸。　針五分灸三壯。

淵液——腋下三寸宛中舉臂取之。　禁針灸。

大包——淵液下三寸。　針五分灸三壯。

章門——季肋端臍上一寸八分旁開八寸半肘尖盡處是穴。側臥取之。　針五分至一寸灸五壯。

京門——臍上五分旁開九寸半。側臥屈上足伸下足取之。針五分至一寸灸五壯。

帶脈——章門下一寸八分。　針五分至一寸灸三壯。

五樞——帶脈下三寸。肋骨與下腹神經。腹部鼠蹊神經[illegible]腰[illegible]脈。針五分至一寸灸五壯。

維道——章門下五寸三分。　針八分至一寸五分灸三壯。

居髎——環跳上一寸。　針五分灸三壯。

輒筋——淵液前一寸。　針六分灸五壯。

第三章　肩胛與上肢部穴

肩中俞——肩胛內廉，大椎旁去脊二寸陷中。　針五分至一寸灸十壯。

肩外俞——肩上廉去脊三寸陷中。　針五分至一寸灸五壯。

垣　曲——肩胛骨棘狀突起根之上部中央。　針五分至一寸灸三壯。

秉　風——天髎外肩上小髃後舉臂有空。　針五分至一寸禁灸。

天　宗——秉風後大骨下陷中。　針八分至一寸五分灸三壯。

臑　俞——挾肩髎後，大骨下，胛上廉陷中。　針八分至一寸五分灸三壯。

肩　貞——肩顒後陷中三角筋部。腋下神經。　迴旋上膊動靜脈。　針五分至一寸灸五壯。

肩　井——大椎之上方向左右即肩上部，筋肉豐隆之所。以左手按右肩上正在中指處是穴。　針四分至一寸灸三壯。孕婦禁針。

天　髎——直肩井後一寸。　針五分至一寸灸三壯。

肩　髎——肩端與臑俞之間，舉臂取之。　針七分至一寸五分灸三壯。

臑　會——肩胛斜外方去肩頭三寸。　針五分至一寸灸五壯。

肩　髃——肩峯突起之下端兩骨陷中舉臂有空。腋下神經分布。　迴旋上膊動脈。　針五分至一寸灸三壯。

巨　骨——肩端上行兩叉骨間陷中。　灸三壯至七壯不宜針。

天　府——腋下三寸。以鼻伸直鼻尖點到處，垂手與乳頭平衡是穴。　針五分禁灸。

俠　白——上膊內側中央部。
內膊皮下神經分布。　上肢動靜脈。
針三五分灸五壯。

尺　澤——肘關節窩。
中膊皮下神經。　尺骨動脈及上膊靜脈。　針五分灸五壯。

孔　最——去腕上七寸。　針五分至一寸灸五壯。

列　缺——在腕骨上側一寸五分，以手交叉食指點處是穴。
針五分灸三壯。

經　渠——在手寸口動脈中。　針二三分禁灸。

太　淵——在掌側後橫紋頭動脈。　針二分灸三壯。

魚　際——大指本節後內側。　針二分禁灸。

少　商——大指內側去爪甲角如韭葉。　針一分禁灸。

天　泉——腋下二寸舉臂取之。　針六分至一寸灸三壯。

曲　澤——肘內廉陷中，屈肘取之。　針五分灸五壯。

郄　門——掌後去腕五寸。　針五分灸五壯。

間　使——大陵後三寸。　針五分灸五壯。

內　關——掌內去腕二寸與外關相對。　針五分灸五壯。

大　陵——掌後第一橫紋兩筋間。　針三分灸三壯。

勞　宮——掌中屈無名指取之。　針三分灸三壯。

中　衝——手中指端內廉去爪甲如韭葉。　針一分灸一壯。

極　泉——臂內腋下筋間動脈。　針三分至五分灸三壯。

青　靈——上膊內側肘上三寸屈肘舉臂取之。　禁針灸三壯。

少　海——肘內廉橫紋頭盡處是穴。　針五分不宜灸。

靈　道——掌後一寸五分。　針三分至五分灸五壯。

通　里——腕後一寸陷中。　針三分至五分灸三壯。

陰　郄——掌後尺側脈中去腕五分。　針三分灸三壯。

神門——掌後銳骨端陷中。 針三分灸三壯。

少府——掌內手小指本節後。 針二分灸三壯。

少冲——手小指內側端去爪甲角如韭葉。 針一分灸一壯（可刺）。

臂臑——肘上七寸。 禁針灸七壯至百壯。

五里——在曲池橫紋尖盡處上三寸是穴。 禁針灸三壯至十壯。

肘髎——在肘大骨外廉陷中。 針三分至五分灸三壯。

手三里——曲池下二寸。
橈骨神經與外膊皮下神經。 橈骨側靜脈。 針三分至五分灸五壯。

曲池——肘窩橫皺盡處，屈臂取之。
橈骨神經與外膊皮下神經。 橈骨側靜脈。 針五分至一寸灸三壯至數十壯。

上廉——曲池下三寸。 針三分至七分灸五壯。

下廉——曲池下四寸。 針五分至一寸灸五壯。

溫溜——腕後五寸。 針三分至五分灸三壯。

偏歷——腕後三寸兩手交叉以中指盡處是穴。 針三分至五分灸三壯。

陽谿——在手腕上側橫紋前兩筋間陷中。 針二分灸三壯。

合谷——手背第一二掌骨間。
橈骨神經手背枝及尺骨神經分布。 指骨通靜脈。
針三分至五分灸三壯孕婦禁針。

三間——手次指本節後內側陷中。 針三分灸三壯。

二間——手次指本節前內側陷中。 針三分灸三壯。

商陽——次指之端內側去爪甲如韭葉。 針一分灸一壯。

消濼——上膊外面之中央三角筋停止部。
橈骨神經。 上膊靜脈。 針三分至五分灸三壯。

清冷淵——上膊後側，鷹嘴突起上方二寸。

皮下神經尺骨神經分布。　肘關節動靜脈網。

針五分灸三壯。

天　井——肘骨上方一寸。

尺骨神經內與皮下神經。　尺骨動脈。　針三分至五分灸三壯。

四　瀆——鷹嘴突起下方五寸。　尺骨外側部三里斜下方之所。

橈骨神經與中膊神經。　尺骨副靜脈。

針五分至一寸灸五壯。

三陽絡——陽池後四寸。　禁針灸三壯。

會　宗——支溝旁一寸。　禁針灸三壯。

支　溝——陽池後三寸兩筋骨間。

橈骨神經與皮下神經等。　針三分至七分灸七壯。

外　關——陽池後二寸。　針三分至五分灸三壯。

陽　池——手背上橫紋陷中，腕關節中央部。

橈骨神經手背枝及尺骨神經分布及其動靜脈。

針三分不宜灸。

中　渚——無名指外側本節後陷中。　針三分灸三壯。

液　門——無名指外側本節前。　針三分灸三壯。

關　衝——無名指外側去爪甲角如韭葉。　針一分灸三壯。

小　海——肘外大骨去肘端五分陷中。　屈手向頭取之。

針三分至五分灸三壯。

支　正——前膊尺側腕後五寸。　針三分至五分灸三壯。

養　老——尺側手髁骨上仰手探之腕後一寸。　針二三分灸三壯。

陽　谷——手外側養老腕骨之間。　針三分灸三壯。

腕　骨——掌後外側，高骨下陷中。　針三分灸三壯。

後谿——手小指外側本節後陷中。針三分灸一壯。

前谷——手小指外側，本節前陷中。針一分灸一壯。

少澤——手小指外側端去爪甲角一分陷中。針一分灸一壯。

中魁——（二穴）手中指二節。治反胃吐食。屈指骨尖上針一分灸七壯。

大骨空——（二穴）手大指中節。治目久痛及翳膜。屈指骨尖上針一分灸七壯。

小骨空——（二穴）手小指二節。治手節痛目痛。屈指骨尖上針一分灸七壯。

十宣——（十穴）手十指甲後。治乳鵝。用三棱針。

鬼眼——（二穴）手大指甲後。治五癇。縛指灸之。

五虎——（四穴）手十指及無名指二節尖。治五指拘攣。握拳取灸五壯。

四縫——（四穴）手四指內中節。治小兒糊猻癆症。用三棱針。

二白——（四穴）掌後橫紋上四寸間使後一寸在筋內。治痔疾脫肛。

肘尖——（二穴）肘尖上。治瘰癧。屈肘取之灸七壯。

池泉——（二穴）手背腕中。治心腹痛。在陽谿陽池之間灸二十七壯。

肩柱骨——（二穴）肩端。治瘰癧及手攣不動。灸七壯。

百勞——（二穴）大椎旁各開一寸。治瘰癧連珠瘡。灸七壯。

闌門——（二穴）曲池旁。治膀胱七疝奔豚。

第四章　下肢部穴道

環跳——大轉子之前方曲夾腿伸下腿取之。

P32

外股皮下神經及上臀神經分布。股動脈之分枝。

針一寸五分至二寸灸十壯。

風市——膝上七寸股外側兩筋間垂手中指端處。針五分至一寸五分灸三壯。

中瀆——大腿外側正中膝上五寸。

上臀神經分布。外旋股動靜脈。針五分至一寸五分灸三壯。

陽關——陽陵泉上三寸。針五分至一寸五分禁灸。

陽陵泉——膝蓋骨外下方一寸腓骨小頭之前。

腓骨神經分布。前脛骨動靜脈。針五分至一寸灸三壯。

陽交——外踝斜上七寸。針六分至一寸灸三壯。

外丘——足外踝上七寸與陽交平，差後一寸。針二分至五分灸三壯。

光明——足外踝上五寸。針三分至一寸灸五壯。

陽輔——外踝上四寸。針三分至一寸灸三壯。

懸鐘——足外踝上三寸。

腓骨神經分布。腓骨動靜脈。針五分至一寸灸五壯。

丘墟——足外踝下陷中去臨泣三寸。針五分灸五壯。

臨泣——足四趾本節前外側後筋骨縫中去俠谿穴一寸五分。針三分灸三壯。

地五會——足四趾本節後陷中。針一分禁灸。

俠谿——足四趾本節前陷中。針二分灸三壯。

竅陰——足四趾端外側去爪甲角。針一分。

承扶——臀部下溝中央部臀皺襞。

下臀神經後枝　坐骨神經分布。下臀動脈。

針五分至一寸五分灸五壯。

殷　門——承扶下六寸膕上兩筋之間。針五分至一寸三分灸
　　　　三壯。
浮　郄——委陽上一寸展膝取之。　針五分至一寸灸三壯。
委　陽——膝膕橫紋外廉兩筋間，委中外一寸。　針七分至一
　　　　寸五分灸三壯。
委　中——膕中央約紋中伏取。　針一寸五分禁灸。
合　陽——膝約紋中央下二寸。　針五分至一寸灸五壯。
承　筋——下腿後側中央，腓腸肌下端，外踝上八寸。　禁針
　　　　灸三壯。
承　山——腨腸下分肉間陷中貼脚見八字形取之。　針七分至
　　　　一寸灸五壯。
飛　揚——足外踝上方七寸腓骨之後側。　針三分至七分灸七
　　　　壯。
跗　陽——外踝上三寸飛揚下四寸。　針三分至七分灸三壯。
崑　崙——足外踝後五分。　針三分至五分灸三壯。孕婦禁灸。
僕　參——足跟骨下白肉際陷中。拱足取之。　針三分不宜
　　　　灸。
申　脈——外踝下五分。　針三分不宜灸。
金　門——丘墟後申脈前。　針三分灸三壯。
京　骨——足小趾外側本節後一寸（大骨亦名京骨）其穴在骨中
　　　　。　針三分灸七壯。
束　骨——足小趾外側本節後陷中。　針三分灸三壯。
通　谷——足小趾外側本節前陷中。　針三分灸三壯。
至　陰——足小趾外側去爪甲如韭葉。　針一分灸三壯。
急　脈——陰毛中陰上兩旁相去二寸半。　灸六壯禁針。
陰　廉——鼠蹊溝之中央部，去氣衝二寸動脈中。
　　　　股、腰、鼠蹊神經分布。　股動脈。　針三分至
　　　　五分灸三壯。

五　里——氣衝下三寸股動脈。　針三分至一寸灸三壯。
陰　包——膝上四寸，股內廉兩筋間。　針六分至一寸五分灸三壯。
曲　泉——膝膕窩內側屈膝橫紋頭取之。　針七分至一寸五分灸三壯。
膝　關——膝蓋下內側與犢鼻相平二寸。　針四分至一寸灸五壯。
中　都——足內踝上七寸。　針五分灸五壯。
蠡　溝——內踝上五寸。　針三分至五分灸三壯。
中　封——內踝前一寸筋裡宛宛中。　針四分灸三壯。
太　冲——大趾本節後行間上二寸。　針三分灸三壯。
行　間——大趾次趾歧骨間動脈陷中。　針三分灸三壯。
大　敦——足大趾去爪甲如韭葉。　針一分灸三壯。
髀　關——膝上一尺二寸。　針六分至一寸五分灸三壯。
伏　兎——膝上六寸正跪坐取之。　針五分至一寸禁灸。
陰　市——膝上三寸。　針三分至七分灸三壯。
梁　丘——膝上二寸。　針三分至七分灸三壯。
犢　鼻——膝臏外側大筋陷中。　針三分禁灸。
足三里——外膝眼直下三寸。
腓骨神經分布。　前脛骨動靜脈等。　針五分至一寸灸五壯。
上　廉——三里下三寸舉足取之。　針三分至七分灸三壯。
條　口——下廉上一寸舉足取之。　針三分至五分灸三壯。
下　廉——上廉下三寸。　針三分至五分灸三壯。
豐　隆——外踝上八寸。　針三分至五分灸三壯。
解　谿——足腕上衝陽後一寸半繫鞋處。　針三分灸五壯。
衝　陽——去陷谷三寸。　針三分灸三壯。
陷　谷——大趾次趾之間本節後陷中。　去內庭二寸。　針三分灸三壯。
內　庭——足大趾次趾之間。　針二至四分灸三壯。
厲　兌——次趾外側去爪甲如韭葉。　針一分灸一壯。
箕　門——血海上六寸。　針三分至五分灸三壯。一說此穴禁針。
血　海——在膝臏內廉二寸。　針五分至一寸灸五壯。
陰陵泉——膝關節下內側陷中。
脛骨神經分布。　膝關節動脈及脛動脈。　針五分灸三壯。
地　機——膝下內側五寸。　針三分至一寸灸三壯。
漏　谷——內踝上六寸。　針三分至一寸灸三壯。
三陰交——足內踝上三寸。
脛骨神經分枝。　脛骨動脈。　針三分至一寸灸三壯。妊娠不可針。
交　信——三陰交下一寸。　針三分至一寸灸三壯。
商　邱——內踝下微前陷中，前有中封後有照海此穴居中。
針三分灸三壯。
公　孫——在大趾內側去本節後一寸陷中。　針四分灸三壯。
太　白——足大趾內側公孫前一寸。　針二分灸三壯。
大　都——足大趾本節後陷中。　針三分灸三壯。孕後未及三個月不宜灸。
隱　白——足大趾內側端去爪甲如韭葉。　針一分禁灸。
陰　谷——膝內輔骨後大小筋之間，屈膝取之。　針四分灸三壯。
築　賓——內踝上五寸。　針三分至七分灸五壯。
復　溜——內踝上二寸動脈陷中。　針三分至五分灸四壯。
水　泉——太谿下一寸足內踝後下方一寸。　針五分灸五壯。
照　海——內踝下四分。　針三分至五分灸七壯。

大　鐘——足跟後衝中水泉下一寸。　針二分至三分灸三壯。
太　谿——足內踝後五分跟骨上。　針三分至五分灸三壯。
然　谷——足內踝前下陷中。　針三分至五分灸三壯。
湧　泉——足心陷中踡足卷趾取之。
　　　　脛骨神經末枝內足趾神經分布。　後脛骨動脈之末
　　　　枝。　內足趾動脈。　針三四分灸三壯。
八　風——（八穴）足五趾岐五間。　治背後紅腫。　針一
　　　　分灸五壯。
獨　陰——（二穴）足二趾橫紋中。　治小腸疝氣及死胎胎衣
　　　　不下。及婦人乾噦，吐血，經血不調。　灸五壯。
足小趾尖——（二穴）足小趾尖上，　治難產，　灸小趾尖。
足太陰——（二穴）足內踝後。　治逆產。
足太陽——（二穴）足外踝後。　治足癱無力。
內太冲——（二穴）足掌側足太冲對向旁陷大筋陷中舉足取之。
　　　　治疝氣。　針一分灸三灸。
甲　根——（二穴）足大趾中角爪甲角隱皮爪根，左右廉內角之
　　　　際。　治七疝。　針一分灸三壯。
鶴　頂——（二穴）膝蓋尖上。　治兩足癱瘓無力。　灸七
　　　　壯。
膝　眼——（四穴）膝蓋骨下兩旁。　治膝酸痛。　針五分
　　　　至一寸灸五壯。

第五章　禁針禁灸穴

禁針穴歌　　共三十一穴

禁針穴道要先明。　腦戶顖會及神庭。
絡却玉枕角孫穴。　顱顖承泣隨承靈。

神道靈台膻中忌。水分神闕並會陰。
橫骨氣衝手五里。箕門承筋及青靈。
乳中上臂三陽絡。二十三穴不可針。
孕婦不宜針合谷。三陰交內亦通論。
石門針灸應須忌。女子終身無妊娠。
外有雲門並鳩尾。缺盆客主人莫深。
肩井深時人悶倒。三里急補人還平。

禁灸穴歌　共四十七穴

禁灸之穴四十七。承光瘂門風府逆。
睛明攢竹下迎香。天柱素髎上臨泣。
腦戶耳門瘈脈通。禾髎顴髎絲竹空。
頭維下關人迎等。肩貞天牖心俞同。
乳中脊中白環俞。鳩尾淵液如周榮。
腹哀少商並魚際。經渠天府及中衝。
陽池陽關地五會。漏谷陰陵條口縫。
殷門申脈承扶忌。髀關伏兔連委中。
陰市下行尋犢鼻。諸穴無將艾火攻。

第六章　重名穴

一穴有二名

雲門	云門	迎香	衝陽
商陽	絕陽	缺盆	天蓋
三間	少谷	歸來	谿穴
陽谿	中魁	伏兔	外勾
肘髎	肘尖	解谿	鞋帶

一

臂臑	頸衝	漏谷	太陰絡
扶突	水穴	陰陵泉	陰之陵泉
大迎	髓孔	大橫	人橫
大巨	腋門	少衝	經始
氣衝	氣街	天窗	窗籠
陰市	陰鼎	顴髎	兌骨
衝陽	會原	曲差	鼻衝
地機	脾舍	白環俞	腰俞
血海	百虫窩	譩譆	五胠俞
少海	曲節	僕參	安邪
少澤	小吉	束骨	刺骨
太淵	太泉	照海	陰蹻
二間	間谷	橫骨	下極
合谷	虎口	商曲	高曲
曲池	鬼巨	幽門	上門
天鼎	天頂	天泉	天濕
五里	尺之五里	肩井	髆井
大陵	鬼心	維道	外樞
顱息	顱顖	大敦	大順
竅陰	枕骨	中都	中郄
目窗	至榮	陰包	陰胞
睛明	泪孔	強間	大羽
支溝	肺府	至陽	肺底
眉冲	小竹	神庭	髮際
督俞	高蓋	玉堂	玉英
會陽	利機	齗基	下頤
崑崙	下崙崑	淵液	泉液
金門	關梁	湧泉	地衝

太谿	呂細	風市	垂手
四滿	髓中	中封	懸泉
石關	右關	蠡溝	交儀
天池	天會	大椎	百勞
間使	鬼路	後頂	交衝
陽池	別陽	兌端	壯骨
瘈脈	資脈	中庭	龍頷
曲鬢	曲髮	風府	舌本
陽白	楊白		
腦空	顳顬		

一穴有三名

承泣	鼷穴	面髎
頰車	機關	曲牙
地倉	會維	胃維
人迎	天五會	五會
水突	水門	水天
三里	下陵三里	鬼邪
巨虛上廉	上廉	上巨虛
巨虛下廉	下廉	下巨虛
衝門	慈宮	上慈宮
腹結	腹屈	腸窟
通天	天白	天伯
絡却	強陽	腦蓋
承筋	腨腸	直腸
申脈	陽蹻	鬼路
大赫	陰維	陰關

248

氣穴	胞門	子戶
陰都	食宮	石宮
勞宮	五里	掌中
三陽絡	通關	通門
臑會	臑窌	臑交
絲竹空	巨髎	目髎
率谷	率骨	耳尖
輒筋	神光	膽募
日月	神光	膽募
京門	氣府	氣俞
陽陵泉	陽之陵泉	陽陵
陽交	別陽	足窌
陽輔	絕骨	分肉
懸鐘	絕骨	髓會
命門	屬纍	精宮
脊中	神宗	脊俞
上星	神堂	鬼堂
素髎	面王	准頭
曲骨	回骨	屈骨
水分	分水	中守
上脘	上管	胃脘
天突	玉戶	天瞿
廉泉	本池	舌本

一穴有四名

溫溜	逆注	蛇頭	池頭
承扶	肉郄	陰關	皮部
委中	郄中	委中央	血郄

飛陽	厥陽	厥陽	飛揚
然谷	龍淵	龍泉	然骨
復溜	伏白	昌陽	伏曰
瞳子髎	後曲	太陽	前關
聽會	聽呵	後關	耳門
陽關	寒府	關陵	陽陵
顖會	顖門	鬼門	項門
腦戶	匝風	會額	合顱
水溝	人中	鬼客廳	鬼宮
中極	氣原	玉泉	氣魚
中脘	太倉	胃脘	上紀
膻中	元兒	上氣海	元見
承漿	天池	懸漿	鬼市

一穴有五名

肩顒	中肩中	肩骨	肩尖	髃骨
神門	兌衝	兌骨	中都	銳中
承山	魚腹	肉柱	傷山	魚腰
客主人	上關	客主	太陽	容主
風府	舌本	惺惺	鬼穴	曹谿
瘂門	瘖門	舌橫	橫舌	舌厭
會陰	屏翳	平翳	下陰別	海底
氣海	脖胦	下肓	下氣海	丹田
鳩尾	骭骬	尾翳	骬骭	臆前

一穴有六名

禾髎	顴	長頻	長頰	長顬	長髎
章門	長平	脇髎	脇髎	季肋	季脇

石門 丹田 利機 精露 命門 俞門
神闕 臍中 命蒂 氣合 氣合 維會

一穴有七名

攢竹 始光 員在 夜光 明光 光明 元柱
環跳 分中 髖骨 臏骨 髀樞 環谷 髀厭

一穴有八名

腰俞 髓空 背解 腰戶 髓孔 腰柱 髓俞 背鮮
百會 三陽五會 三陽 巔上 五會 天滿 維會
泥丸宮

一穴有九名

天樞 長谿 谷門 穀門 長谿 循際 循元 長谷
補元。

一穴有十七名

長强，龜尾，尾骨，橛骨，尾閭，尾蛆骨，骶骨，窮骨，為之，陰郗，龍虎，曹谿路，三分閭，河車路，朝天巔，上天梯，氣之陰郗。

一穴有二十七名

關元，關原，丹田，下紀，次門，大中極，三結交，溺水，大涸，崑崙，持樞，脖胦，子處，血海，血室，下肓，氣海，精露，利機，子戶，胞門，子宮，子腸，產門，肓之原，大海，五城。

第七章　七十主穴的治療作用，（還有些主要穴未列入內）

頭面部

百　會——治卒中，卒起僵卧，風寒。
頭　維——治頭痛，眩暈。
翳　風——治口噤不開，齒齲。
耳　門——上齒痛，唇吻強。
風　池——面赤腫。
瘂　門——瘖不能言。
睛　明——目腫痛，遠視不明，夜盲等。

肩背部

大　椎——久瘧不癒，衄血不止。
肩　井——頭項痛，臂不能舉，婦人難產，墮胎後手足無力。乳癰。
肩　髃——背筋骨疼痛，頸項筋痛。
膏　肓——虛損勞傷，神魂勞倦，健忘，眠多，夢遺等。
肺　俞——上氣喘滿，咳嗽。
膈　俞——胸脇支滿，噎食不下，咳嗽氣痛。
肝　俞——胸滿心腹積聚，疼痛嗽引兩脇。
脾　俞——泄痢不化，黃疸，脹滿，痞氣。
胃　俞——胃寒，吐逆，少食羸瘦，霍亂，腹脹。
膀胱俞——小便赤澁，遺尿失禁，婦人帶下，瘕聚。
腰　眼——傳屍癆瘵，腰痛。消渴症，婦人月水不定，赤白帶下，腰脊冷痛，下血痔漏。

胸肋部

天突——喘急，痰涎咳嗽，喉痺，咽乾急。
中府——胸肋痰痛，中風。
鳩尾——霍亂，神志昏昧者。
巨闕——心胸疼痛，膈中不利。
上脘——翻胃嘔吐，食不下。
中脘——腹內諸症。
梁門——積氣疼痛。
陰都——嘔吐。
建里——宿食嘔吐。
下脘——泄瀉，腹內腸鳴。
水分——水脹腫滿，小便不通。
章門——胸肋支滿，痞氣食積。瘧疾，泄瀉，疝痛。
京門——小腹急痛。
神闕——卒中，人事不省，霍亂轉筋，四肢厥冷。
天樞——賁豚，臌疝，氣疝，[illegible]，面腫。
陰交——小腹疼冷，陰囊瘙濕。
氣海——夢遺，滑精，白濁。
石門——小腹疝痛，淋疾。
關元——臍下絞痛，遺精，淋濁，月經不調。
中極——產時惡露，胎衣不下。

上肢手部

合谷——偏正頭痛，面腫目翳，口眼斜，口噤不開。
商陽——手腳拘攣。
後谿——肩臑痛，不能動搖。

少　商——手不仁，手臂身熱。
神　門——手不得上下。
通　里——心悸亢進。
列　缺——小便熱痛，中風齒痛。
外　關——肩重，臂痛。
溫　溜——瘧，面赤腫，瘰癧，喉腫。
曲　澤——腹脹喘，振慄。
曲　池——臂臑疼痛，不能提物，屈伸不便，手震顫不能書寫。
　　　　中風，口喎斜。
內　關——手中風熱，臂裡攣急。

下肢足部

湧　泉——衂血不止。
大　敦——腹脹，腹痛，癲癇。
隱　白——腹脹，噁心。
內　庭——心煩，不穩。
臨　泣——肋間神經痛。
申　脈——眩暈，癲疾。
照　海——積聚，肌肉痛。
公　孫——瘧疾，噁塞，心痛，心煩。
三陰交——婦人月經不調，難產，死胎。
承　山——大便秘結，痔漏，脚氣。
陰陵泉——心下滿，小便不利。
陽陵泉——足膝冷，麻木，脚氣，筋攣。
三　里——逆氣上冲，頭痛，眩暈，眼翳，耳鳴，鼻窒　口無味
　　　　，咳痰，氣喘，心痛，胸腹支滿，腹內氣塊　腹痛，
　　　　大小便不利，腰脊强痛。
委　中——腰脊甚痛，不可忍者，刺之出血頓愈。轉筋霍亂亦刺

之立愈。

風　市——腰腿痛，足脛麻木，脚氣冷痛。
環　跳——胸肋相引，半身不遂，腰胯痠痛。
阿　是——即指痛處針痛處即是。

847

第三篇　治療篇

第一章　腦神經系病

第一節　腦實質疾患

口　腦充血　漢名頭痛或逆上等病症

一般療法：多血者宜節減食物，行適當的運動，節制吸烟飲酒，勿心身過勞。腦充血發作時，可高舉頭部，使之靜臥，貼以冰囊，耳後可貼水蛭。慢性症者，須安靜心身，禁喝茶飲酒，適度運動，當整便通。

針灸——然谷，手足三里，合谷，瘂門。

口　腦貧血　漢名血虛頭眩

一般療法：急性者可將患者頭部放低平臥，並將冷水注於顏面及胸部，一面嗅入亞母尼亞或醋類等物，出血及貧血者，可注射生理食鹽水，慢性者，安靜心身，有卒倒之虞，使徐徐坐起，而避急劇之動作，此外與其他的腦器質疾患食養法治療。

針　頭暈兼嘔吐時：針內庭，豐隆，中脘，風池，解谿，攢竹，風庭。

灸　百會，風池，神庭，上星。

只頭痛針申脈，足三里，灸風池，上星，前谷，足三里，後頂，腦空，百會。

頭暈眼花針攢竹，豐隆，風府。

□ 腦出血 （卒中） 漢名中風

一般療法：預防法須避飲酒，心身過勞，冷水浴等。常整便通發作時使患者臥於廣寬肅靜之暗室，高舉頭部或貼以冰囊，頸動脈搏動甚强，顏面潮紅，則行刺絡法，注意便通與利尿，發作之後，禁談話見客及精神刺戟，經過兩星期可輕擦麻痺部，或電氣療法。

針 合谷，曲池，陽輔，陽陵，內庭，風府，肝俞。

灸 顖門，風池，百會，曲池，肩髃。

第二節 神經性疾患

□ 三叉神經痛 漢名面痛

一般療法：行原因療法，如僂麻質斯性神經痛，則行發汗浴，行按摩法，或冷水摩擦法及軟膏塗布。

針 合谷，曲池，頰車，地倉，承漿，肩髃，瞳子髎，翳風。

灸 百會，神庭，聽會，頭維，曲差，曲鬢，大迎。

□ 顏面神經麻痺 漢名口眼喎斜症

一般療法：行原因療法（如梅毒，感冒，耳疾患等）用電氣療法，刺戟顏面諸筋，其他如發汗法，水蛭按摩誘導等。

針 地倉，頰車，人中。

灸 神庭，曲差，聽會。

□ 肋間神經痛 漢名脇肋痛

一般療法：行原因療法及通電法，熱氣灌注法，輕症宜安息靜止，施冷罨法，或溫罨法，重者可貼芥子泥。

針灸 大杼，肺俞，肝俞，步廊，腎俞，章門，京門，阿是。

□ 坐骨神經痛 漢名腰痛或尻痛，股痛，因其局部異其名稱。

一般療法：急症宜一至三週間之靜臥，與以無刺戟性之食餌，整理便通，下肢貼溫熱濕布，濕婆等，或用溫浴電氣，熱氣灌注法，屢著奇效。

針　委中，環跳，崑崙，腎俞，關元俞，大腸俞，大都。

灸　腎俞，環跳，承扶，足三里，大腸俞

□　常習性頭痛

一般療法：行原因療法用安比，咖啡因，時有奇效，但易再發。

針　腦　頂——針上星，風池，天柱，少海。

前　額——針上星，前頂，百會，合谷，豐隆，崑崙，俠谿。

額眉痛——攢竹，合谷，神庭，頭維，解谿。

□　脊髓癆　漢名腿腿瘋

一般療法：行原因療法（如驅梅療法，水銀療法等）避心身過勞，禁用煙草，咖啡，整理便通，理學療法，則常用電氣療法及水治療法等。

針　腰俞，陽陵，絕骨，大杼，承山，崑崙，太冲，中封，曲泉，環跳。

灸　大腸俞，天突，神庭。

□　脊髓炎　漢名背骨痛

一般療法：急性者，可於脊椎部貼置冰囊，預防褥瘡時變換體位，藥物療法採用對症療法，行原因療法如驅梅等。

針　腰俞，陽陵，絕骨，大杼，承山，崑崙，太冲，中封曲泉，環跳。

灸　大腸俞，天突，神庭。

□　癲狂病　漢名亦同又有腸癇或急驚風之稱

一般療法：原因療法有寄生蟲病則驅除之，有耳鼻疾患者則治療之，與以精神上安慰，避心身過勞，戒暴飲暴食，整理便通，設法使之安靜，近年賞用硃砂風子血清療法。

一、癲，針人中，少商，隱白，大陵，申脈，風府，頰車，承漿，勞宮，上星，會陰，曲池，舌下縫出血，間使，後谿，或灸心俞三四壯。

(1)喜笑無時——針人中，陽谿，列缺，大陵，神門。

(2)呆痴不靈——針神門，中脘，湧泉，灸少商，心俞。

(3)多悲泣——針人中，灸百會，大陵。

二、狂，針人中，少商，隱白，大陵，申脈，風府，頰車，承漿，勞宮，上星，會陰，曲池，舌下中縫出血，間使，後谿。

三、癇，針崑崙，僕參，湧泉，人中，金門，灸天井，巨闕，大椎，腕骨，少商，靈道，足臨泣，內庭，僕參，神門，金門，湧泉，曲泉，鳩尾，勞宮，率骨，後谿，心俞，顖會，行間。

凡灸癲狂癇時，必先瀉下，乃可灸，不然則氣不通。

□ 小兒急癇

由腦病，胃腸加答兒，便秘，下痢，急性發疹病前驅期而起者。

一般療法：宜行原因治療，發作時施行灌腸，宜注意腦充血及貧血，本病以鎮靜腦機能為目的。

針 少商，曲池，人中，大椎，湧泉，中脘，委中，印堂，承山，百會。

灸 大椎，身柱，百會，陽陵泉。

□ 偏頭痛 又名偏頭風或半頭風

一般療法：避精神過勞，禁食肉食及刺戟性的食物，整理便通。有鼻疾患，扁桃腺肥大時，宜治愈之。

針 頭維，絲竹空，攢竹，風池，前頂，上星，俠谿，[illegible]門。

灸 風池，大迎，曲差，頭維。

□ 歇斯的里 漢名心風或臟躁即鬱悲傷欲哭

一般療法：最主要者行精神暗示療法，即令患者絕對信仰醫師。生理學療法則用電氣，按摩，與水治療法，藥物，宜用強壯及鎮靜劑，其他可用對症療法。

灸 關元，中脘，巨闕，心俞，膈俞，胃俞，幽門，肝俞，百會，瘂門。

□ 神經衰弱

一般療法：行原因療法，如精神過勞宜除去，手淫宜禁戒之，有害飲食品宜禁止，有疑懼之念者，宜警解之或用暗示及強壯療法，行適度的運動，旅行，或轉地療養等。藥物療法，用鎮靜劑或強壯劑。

針 神門，足三里，百會，湧泉，合谷，關元，膏肓俞，肺俞，大椎。

灸 顖會，百會，大杼，肩髃，天樞，大椎，關元，瘂門，風池，男子以睾丸肛門之間，（即會陰部施灸）。

□ 不眠症

針 太淵，公孫，隱白，肺俞，陽陵泉，三陰交。

□ 半身不遂或左癱右瘓

針 百會，合谷，（先健側後患側）曲池，肩髃，手三里，崑崙，絕骨，陽陵泉，足三里，環跳，肝俞。

□ 牙關緊閉

灸 頰車，百會，人中。

□ 痰多不能[illegible]

針灸　雲門，關元，氣海，百會。

□　膝關節神經痛

針　膝眼，陽陵泉，曲泉，環跳，絕骨。

□　手攣縮或麻痺

針　手三里，肩髃，曲池，曲澤，間使，後谿，合谷。

□　足攣縮或麻痺

針　行間，丘墟，懸鍾，陽輔，陽陵泉，足三里。

第二章　消化器病

第一節　咽頭疾患

□　急性咽頭加答兒及軟口蓋疾患　　漢名脾風、喉風之類。

一般療法：口內用葯液含嗽，炎部以葯劑塗布，或用諸種葯液吸入。頸部用溫罨法，禁用刺戟性食物，但如牛乳，粥湯，雞蛋等流動性飲食物，或黏滑性飲食物，如飴糖等。

針灸　天鼎，天突，肝俞，風池，大杼，合谷。

□　慢性咽頭加答兒及軟口蓋疾患

一般療法：葯劑塗布，含嗽，洗滌，噴霧吸入均可，但含嗽洗滌之葯液，以溫暖者爲適宜，食物宜淡薄，不可用鹽漬物及香料品，吸煙，飲酒，均宜禁絕。

針灸　天鼎，天突，肝俞，風池，大杼，合谷。

□　扁桃腺炎　　漢名喉痺

一般療法：輕症，喉部行冷罨法，用含嗽劑，重症使嚥下冰塊或用葯劑塗布貼水銀軟膏或硬膏於頸部，扁桃腺肥大用消炎葯。

，頰車，經渠，合谷，豐隆，湧泉，關冲，中渚，太谿，天突，尺澤。

灸　風池，大杼，大迎，天突，天鼎。

□　耳下腺炎　　俗名痄腮又有發頤魚腮風，鰓腮之名，鄉常叫蝦蟆瘟或叫時毒。

一般療法：專用濕溫罨法，若有劇痛，則用冷罨法，化膿宜切開，而用石炭酸水濕罨法。

灸　大迎，風池，臨會，於足之後跟赤白肉接界，各灸五十壯，此即女膝穴。

第二節　食道疾患

□　食道狹窄

一般療法：用消息子擴張其狹窄部，若食物不能攝取時，施外科手術，及食餌療法，視症狀輕重分三種：

（1）狹窄較輕者，給與流動性食物，（牛乳及牛乳製品，雞卵，豆類等甚適當）而菜蔬，生果最忌用之，不得已時去皮煮熟為粥狀食之。

（2）狹窄重者給以牛乳加少量雞卵，其他用人工營養品。

（3）狹窄極重者，飲牛乳尚困難之時，用稀釋牛乳或砂糖水及肉湯一日三次行滋養灌腸。

針　中脘，足三里，公孫，內庭，陽輔，然谷，陽谿，太白，大陵，膈俞，大腸俞，膻中，氣海，列缺，內關，胃俞，三焦俞。

灸　天突，天鼎，大杼，乳根，巨闕，鳩尾。

□　食道瘍腫

一般療法：與狹窄同。

針灸　與食道狹窄同。

四　食道擴張

一般療法：與食道狹窄同。

針灸　與食道狹窄同。

□　食道炎

一般療法：大抵用冷罨法與以流動食餌。

針灸　膈兪，天突，天鼎，鳩尾，肝兪。

第三節　胃疾患

□　急性胃加答兒　漢名食傷或大食傷

一般療法：最初期有刺戟物存在於胃內者，用吐劑，或以中示指直接刺戟咽頭，促其嘔吐，其刺戟物達於腸部用下劑，最好絕食一二日，自然快愈，再用以流動性食品。

針　胃兪，公孫，內關，足三里。

灸　胃兪，膈兪，大腸兪，巨闕，鳩尾，上脘，幽門，腹結，天樞，肝兪。

□　慢性胃加答兒　漢名痰飲，痞滿之類

一般療法：本病在早朝空腹時及夜間就床前行洗胃法，食餌療法，最關重要而獲效甚多，本病多因鹽酸減少而生，宜擇含水炭素之食品，蛋白性食品須限制其分量，脂肪除給少量的牛酪以外，其他的脂肪類要限制或禁止，可給以野菜與肉類等。

鹽酸分泌過多，不必如此，可與以植物性食品，如米粥，麥僾等，惟脂肪食物，酒類，多量液體，未熟果菜，均禁止。

針　胃兪，公孫，足三里，內關。

灸　鳩尾，腹結，幽門，膈兪，大腸兪，胃兪。

□　胃擴張

一般療法：胃洗滌通常一日一回於早晨空腹時行之，亦有早夕各行一次，食餌療法，本病飲食宜減少，而回數亦增，

食物成分明瞭，液體之飲料，須嚴格限制，一日肉湯，牛乳，茶，肉汁類不可超一至一•五公升（合中國五合五勺），酒精飲料，富於脂肪肉類，均禁止食之。

針　臍中，下脘，巨闕，膈俞，胃俞。

灸　下脘，膈俞，肝俞，不容，胃俞。

□　胃下垂症

一般療法：本症宜強壯腹肌及胃肌，可用各種浴法，冷水摩擦，按摩法，電氣療法，腹帶等，不可緊扼腹部。

食餌療法：食少量為宜，富於養分，宜容易消化食品，忌用多量飲料。

針灸　上脘，中脘，膈俞，巨闕。

□　胃潰瘍　漢名胃癰

一般療法：嚴令安臥，談話及其勞神之事，均忌之，心窩部貼冰囊，使時避腹壁緊縮，忌努責，衣服須寬，患者臥位宜上體稍高，總以患者不感自身痛苦為要。

出血時令臥床，絕食一二日，身心安靜，止血後給以冷牛乳少許，漸漸再用富於滋養流動易消化食物為宜。

針　魚際，尺澤，支溝，隱白，太谿，神門，膈俞，肝俞，脾俞，不容，中脘。

灸　膈俞，胃俞，不容，臍，腹結，中脘。

□　胃阿篤尼亞症

一般療法：攝取富於滋養之食品，但脂肪在胃內停滯甚長，故不宜用，限制飲料，並用手自賁門向幽門按摩，次自臍之周圍（小腸部）沿大腸之徑路按摩，或用冷水摩擦，冷罨法。

針灸　下脘，巨闕，膈俞，胃俞。

□ 胃癌　漢名脾氣擴張或飲癖，又或反胃症

一般療法：參照胃潰瘍療法。

針灸　下脘，膈俞，肝俞，不容，胃俞。

第四節　神經性胃疾患

□　胃痙攣（一名胃神經痛）　漢名氣痛，或伏梁，或癥痛或心下絞痛，或胃脘痛

一般療法：須探究本病之原因，而加以對症療法，因手淫而起的則絕對禁止，其他宜講究攝生。

針　中脘，幽門，獨陰，天樞。

灸　鳩尾，腹哀，下脘，巨闕，胃俞，膈俞，天樞，肝俞。

□　神經嘔吐

針　內庭，太冲，合谷，曲澤，通里，陽陵，太谿，通谷。

灸　中脘，內關，氣海，胃俞，間使，三陰交，膻中。

乾嘔不止有聲無物——針太淵，大陵，胆俞，尺澤，灸間使，（三十壯）隱白，章門，乳根。

□　神經性胃痛

針　足三里，中脘，內關。

□　神經性消化不良

針灸　足三里，胃俞，脾俞，上脘，中脘，下脘。

□　胃酸過多症　　漢名嘈雜又名心嘈

一般療法：宜多攝取蛋白性含水炭素性，脂肪等食物，酸類（如果汁）食鹽，香料（如芥子，胡椒等類）酒類宜絕對禁止。

針灸　鳩尾，巨闕，膈俞，肝俞，胃俞，下脘。

□　胃酸缺乏症

一般療法：攝取酸性食物。

針灸　腸俞，胃俞，下脘，巨闕，鳩尾，肝俞，腹結，膏肓。

第五節　腸疾患

□　急性腸加答兒　　漢名泄瀉

一般療法：原因療法，宜用下劑，行腸之掃除，其後二三日間，行絕食法。

針灸　太白，太谿，曲池，足三里，陰陵泉，胃俞，腎俞，大腸俞，劇痛時灸然谷。

□　慢性腸加答兒

一般療法：甚頑固之疾患，宜嚴行食餌攝生，常禁飽食，（一日數次，分食少量）戒塞冷。

針　中脘，太白，太谿，曲池，足三里，陰陵泉，曲澤。

灸　身柱，肝俞，腸俞，胃俞，腎俞，關元，下脘，天樞。

□　直腸炎

一般療法：直腸內認有宿便或異物等，用溫灌腸法除去之。

急性者就褥安臥，飲食之節制，行溫浴，劇痛用冰罨法。

針灸　大腸俞，腎俞，命門，大赫。

□　腸結核性潰瘍　　漢名脾腎瀉，五更瀉，雞鳴下痢等症。

一般療法：絕對安靜，局部貼溫熱等器，（如手爐，湯婆等）與以流動食物，如牛乳麥湯等，但腐敗牛乳不可用。

針灸　大腸俞，臍，關元，腎俞，中髎。

□　十二指腸虫

般療法：用知母爾，甘汞以驅虫為目的。

針灸　鳩尾，幽門，上脘，腹哀，巨闕，膈俞。

□　吐糞症　；漢名口中轉糞

一般療法：宜絕食與以少量之葡萄酒，腹部行溫罨法，以減疼痛性緊張，必要時施行腸吻合術及人造肛門。

針灸　關元，長強，鳩尾，大腸俞。

□　常習性便秘

一般療法：以除去原因為要，行適宜之運動，用腹部冷罨法，食物主植物性，或多量脂肪等。

針　支溝，照海，承山，太谿，太白。

灸　天樞，關元，大腸俞，大赫。

□　腸寄生虫病

一般療法：驅虫療法，驅虫前先與以下劑。

針灸　[illegible]，上脘，天樞，關元，巨闕。

□　神經性腸疝痛

一般療法：求其原因，施以對症療法，因[illegible]瓦斯之積滯，用灌腸法，或用甘油坐藥等。

針　三陰交，氣海，章門，中極。

灸　然谷，關元，大赫，大腸俞，胃俞，命門，腹結。

□　疝氣痛　（不易還納時暫用之臨時方法）

灸　大敦，長強，關元，臍下五寸兩旁各一寸關元兩旁各三寸，或以稈草一條，度病人口角，為一摺斷，如此三摺成一三角，一角按於臍中心，兩角在臍下兩旁尖處，可用灸，患左側灸右側，（相反之側）如為兩側均可灸，艾柱則麥粒大，十四至二十一壯。

第六節　肝臟疾患（附胆囊疾患）

□　肝臟硬變

灸　上脘，中脘，天樞，肝俞。

㈡ 肝臟腫大

灸 至陽，期門，經渠，肺兪。

㈢ 加答兒性黃疸　漢名黃疸

一般療法：行原因療法，令平臥安靜，肝部疼痛，行溫罨法，用瀉劑及利尿劑。

針 中脘，足三里，公孫，委中，腕骨，至陽，胆兪，內庭，手三里，陰谷。

灸 胃兪，肝兪，中脘，膈兪，脾兪，心兪，氣海，至陽。

㈣ 胆石

針 三焦兪，腎兪，氣海兪，大腸兪，鳩尾，上脘，右章門，京門。

第三章　呼吸器病

第一節　鼻喉頭疾患及氣管枝疾患

㈠ 喉頭加答兒

一般療法：除去原因，靜養於溫暖之室，嚴禁高聲，行溫罨法，用發汗藥，禁賊風，冷飲，吸煙，飲酒。

針 少商，合谷，尺澤，關冲，風府，間使。

灸 風池，天突，膈兪，大杼；咳嗽劇烈灸合谷；咯痰多當灸上脘，兪府。

㈡ 喉頭潰瘍

針 少商，合谷，尺澤，關冲，風府，間使，照海，頰車，液門。

㈢ 鼻加答兒

針 迎香，上星，合谷，人中，風府，百會，前谷，風池，大椎，禾髎。

灸 風府，百勞，前谷，上星，大椎，風門。

□ 衄血

針 少商，關元，委中。

灸 顖會，上星。

□ 急性氣管枝炎

一般療法：使皮膚之抵抗力強固，以防寒冒，行冷水摩擦法。

針 天柱，風池，大杼，風門，肺俞，大椎，身柱，合谷，太淵，尺澤。

灸 風池，瘂門，身柱，大杼，肺俞。 喀痰排泄困難時，灸膈俞，幽門，合谷。

□ 慢性氣管枝炎

一般療法：乾性用吸入劑，祛痰劑，衰弱者施適當的食餌療法，用強壯藥，夏季轉居於海邊或山間，行空氣療法，冬季可移於暖溫空氣中。

針 天柱，風池，大杼，風門，肺俞，大椎，身柱，合谷，列缺，太淵，尺澤。

灸 幽門，上脘，天鼎，巨闕，風池，瘂門，大杼，身柱。

□ 氣管枝喘息

一般療法：探其原因治療，緩解發作，主要除去咳嗽中樞反射的刺戟及迷走神經之刺戟，用強壯變質藥，旺盛全身血液循環，透熱療法最良。

針 天空，合谷，列缺，太淵，手足三里，太衝，風門，魚際，陽谿，解谿，崑崙，期門，乳根。

灸 幽門，巨闕，大杼，天突，肺俞，風池，中府，膻中，靈台，俞府，氣海，腎俞，天空，關元，足三里。

□ 百日咳 　俗名頓咳，連聲咳，百日咳。

一般療法：初期用鎮咳劑，炎期用澳素劑，每日一二次出室外呼吸新鮮空氣，轉地療養最良，發作時介抱小兒使咯出粘痰，平均室溫，後用强壯食餌。

針　風門，肺俞。

灸　鳩尾，肝俞，胃俞，天突。

第二節　肺臟疾患

□　格魯布性肺炎（眞性肺炎）

一般療法：安臥靜息，保持溫度，使蒸散水蒸氣，嚴守食物攝生，高熱頭部施冰罨法，胸部施溫罨法，每隔二小時交換，呼吸困難時，胸部貼芥子泥，老人，小兒，虛弱者，宜自初期用大量葡萄酒。

針灸　合谷，手足三里，天鼎，大椎，肺俞，心俞。

□　加答兒性肺炎

一般療法：與格魯布性肺炎同，針灸亦同。

□　肺結核　　漢名勞瘵，肺癆，石骨蒸。

一般療法：隔離病人，注意傳染的媒介物，痰液消毒，勿使乾燥飛揚。衣服被褥多洗晒，防受凉，呼吸新鮮空氣，其他採用對症療法。

食養法，擇易消化食品，務使食品調節，以增進食慾，食物不可過量，葡萄酒，白蘭地酒，可給與少量。

針灸　列缺，尺澤，湧泉，幽門，上脘，肺俞，膈俞，巨闕，心俞，肝俞，手三里，合谷，命門，鬼眼，中脘，神闕，膏肓俞，脾俞，大椎，陶道。

其他一切肺病與肺結核取穴相同。

□　肺水腫

針　大杼，風門，肺俞，厥陰俞，心俞，肝俞，俞府，或

[illegible]，氣戶，列缺，湧泉。

□ 喀血

針 百勞，肺俞，中脘，列缺，肝俞，湧泉。

灸 百勞，肺俞，中脘，足三里，列缺，尺澤，湧泉。

第三節 肋膜疾患

□ 肋膜炎 漢名脇痛

一般療法：命患者絕對安靜，空氣清淨，禁用酒、烟、辛辣物與易消化的滋養物，使其食慾亢進，加強全身營養，對漿液長期病者，留及漿液充滿肋膜或胸腔，須行外科手術排除。若炎症已消，漸次向愈，防其肋膜愈着，胸部之攣縮命健側向下。

針 公孫，三里，太衝，三陰交，陽陵泉，支溝，章門，期門，陰交，肝俞。

灸 乾性肋膜炎，不容，大杼，俞府，步廊，足三里。滲出性肋膜炎，承滿，大杼，腎俞，鳩尾，步廊，足三里。

第四章 循環器病

第一節 心臟疾患

□ 心內膜炎 漢名心痛，胸痛，熱心痛

一般療法：對症療法之外，安靜坐臥，施冷罨法於心部。

針 內關，膈俞，湧泉，太谿，中封，大陵，隱白，少衝，神門。

灸 肺俞，肺俞，中脘，合谷，手三里。

□ 心臟痙攣（或絞心症） 漢名痃癖，卒痛，真心痛。

一般療法：在發作時，用理學療法貼芥子泥，行溫水浴，脚浴，內服鎮靜劑，其他間歇時，行冷水洗滌法，交換室內空氣，節制勞動及飲食，調理便通。

針　間使，靈道，公孫，太冲，足三里，陰陵，崑崙，京骨。

灸　大杼，心俞，肺俞，手三里，肝俞。

□　心悸亢進症（或急脈症）　漢名心松，怔忡，心忡，松悸，驚悸。

一般療法：施原因療法，發作時，令仰臥安靜，行心部冷罨法及微溫浴。

針　肺俞，心俞。

灸　心俞，中脘，巨闕，關元，又灸尾閭骨上四指的地方，每日七壯。

□　心筋炎

一般療法：使患者安靜，患部可貼冰囊，注意食養法。

針灸　膈俞，不容，巨闕，上脘，下脘。

□　心囊炎　漢名心痛，熱心痛。

一般療法：安靜，心部行冷罨法。

針灸　膈俞，不容，巨闕，中脘。

□　拔塞篤氏病（BASEDOW氏病）

一般療法：施全身療法，禁忌身心過勞，用興奮刺戟性的食物，貼冷罨法於心部。

針　大杼，風門，膈俞，肝俞，脾俞，腎俞，三焦俞，胃俞，大腸俞，次髎。

灸　風池，天鼎，膈俞，百會。

第五章 泌尿及生殖器病

第一節 腎臟疾患

□ 腎臟炎

一般療法：使患者安臥，休養精神，禁食蛋白質，食鹽及刺戟辛香料食物。急性症狀過去後，可與以新鮮蔬菜，不加鹽分，腎臟排泄機能恢復後，可飲多量牛乳，汽水，菓子汁，西瓜等。

針 關元，三陰交，陰谷，陰陵泉，氣海，太谿，陰交，曲泉。

灸 命門，大腸俞，水道，腎俞。

□ 腎萎縮

灸 腎俞，關元。

□ 腎鬱血

針灸 大陵，關元，照海，陰谷，湧泉三陰交。

□ 化膿性腎炎

針 關元，三陰交，中封，照海，太冲。

灸 關元，中封。

□ 腎石

針 關元，腎俞，陰陵泉，三里，大腸俞，小腸俞，三焦俞。

第二節 膀胱疾患

□ 膀胱炎

一般療法：原因療法為主，急性者安臥靜養，或芳香巴布於下腹部，或溫浴等。慢性者洗滌膀胱，全身溫浴或坐浴。

戒刺戟性飲食，以調便通，劇痛，貼水蛭於會陰或肛門周圍，尿頻數可用麻醉劑內服或坐藥或灌腸。

灸 三陰交，足三里，腎俞，大腸俞，關元，大赫，命門，上，次，中，下，八髎。

□ 膀胱痙攣

一般療法：於膀胱部，行溫罨法，定期坐浴中之排尿為主。

針灸 腎俞，陰陵泉，大腸俞，水道，上，中，次，下，八髎。

□ 膀胱麻痺 一名小便不禁或小便不通

一般療法：行定期排尿，欲強壯膀胱筋肉，須用冷水摩擦膀胱部，施平流電及感傳電氣療法。

針灸 大腸俞，上髎，中髎，水道，天樞。

□ 小便失禁

針 中極，膏肓，心俞，然谷，腎俞。

第三節 生殖器疾患

□ 攝護腺炎

針 三陰交，中都，復溜，血海，下廉。

□ 淋病 一名淋濁或[illegible]

一般療法：急性者施尿道溫罨法，命絕對安靜，禁酒類及刺戟食物，整便通，有強度炎症時，不可用灌注法，炎症消後方可洗滌尿道，淋毒未侵及後尿道時，以不灌注洗滌為主，免送病毒於後尿道。

針 三陰交，關元，陰陵泉，中極，氣海，陰谷，腎俞。

灸 曲池，心俞，手足三里，會陰，長強，命門，關元。

□ 尿道炎

一般療法：尿道口用溫罨法，禁用酒類及刺戟食物。

針灸 腎俞，氣海俞，大腸俞，小腸俞。

□ 遺精　一名夢遺、失精

一般療法：戒手淫，節房事，避生殖器之興奮及心身過勞。

針　心俞，白環俞，腎俞，三陰交，合谷，中封，關元，上，次，中，下，凡髎。

灸　心俞，腎俞，關元，大赫，四滿，中髎，上髎，大腸俞，三陰交，合谷，中封。

　滑精　灸精宮，腎俞，關元，中封。

□ 遺尿

一般療法：全身强壯法，施冷水洗拭及坐浴，尿意頻數，行溫坐浴。虛弱小兒用鐵劑，規尼等，其他行直腸傳導法，及電氣療法。

灸　腎俞，大腸俞，關元，足三里，氣海，大敦，命門。

□ 陰萎症

一般療法：用冷摩擦下腹部，或轉居山間，海濱，用司保命，溴素樟腦等劑，吃家雀肉。

針　心俞，氣海，小腸俞，命門，關元。

灸　長强，命門，大腸俞，關元，風池，腎俞，氣海，小腸俞。

□ 睾丸炎

一般療法：注意攝生，避刺戟性食物，患部用溫罨法。

針　通谷，束骨，大腸俞，三陰交，氣衝，中極，湧泉，關元，三里。

灸　關元，三陰交，足三里，飛揚。

□ 陰囊水腫

針　曲泉，中封，商丘，大敦。

灸　中封，太冲，商丘。

第六章　榮養病

第一節　新陳代謝疾患

□　腺病

一般療法：注意飲食，即以牛乳，鷄蛋，肉羹汁及肉類爲主（燒肉爲妙）與以柔軟蔬菜少許，禁果實，馬鈴薯及難消化之食物，室內空氣流通及野外運動，溫浴。

針灸　合谷，曲池，手三里，風池，大迎。

□　淋巴結核

（1）尾閭骨上四指闊的地方爲穴，以大艾柱灸十餘壯。覺灸火自腰入腹，自腹入四肢，全身關節感舒服，輕者一次可愈，重者隔一個月或半月再灸一次，三四次亦無不可，以治愈爲止。

（2）在少海穴用當門子一分，分裝艾絨，如釘鞋齒大者三團中灼之，如艾不着肉，稍用黏性物貼之，待火將了時，以手按其灰，然後貼以葯膏，聽其自爛而愈，不爛者不治，灸患側一次即可，三月內禁食不好消化食物。

（3）百勞灸三七壯至百壯，肘灸百壯，第一個以針貫核正中，以雄黃末拌艾灸之。

（4）針少海，灸天井，翳風。

□　糖尿病　　漢名尿崩症，消渴

一般療法：運動於新鮮空氣中，且依法操練筋肉，每日入浴，專用肉食，禁糖類澱粉等，葯物人工鹽療法及消化催進劑。

針　人中，承漿，神門，然谷，內關，三焦俞，中脘，中膂俞。

灸　命門，中膂，關元，氣海。

□　萎黄病　漢名黃胖

一般療法：探其病原，改良食物及生活法，轉地療養為最佳，對症療法。

針灸　鳩尾，巨闕，中脘，膈俞，大腸俞，關元。

□　白血病

灸　大椎，至陽，陶道，脾俞，胃俞，間使，塊中。

□　貧血

灸　尾骶骨上四指闊的地方為穴，以大艾柱灸二三十壯。

第七章　運動器病

第一節　關節疾患

□　關節僂麻質斯　漢名白虎歷節風，白虎風痛

一般療法：安靜患肢，塗擦麻醉藥，按摩關節，慢性行溫浴。蒸氣浴，濕布被包，冷水及毛細療法。

1、手痠痛——針曲池，合谷，肩顒。

2、手連肩痛——針合谷，太衝。

3、手背冷痛——灸肩井，曲池，下廉。

4、鶴膝風——針陽陵泉，陰陵泉。

5、膝　痛——針陽陵泉。

6、脚膝痛——針足三里，陽陵，陰陵，絕骨，三陰交，中脈。

7、腿　痛——針絕骨，環跳。

8、股膝內痛——針委中，三里，三陰交。

9、髖節骨痛——針灸陽輔。

10、脚踝痛——針灸內庭，僕參。

□ 關節強直及攣縮

一般療法：在患部用透熱療法，施蒸熱約三十分鐘，以達矯正目的，徐徐施以他動的動作。

針灸 痛處。

1、指攣痛——針少商。

2、臂痠痛——針少商，手三里，天井，外關，經渠，支溝，陽谿，腕骨，上廉。

3、肘拘攣痛——針太淵，曲澤，尺澤。

4、手筋急難伸——針尺澤。

5、肘 攣——針尺澤，肩髃，少海，間使，大陵，後谿。

6、肘臂手指強直不能屈——針曲池，手三里，外關，中渚。

7、手指拘攣筋緊——針曲池，陽谷，合谷。

8、足不能步——針絕骨，條口，太冲，足三里，中封，曲泉，陽輔，三陰交。

9、脚筋急攣——針金門，然谷，丘墟，承山。

10、足 攣——針腎俞，陽陵，陽輔，絕骨。

第二節 筋肉疾患

□ 筋肉僂麻質斯

一般療法：患部用溫罨法或巴布或依克度軟膏塗擦及按摩法。初期用溫茶劑，行蒸氣浴。

針灸 痛處。

第八章　婦人科病

第一節　子宮疾患

□　子宮內膜炎　　漢名帶下

一般療法：旺盛子宮之血行，消退炎症，排除病的不用產物。

針　三陰交，陽陵泉，腎俞，關元，中極，八髎。

灸　大赫，天樞，命門，腎俞，長强，飛揚，三陰交。

□　子宮外膜炎

一般療法：急性者絕對安靜，以用强心健胃劑，促進患部消炎，滲出物吸收等。

針灸　命門，三陰交，長强，飛揚，大赫，關元。

□　子宮實質炎　　漢名腸癰，子宮癰

一般療法：原因療法，安臥靜養，保骨盆於高部，行局處瀉血。貼用水蛭於下腹部。慢性者每日一二次，溫湯注入膣內，其他用瀉劑，行濕罨法及溫浴法。

針　手足三里，合谷，三陰交，腎俞，中極，八髎。

灸　飛揚，三陰交，手足三里，合谷。

□　子宮筋腫

一般療法：對症療法，子宮粘膜搔扒及腐蝕法或電氣療法。

針灸　命門，天樞，三陰交，飛揚，關元，中髎，大赫。

□　子宮各種出血

針灸　氣海，陰谷，大敦，關元，太冲，然谷，三陰交，中極。

灸　大都穴三壯。

□　子宮痙攣

一般療法：電氣療法或溫罨法，行溫熱坐浴。

針　湧泉，足三里，三陰交，腎兪，命門。

灸　三陰交，腎兪，命門。

第二節　卵巢疾患

□　卵巢炎　　漢名子宮癰

一般療法：用冷罨溫罨有效，安息靜止，投緩性鹽類瀉劑，對症療法，鎮痛劑或坐藥，禁交接或節制，整理便通。

針　足三里，三陰交，合谷，腎兪，痛處。

灸　三陰交，飛揚，足三里，合谷。

□　膣加答兒　（白帶）　漢名帶下

一般療法：急性者，安息靜止。慢性者，檢查原因，原發或續發，以行原因療法。

針灸　白環兪，關元，三陰交，長強，中髎。

□　膣痙攣

一般療法：原因療法，可用擴開法，用微溫坐浴，鉄劑溴劑等。

針灸　關元，陰廉，長強。

□　月經困難　　漢名月信痛，經痛，經行腹痛

一般療法：原因療法，腹部溫罨法，如精神興奮用鎮靜藥，充血性困難，可貼水蛭。

針　內庭，三陰交，氣海。

灸　四滿，承扶，天樞，中髎，上髎。

□　月經閉止

一般療法：與月經困難同。

針　合谷，三陰交，地機，血海。

灸　足三里，關元，命門，腎兪。

□　月經過多

針　隱白，三陰交。灸右大都穴三壯。

第三節 乳疾患

□ 乳腺炎

一般療法：輕症施溫電法，重症切開交換綳帶。

針 肩井，乳根，大陵，少澤，委中，三里，膻中。

灸 乳根，步廊，肝俞。

□ 乳汁不足 漢名乳閉

一般療法：除去原因，與以强壯食物，用哺乳器刺戟乳房，貼芥子泥，屢使小兒哺乳，或電氣療法。

針 少澤。

灸 乳根，鳩尾，膻中，神藏，巨闕，臍中。

第四節 產婦疾患

□ 妊娠嘔吐 漢名惡阻

一般療法：輕者用人工鹽，調理便通，運動身體，重者用滋養療法，乳汁雞蛋等。

針 內關，中脘，間使，少澤。

灸 幽門，胃俞，腹結，巨闕，臍中，關元。

□ 流產癖 漢名半產

一般療法：此症預防法：注意攝生，調理便通，戒劇動及吸煙酒類荷性食物等，其他對症療法，可反復行冷水灌注，關元左右各開二寸灸廿壯，或中極旁各開三寸灸之。

□ 產病 （難產）

1、生產數日不下——針合谷，三陰交，太冲，崑崙，灸至陰。

2、橫生先出手——灸小足趾頭尖三壯。

3、胎死腹中——針三陰交，合谷，太冲。

4、胎衣不下——針三陰交，中極，照海，內關，崑崙。

5、產後流血不止——針三里，肩井，三陰交，支溝，關元，神闕。

□ 不孕

針 上脘，陰交。

灸 陰廉，關元，神闕，中極，商邱，子宮。

□ 臍風 （破傷風）

灸臍上血管（淺溜靜脈）至消炎爲止即好，此外用燈心蘸香油燃着，燃顖門，人中，承漿，兩側少商，臍輪，繞臍共六焦，於臍帶上，或脫落處一焦。

第九章 小兒科病

□ 小兒結核性腦膜炎

針 十宣，列缺，上、中、下脘，足三里，委中，印堂，人中，中冲，合谷，頰車。

灸 關元，天樞，大椎，神闕。

□ 夜驚症

灸百會三壯。

□ 小兒消化不良

針 兩手八指，中指紋內之縫點，約一分深，流出黃色粘稠液，以棉蘸淨，至出清爲度。

□ 小兒急癇

針 少商，曲池，人中，大椎，湧泉，中脘，委中，印堂，承山，百會。

第十章　一般全身病

第一節　花柳疾患

□　梅毒　　漢名先天性胎毒，遺毒，後天性結毒

一般療法：禁用母乳，口內、陰部、肛門行清潔法，施局部或全身療法，避免傳染。

灸　曲池，手三里，心俞，每日一次。

第二節　耳眼齒科疾患

□　中耳炎　　漢名聤膜炎

一般療法：行原因療法，禁心身過勞，投緩下劑，發熱時命臥褥，洗滌外聽道，鎮痛葯，罨包等。

針　顱會，合谷，頰車，臨泣，耳門。

灸　聽會，風池。

□　角膜炎　　漢名大眦赤脈穿睛，小眦赤脈穿睛

針　頭維，睛明，臨泣，風池，絲竹空。

灸　大杼，手三里，絲竹空，曲發，肝俞，百會，後谿。

□　結膜炎　　漢名風熱眼，赤眼

針　合谷，攢竹，絲竹空，風池，神庭，手三里，地五會，二間，三間，前谷，陽谿，目窗，大陵，腕門，上星，太淵，臨泣，俠谿，迎香，中渚，顖會，前頂，百會，光明，睛明，太陽，瞳子髎，刺八關十指尖。

□　齲齒　　（臨時止痛法）

上列：針合谷，太淵，人中，內庭，顴髎。

下列：針合谷，列缺，承漿，頰車，內庭，齒孔塡入樟腦少許。

□ 齒齦炎

針 合谷，頰車，內庭。

灸 太谿，陽谿。

□ 夜盲症　　（或閃光）

針 上星，前頂，百會，睛明，商陽，攢竹，神庭，迎香，頭維，三里，承泣，目窗，風府，風池（出血）。

灸 肝俞，照海，巨髎，命門，胃俞。

□ 角膜翳

針 肝俞，睛明，四白，太陽，商陽，厲兌（出血）。

灸 肝俞，命門，三里，光明，翳風。

□ 耳鳴或聽力障礙

針 天牖，四瀆，（以蒼朮長七分一頭切平，一頭削尖，將尖插入耳內，於平頭上灸七壯重者二十七壯覺內熱即止，此用於大聾耳鳴者）。

一般針 中渚，外關，禾髎，聽會，聽宮，合谷，商陽，中衝，金門，臨泣，耳門，曲池，翳風，俠谿，足三里，陽谷，後谿，陽谿，大陵，太谿。

灸 腎俞，足三里，心俞。

第十一章　傳染病

□ 流行性感冒　　漢名天行中風

一般療法：隔離，預防，嚴密消毒，初期行發汗，對症療法。

針灸 陽陵泉，百會，神庭，大腸俞。

□ 傷寒

針 風府，合谷，頭維，風池，風門，二間，曲池，內庭，解谿，中渚，足臨泣，期門，間使，竅陰，中脘，公孫，少商，隱白，三陰交，大都，大敦，靈道，中封，關元，肝俞。

灸 隱白，三陰交，中脘，章門，腎俞，膏肓，關元，太谿，復溜。

□ 霍亂

針 委中，中脘，合谷，太冲，內關，內庭，足三里，承山，人中，少商，關冲，十宣，素髎，間使，絕骨。

灸 天樞，神闕，章門，氣海。 刺尺澤，少商，關冲，少澤，委中均出血，十指頭出血。

□ 赤痢

針 小腸俞，中膂俞，足三里，合谷，外關，腹哀，復溜。

灸 關元，脾俞，天樞，合谷，神闕，小腸俞。

□ 瘧疾

針 大椎，鬲關，腎俞，內關，間使，太谿，崑崙，陶道，章門，脾俞，塊中。

灸 大椎，間使，復溜，神道，章門，脾俞，塊中。

第十二章 雜症

□ 脚氣病

一般療法：避心身過勞、暴飲暴食及熱浴等，多食脂肪蛋白及含維他命多之蔬菜，如西柿等，强實心臟。

針 湧泉，至陰，太谿，崑崙，陰陵，陽陵，三陰交，絕骨，照海，膝關，委中，足三里，陰市，陽輔。

灸 風市，三陰交，絕骨，陰市，陽輔，陽陵（按之熱苦不能灸），環跳，腹結，足三里。

□ 腹水 （澳名膨滿，鼓脹

一般療法：用强心劑，利尿劑，發汗劑。

針　三陰交，陰陵，絕骨，人中，手足三里。

灸　上脘，中脘，關元，承滿，水分，氣海，陰交，腎俞，脾俞，胃俞，足三里。

□　痔核

一般療法：整理便通，禁飲酒及香料，但在治療中禁止身體過勞，痔出血，須安臥靜養。

針　承山，崑崙，脊中，飛揚，太沖，復溜，俠谿，氣海，長强。

灸　長强，命門，腎俞，大腸俞，承扶，氣衝，疼痛甚則灸百會。

□　痔漏

一般療法：與痔核同，施行透熱療法，結核性者，施榮養療法。另法以附子末和水作餅如錢大，安漏上，以艾火灸，令熱乾則換新餅，日灸數枚，至內肉平始止。

針灸　長强，腎俞，命門，大腸俞，承扶。

□　佝僂病　（龜背）針肺俞，（龜胸）針乳根，外丘。

□　癤

針　身柱，合谷，曲池，委中，臨泣（內服野菊花汁一杯）。在口唇部針背之反對側紅點出血或委中出血。

□　壞疽

針　曲池，委中，身柱（另外用大蒜搗爛安放瘡上灸之，痛者灸至不痛，不痛灸至痛為止）。

□　疥瘡

針　曲池。

灸　血海，膈俞，各十壯。

□　天疱瘡

針　血海，委中。

第十三章　幾種對症治療

第一節　汗

□　多汗

針　少商，列缺，曲池，湧泉，然谷，沖陽，大敦，崑崙。

□　虛汗

針　合谷。

灸　復溜，足三里，陰都，曲泉，照海，魚際。

□　盜汗

針　陰郄，肺俞，復溜，譩譆。

灸　肺俞，中極，臍上四寸旁開二寸。

□　黃汗

針　針合谷，曲池，足三里，陰陵泉，脾俞，三焦俞，中脘，人中。

□　汗不出

針灸　合谷，腕骨，期門。

第二節　腫

□　面腫

針　迎香，合谷。

灸　水分。

□　面目臃腫

肘內血絡及陷谷多刺出血。

□　頷腫

針 合谷，曲池。

□ 腋下腫

針 陽陵，邱墟，臨泣。

□ 渾身卒腫面浮洪大

針 曲池，合谷，三里，內庭，行間，三陰交。

□ 四肢面目浮腫

灸 水分，氣海，百壯。

第三節 積

□ 臍上有積塊

針 上脘，大陵，足三里。

灸 上脘，心俞。

□ 左脇下有積塊

灸 章門，中脘，肝俞，行間。

□ 胃脘中有積塊

灸 痞根，脾俞，中脘，內庭，足三里，隱白，商邱，行間。

□ 右脇下有積塊

灸 巨闕，期門，經渠，肺俞。

□ 小腹有積塊

灸 關元，行間，太冲，太谿，三陰交，腎俞。

第四節 痛

□ 頸項痛

針 通天，百會，風池，完骨，瘂門，大杼，後谿。

□ 脊膂强痛

針 人中。

□ 肩背痛

針 三里，肩顒，天井，曲池，陽谷。

□ 背痛

灸 肩井，膏肓。

□ 幾種心痛

針灸 間使，靈道，公孫，太冲，足三里，陰陵泉。

□ 卒心痛

針灸 然谷，上脘，氣海，湧泉，間使，支溝，足三里，大敦，獨陰。

□ 心痛引背

針 京骨，崑崙，然谷，委陽。

□ 脇痛

針灸 懸鐘，竅陰，外關，三里，支溝，章門，中封，陽陵，行間，期門，陰陵。

□ 脇力引胸痛不忍

針灸 期門，章門，行間，丘墟，湧泉，支溝，胆俞。

□ 腹痛

針灸 內關，支溝，照海，巨闕，足三里。

□ 小腹急痛不可忍

灸 獨陰五壯。

□ 腰痛

針 委中出血。

灸 腎俞。

□ 背痛連髀

針 五樞，崑崙，懸鐘，肩井，髀樞。

□ 脊强渾身痛

針 啞門。

□ 脇與脊引痛

針灸　肝俞。

□　缺盆痛

針灸　太淵，商陽，足臨泣。

□　腹臍痛

針灸　陰陵，太冲，足三里，支溝，中脘，關元，天樞。

□　小腸疝痛

灸　獨陰，大敦，三陰交。

□　腰痛不可俯仰

針　人中，環跳，委中。

□　腹脹

針　太白，復溜，足三里。

□　舌捲囊縮

針灸　天突，廉泉，血海，腎俞，然谷。

□　癀疝

針灸　天突，靈道，然谷，豐隆，陰谷。

□　吐血

針灸　肺俞，心俞，肝俞，脾俞，腎俞，中脘，天樞，太淵，間使，大陵。

□　便血

針灸　中脘，氣海。

□　血尿

針灸　腸俞，脾俞，三焦俞，腎俞，列缺。

□　脹滿

針灸　中脘，水分，不容，氣海，盲俞，天樞，肝俞，脾俞，三焦俞，公孫，大敦。

□　呃逆

針　中脘，陰都。

182

灸 三里。

口 偏歷

針 列缺，合谷（出血）。

頭部正面圖

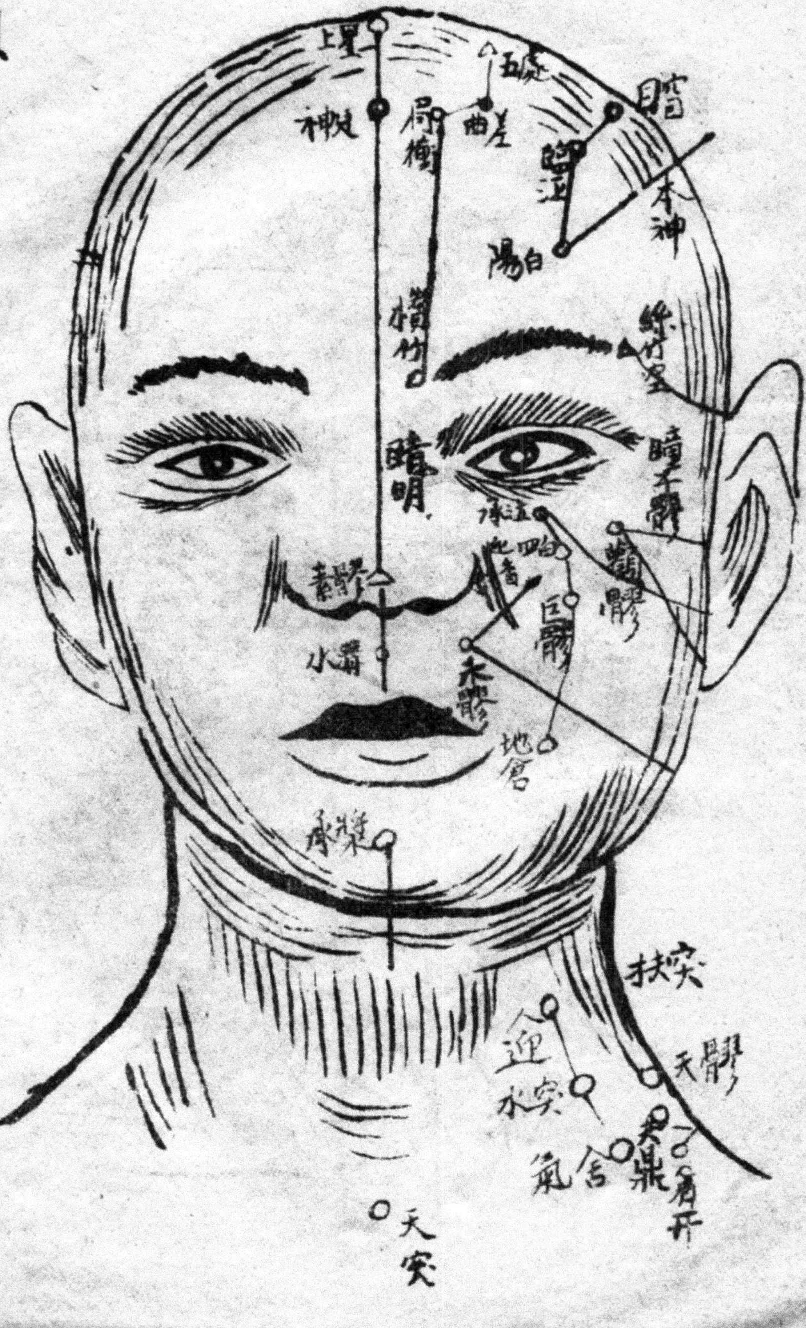
上星
神庭
五處
曲差
目窗
本神
陽白
攢竹
絲竹空
睛明
瞳子髎
承泣
四白
素髎
巨髎
水溝
禾髎
地倉
承漿
扶突
人迎
水突
氣舍
天鼎
天突

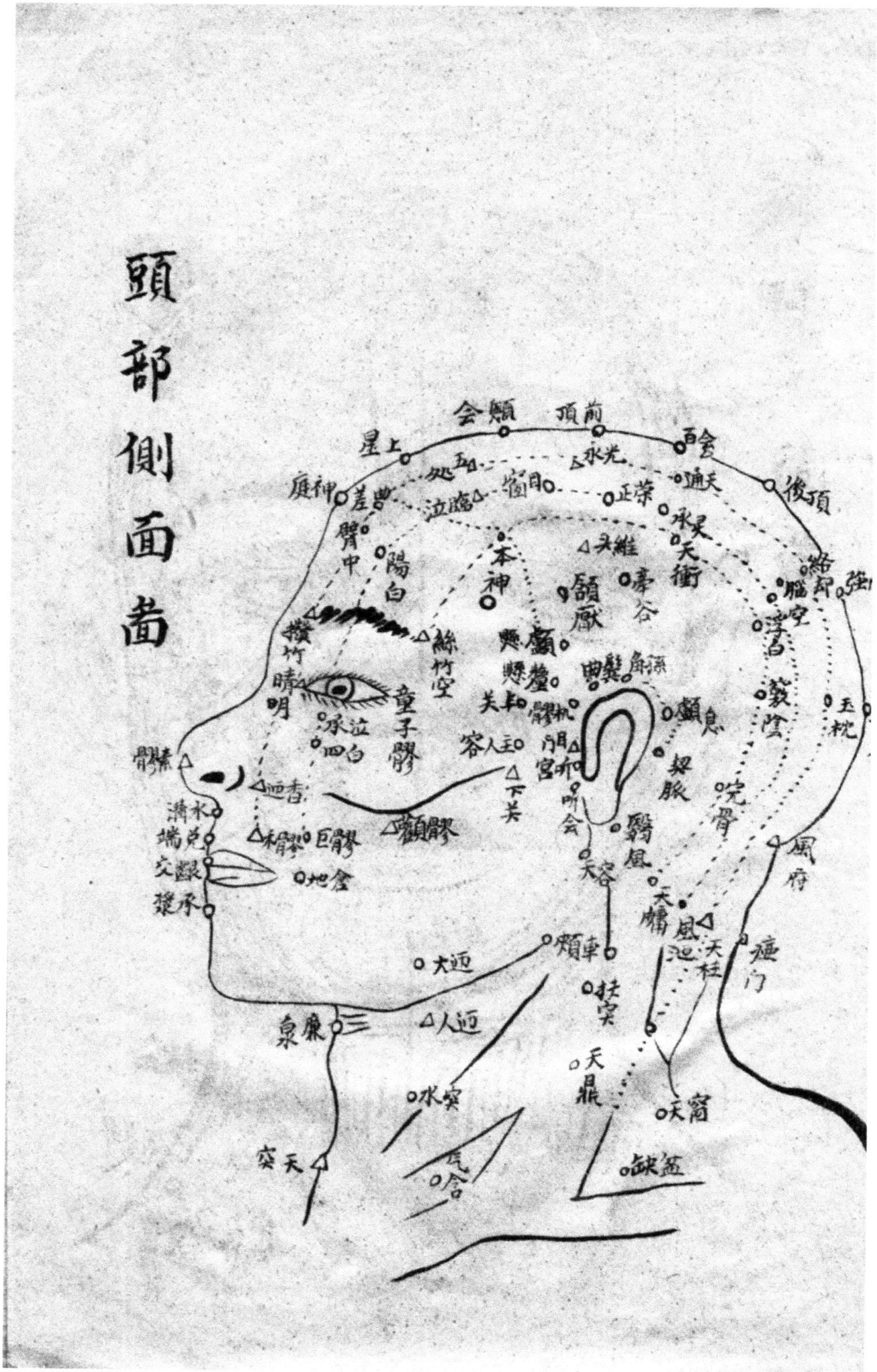
頭部側面畫
上星
顖会
前頂
百会
後頂
神庭
曲差
五处
承光
通天
目窗
正營
承灵
臨泣
頭維
天衝
本神
陽白
率谷
頷厭
懸顱
懸釐
曲鬓
角孫
攢竹
絲竹空
睛明
瞳子髎
承泣
四白
上关
下关
客主人
聽宫
聽会
顱息
瘈脉
完骨
浮白
竅陰
腦空
脑户
强间
玉枕
風府
瘂门
天柱
風池
翳風
天容
頰車
大迎
人迎
扶突
天鼎
天窗
水突
缺盆
气舍
天突
廉泉
地倉
巨髎
禾髎
迎香
顴髎
素髎
水沟
兑端
齦交
承漿

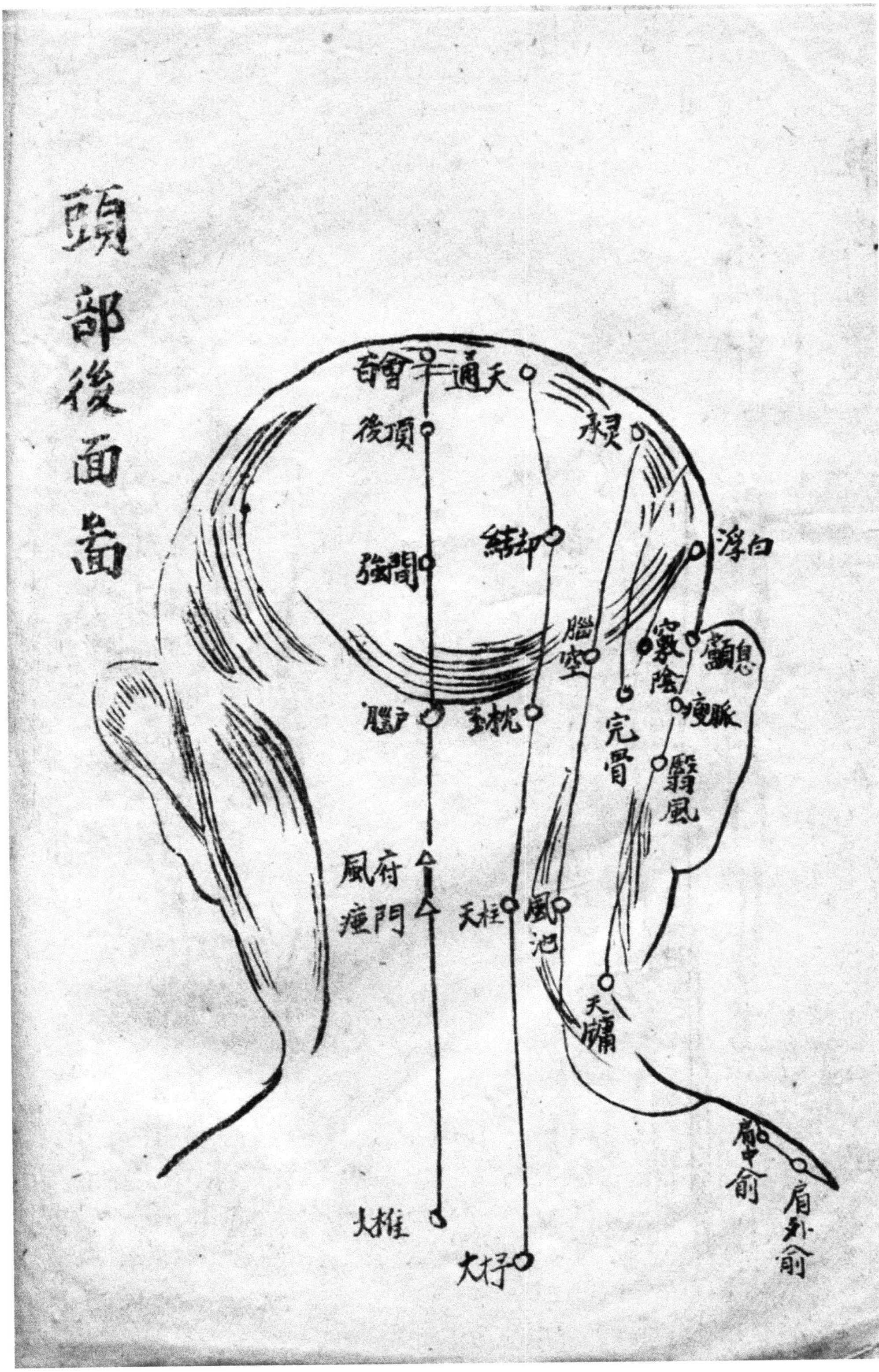
頭部後面圖
百會
通天
後頂
承灵
絡却
浮白
強間
腦空
竅陰
顱息
瘈脈
腦戶
玉枕
完骨
翳風
風府
瘂門
天柱
風池
天牖
肩中俞
肩外俞
大椎
大杼

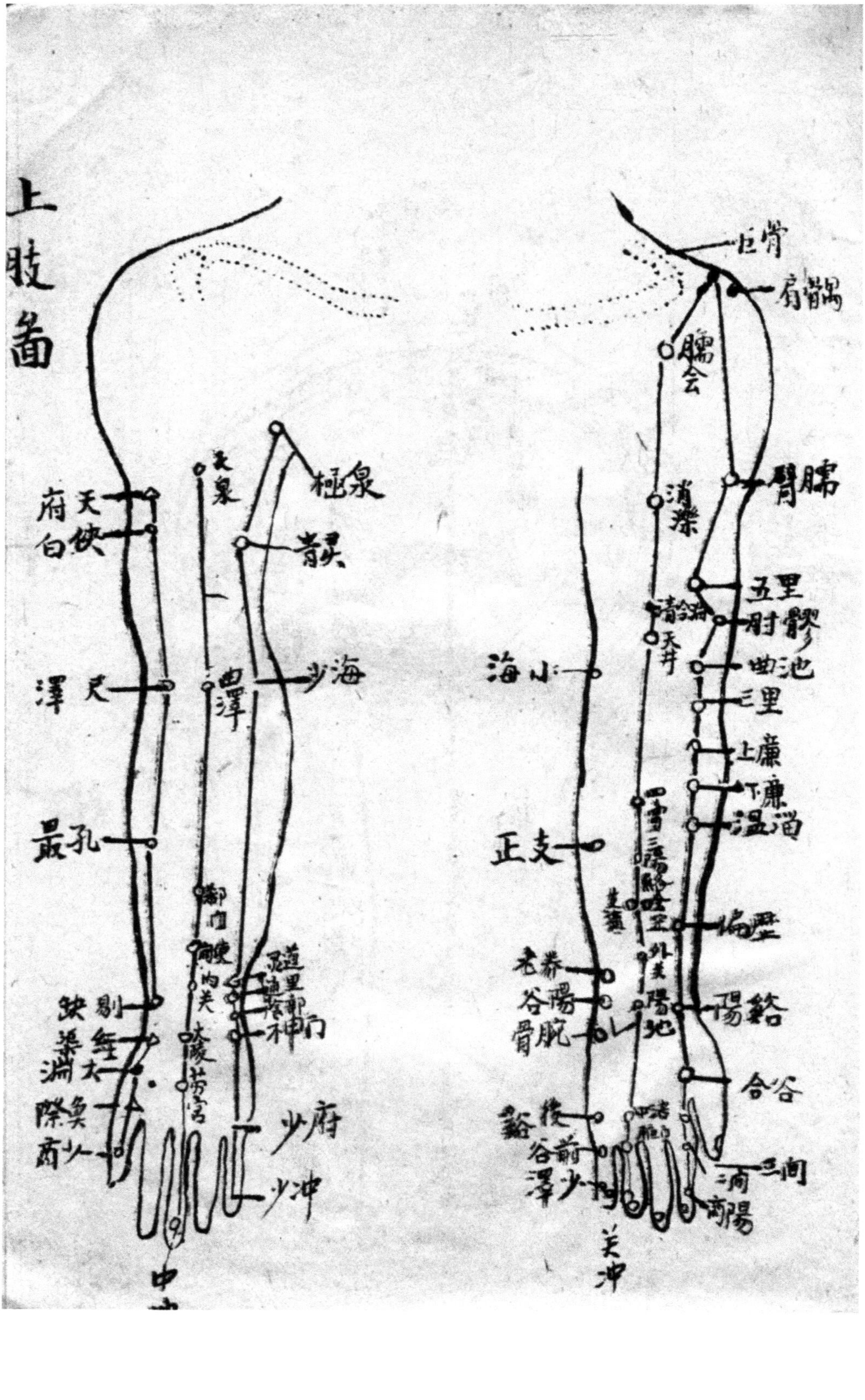
上肢畣
天府
俠白
尺澤
孔最
列缺
經渠
太淵
魚際
少商
青靈
極泉
少海
曲澤
郄門
間使
內關
大陵
勞宮
靈道
通里
陰郄
神门
少府
少冲
中冲
巨骨
肩髃
臑会
臂臑
消濼
五里
肘髎
清冷淵
天井
曲池
三里
上廉
下廉
溫溜
小海
支正
四瀆
三陽絡
會宗
支溝
偏歷
養老
陽谷
腕骨
外關
陽池
陽谿
合谷
後谿
前谷
少澤
中渚
液門
三間
二間
商陽
关冲

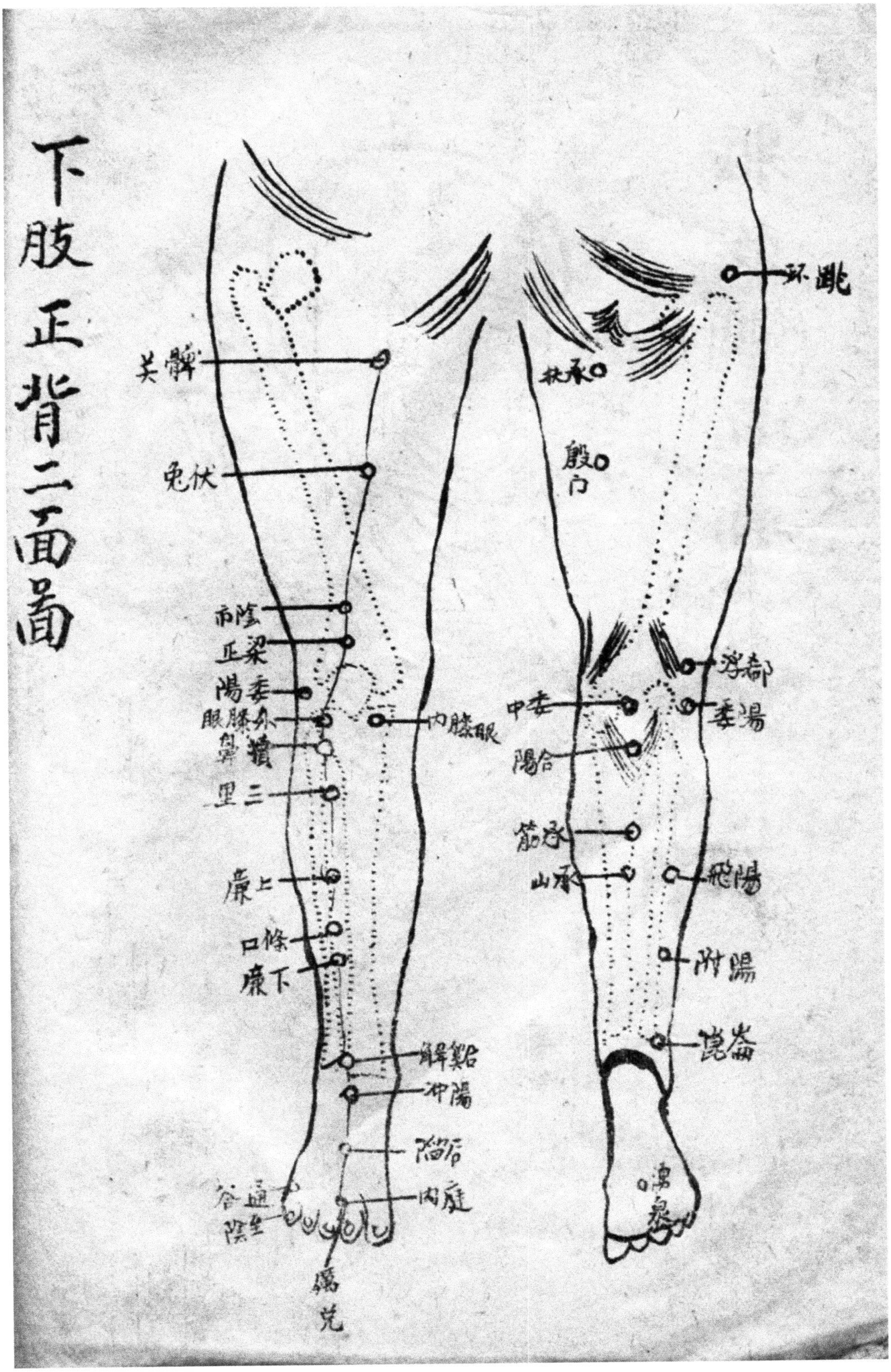
下肢正背二面圖
关髀
兔伏
市陰
正梁
陽委
眼膝外
鼻犢
里三
康上
口條
康下
解谿
冲陽
陷谷
内庭
谷通
陰至
厲兌
内膝眼
环跳
扶承
殷门
浮郗
中委
委陽
陽合
筋承
山承
飛陽
附陽
崑崙
湧泉

軀幹側面圖

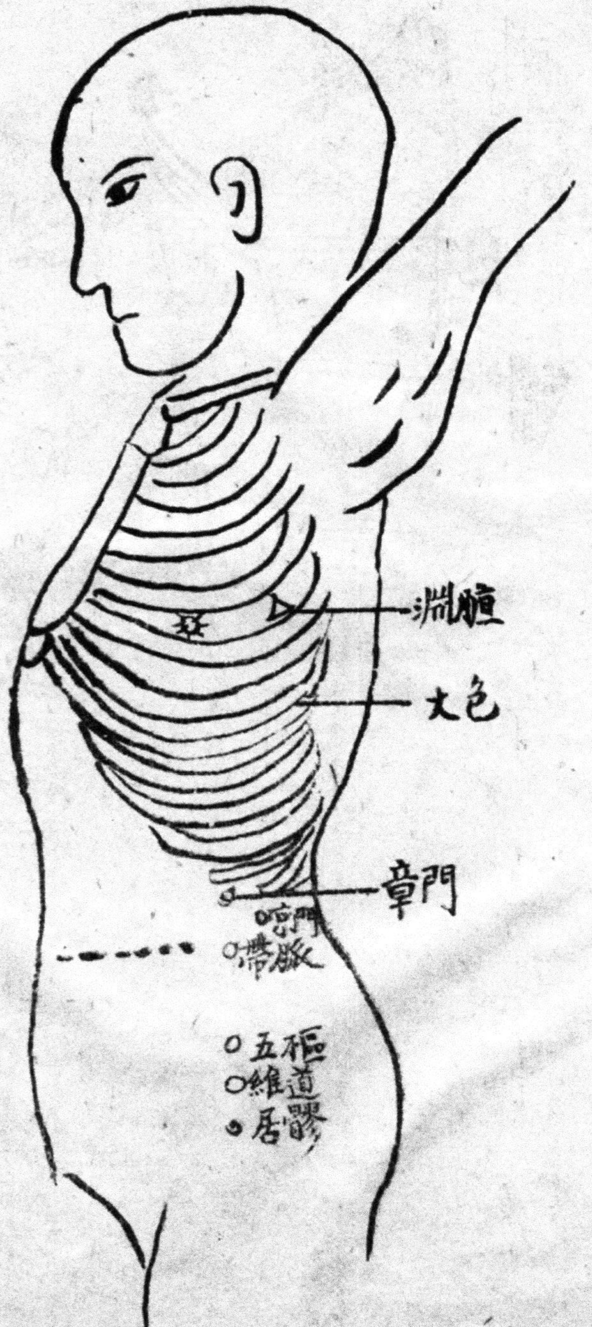

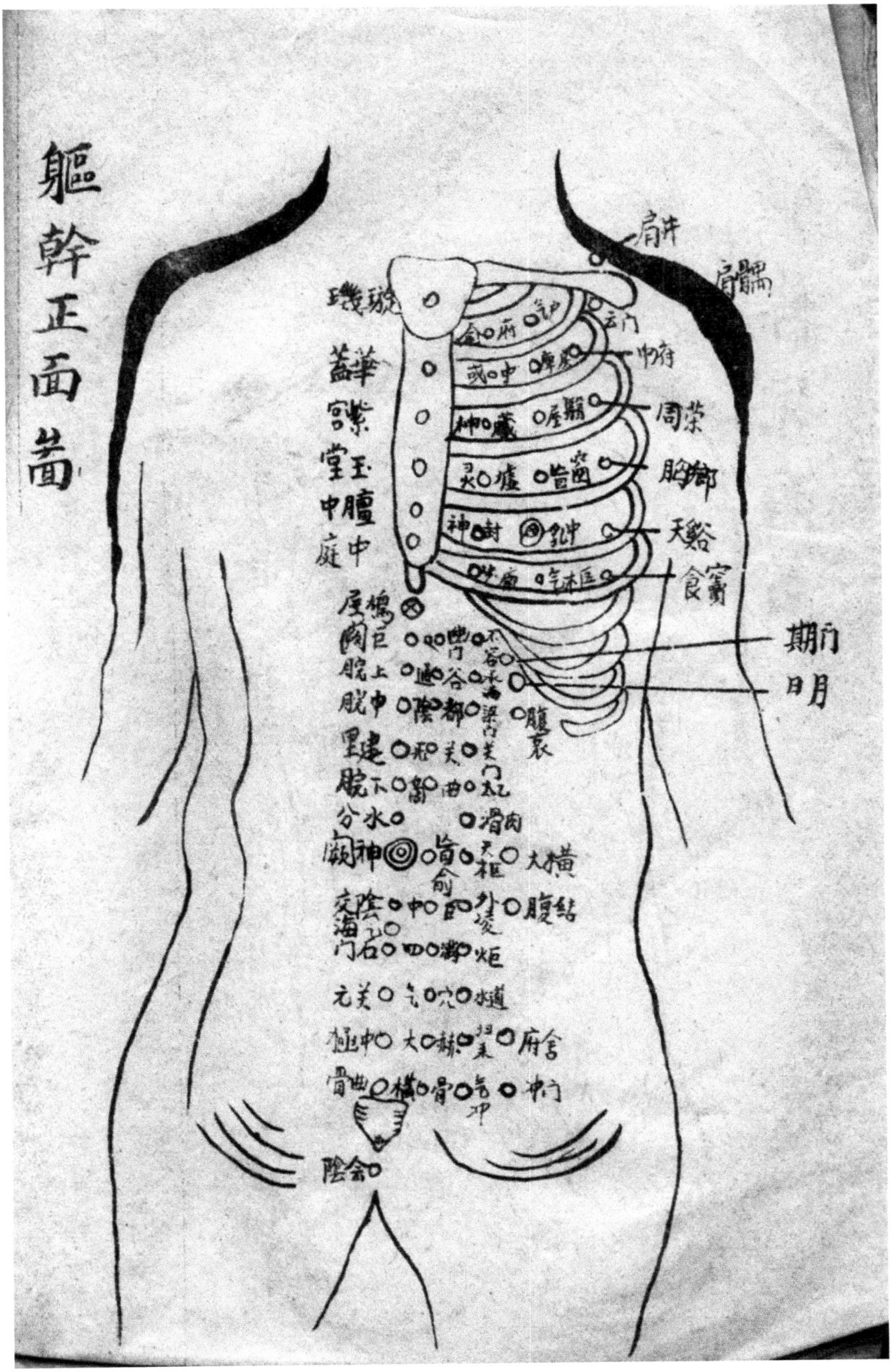
軀幹正面圖
肩井
肩髃
璇璣
華蓋
紫宮
玉堂
膻中
中庭
鳩尾
巨闕
上脘
中脘
建里
下脘
水分
神闕
陰交
氣海
石門
元关
中極
曲骨
陰會
云门
中府
周荣
胸鄉
天谿
食竇
期门
日月
滑肉
大横
腹結
水道
府舍
冲门

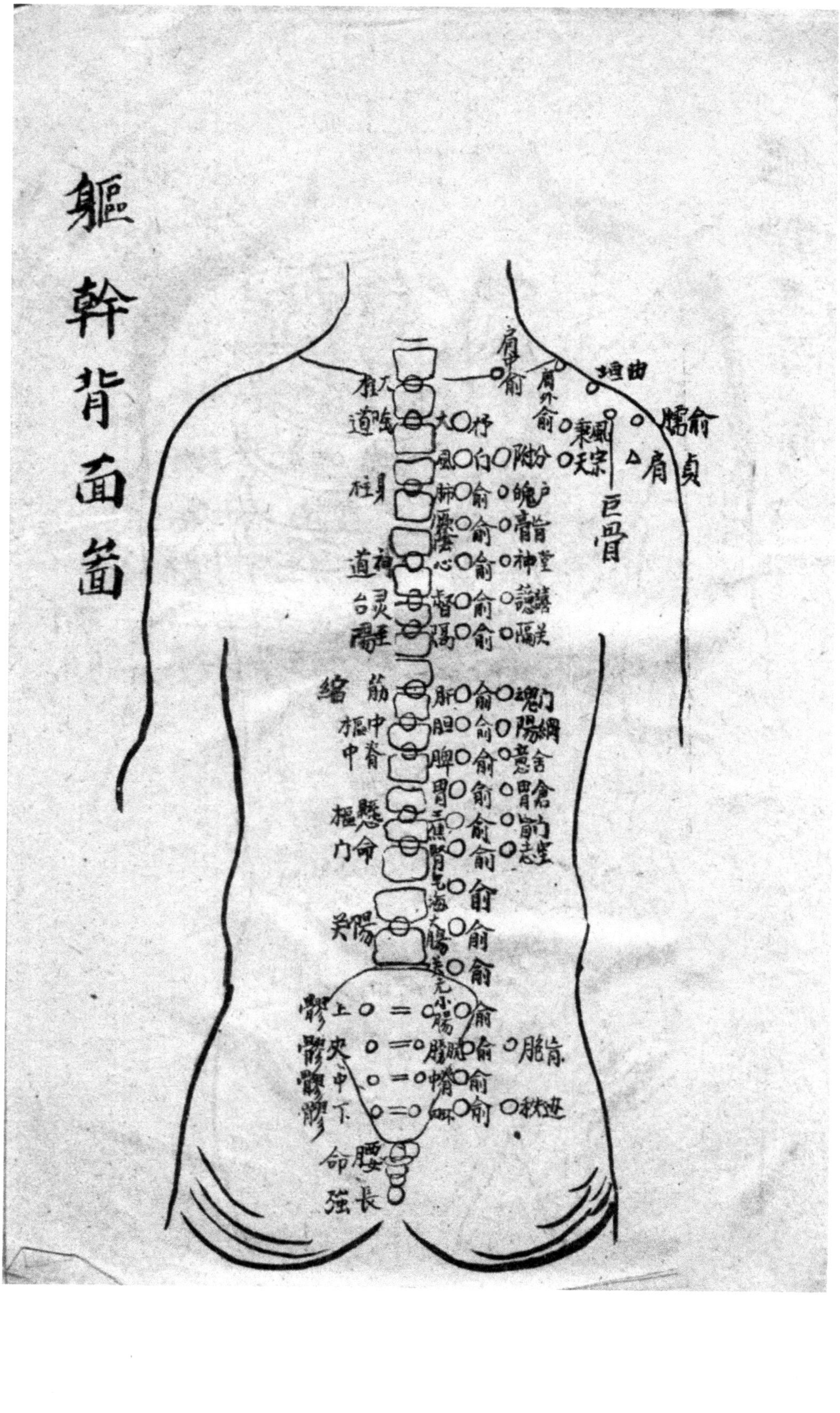
躯幹背面圖
肩中俞
肩外俞
曲垣
臑俞
肩貞
大椎
陶道
大杼
風門
附分
秉風
天宗
巨骨
身柱
肺俞
魄戶
厥陰俞
膏肓
神道
心俞
神堂
靈台
督俞
譩譆
至陽
膈俞
膈关
筋縮
肝俞
魂门
中樞
胆俞
陽綱
脊中
脾俞
意舍
懸樞
胃俞
胃倉
三焦俞
肓门
命门
腎俞
志室
氣海俞
陽关
大腸俞
关元俞
小腸俞
上髎
次髎
膀胱俞
胞肓
中髎
中膂俞
下髎
白環俞
秩边
腰俞
長強

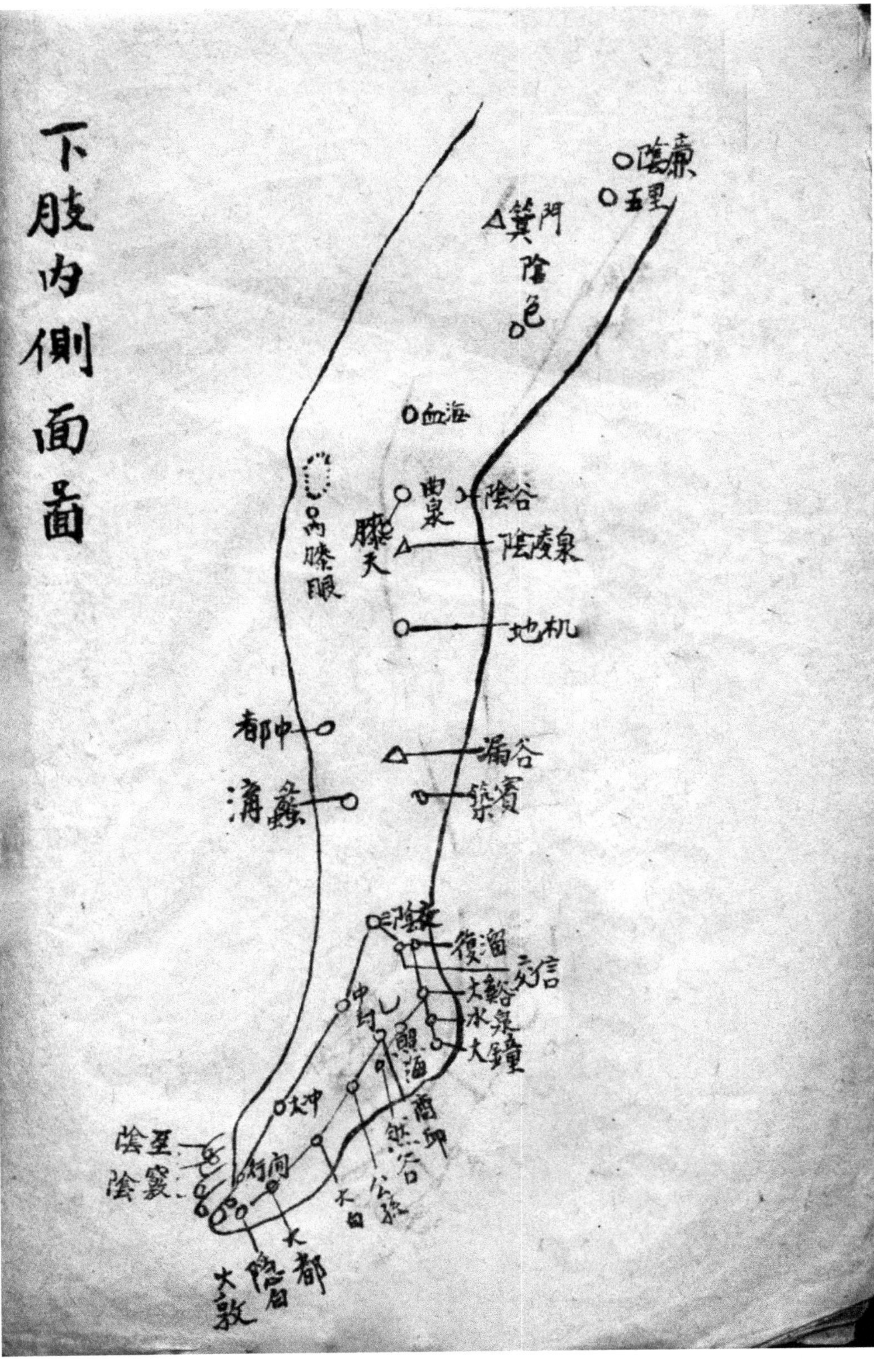
下肢内側面
陰廉
五里
箕門
陰包
血海
曲泉
陰谷
陰陵泉
內膝眼
地机
都中
漏谷
蠡溝
築賓
復溜
交信
水泉
大鐘
照海
中封
商丘
然谷
公孫
太白
太中
行間
大都
隱白
大敦

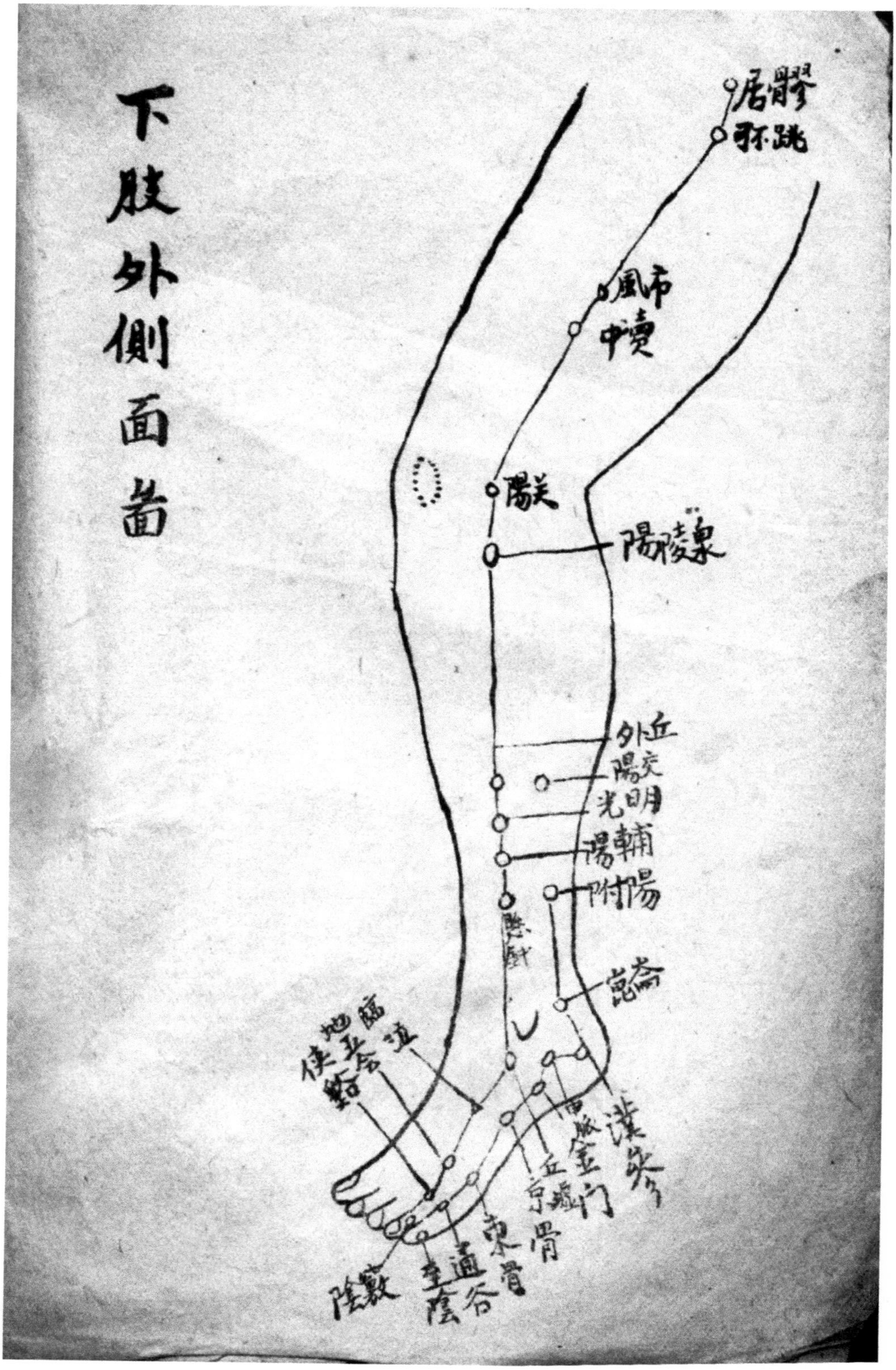
下肢外側面
居髎
环跳
風市
中瀆
陽关
陽陵泉
外丘
陽交
光明
陽輔
附陽
懸鐘
崑崙
申脉
金门
丘墟
京骨
束骨
僕參
地五会
臨泣
侠谿
竅陰